LA
CORRESPONDANCE
COMMERCIALE
EN
ALLEMAND

LA CORRESPONDANCE COMMERCIALE EN ALLEMAND

par

Jürgen Boelcke

Diplômé d'études supérieures de phonétique
Responsable du département d'allemand
à l'Ecole Supérieure de Commerce de Paris

Christel Carrère

Professeur d'allemand
à l'Ecole Supérieure de Commerce de Paris

Bernard Straub

Professeur d'allemand au Lycée
Blaise-Pascal d'Orsay et à l'Ecole Supérieure
de Commerce de Paris

Paul Thiele

Docteur en études germaniques
Professeur d'allemand
à l'Ecole Supérieure de Commerce de Paris
Chargé de cours à l'Université de Paris VIII

PRESSES POCKET

Les langues pour tous

Collection dirigée par Jean-Pierre Berman,
Michel Marcheteau et Michel Savio

ALLEMAND

☐ Pour débuter ou tout revoir :
- **40 leçons**

☐ Pour mieux s'exprimer et mieux comprendre :
- **Communiquer** (en préparation)

☐ Pour se perfectionner et connaître l'environnement :
- **Pratiquer l'allemand**

☐ Pour évaluer et améliorer votre niveau :
- **Score** (200 tests d'allemand)

☐ Pour aborder la langue spécialisée :
- **L'allemand économique & commercial** (20 dossiers)
- **Dictionnaire d'allemand économique, commercial et financier**
- **Correspondance commerciale** (en préparation)

☐ Pour s'aider d'ouvrages de référence :
- **Dictionnaire de l'allemand d'aujourd'hui**

☐ Pour prendre contact avec des œuvres en version originale :
- **Série bilingue :**
  Nouvelles allemandes d'aujourd'hui
  La République fédérale d'Allemagne à travers sa presse
  Récits contemporains (Humour et Satire)

Autres langues disponibles dans les séries
de la collection Les langues pour tous

ANGLAIS	(• 40 Leçons • Communiquer • Pratiquer • Score • Economique et commercial • Dictionnaire économique, commercial et financier • Dictionnaire général • Dictionnaire de l'anglais de l'informatique • Correspondance commerciale • Correspondance générale • Série bilingue)
ARABE	(40 Leçons • Série bilingue)
ESPAGNOL	(40 Leçons • Pratiquer • Economique et commercial • Score • Dictionnaire économique et commercial • Correspondance commerciale)
FRANÇAIS	(Economique & commercial)
ITALIEN	(40 Leçons • Pratiquer • Economique et commercial • Score • Série bilingue)
NÉERLANDAIS	(40 Leçons • Economique et commercial • Série bilingue)
PORTUGAIS	(40 Leçons • Série bilingue)
RUSSE	(40 Leçons • Série bilingue)

© Presses Pocket, 1989.

ISBN : 2 - 266 - 02823 - 5

Les auteurs

Jürgen BOELCKE, diplômé d'études supérieures de phonétique, est professeur à l'Ecole Supérieure de Commerce de Paris où il dirige le département d'allemand. Ses recherches portent sur l'enseignement assisté par ordinateur (EAO), la lexicographie en matière d'économie et de gestion ainsi que sur la pédagogie des langues de spécialité.

Christel CARRÈRE est professeur d'allemand à l'Ecole Supérieure de Commerce de Paris où elle s'occupe spécialement de la didactique de la langue des affaires. Ses axes de recherche portent notamment sur le lexique économique, commercial et financier de l'allemand moderne. Elle intervient au niveau de la formation première et permanente.

Bernard STRAUB est professeur d'allemand au lycée d'Orsay et à l'Ecole Supérieure de Commerce de Paris. La langue des affaires, des recherches lexicographiques en matière d'économie et de gestion ainsi que la pédagogie appliquée sont ses axes de recherche. Il fait également partie de la commission du concours d'entrée à HEC.

Paul THIELE est chargé de cours à l'Université de Paris VIII et professeur à l'Ecole Supérieure de Commerce de Paris où il s'est spécialisé en allemand des affaires. La lexicographie appliquée au vocabulaire de la gestion et de l'économie ainsi que la didactique des langues de spécialité sont ses domaines de recherche. Il est l'auteur d'une thèse de doctorat sur les structures de l'allemand moderne.

Ouvrages publiés

- *L'allemand économique et commercial*, Presses Pocket.
- *Pratiquer l'allemand*, Presses Pocket.
- *Récits allemands contemporains (humour et satire)*, Presses Pocket.
- *La République fédérale d'Allemagne à travers sa presse*, Presses Pocket.
- *Wirtschaftswörterbuch*, Gabler.
- *Dictionnaire de l'allemand économique, commercial et financier*, Presses Pocket.
- *Communiquer en allemand*, Presses Pocket.

Sommaire

Avant-Propos

La méthode **La correspondance commerciale en allemand** pour-suit l'approche pragmatique qui caractérise la collection **Les langues pour tous** et constitue la suite logique des ouvrages économiques déjà parus dans cette série.

Ce livre vise à faciliter l'apprentissage individuel, mais il peut égale-ment être utilisé dans le cadre d'un enseignement collectif (BTS, écoles de secrétariat, de commerce, formation permanente, etc.).

La correspondance commerciale en allemand se veut un ouvrage de référence pour tous ceux qui sont amenés à la pratiquer.

Le manuel est composé de **20 dossiers** de **10 pages** chacun, traitant respectivement une opération bien définie dans le cadre de la corres-pondance commerciale.

Chaque **dossier** est structuré de la manière suivante :

Présentation du chapitre
Outre une approche générale du sujet, elle propose le **scénario** des différentes lettres traitées.

A1 Lettres en allemand
Un ou deux modèles de lettre avec, en bas de page, des notes lexicales et grammaticales.

A2 Traduction en français

A3 Lettres en allemand
Suite des lettres-types accompagnées de notes en bas de page.

A4 Traduction en français

B1 Lettres en français

B2 Traduction en allemand
En bas de page, des remarques, synonymes et variantes destinés à enrichir vos possibilités d'expression.

C Phrases-types
Il s'agit également d'un exercice de traduction en partant du français ; les expressions les plus courantes et significatives du chapitre traité ainsi que des variantes y sont recensées.

D Vocabulaire
Cette partie récapitule le lexique de la leçon en la complétant au besoin.

E   Exercices

Un test — avec **corrigé** en fin d'ouvrage — permet, grâce à des exercices variés, de faire le point de l'acquisition de vos connaissances.

Le **lexique** en fin d'ouvrage reprend l'ensemble des termes utilisés dans le manuel et permet ainsi un contrôle pratique et rapide.

Conseils d'utilisation

1. Lire attentivement les lettres en allemand, en **A1** et **A3**, en s'appuyant sur la traduction et les remarques en bas de page.

2. Faire une seconde lecture de **A1** et **A3** en s'assurant de leur compréhension parfaite. A ce stade, la traduction et les notes ne devraient plus être nécessaires.

3. Traduire la partie **B1** en allemand, phrase par phrase, en s'appuyant sur les nombreuses variantes lexicales données en bas de page. Comparer avec les traductions proposées en **B2**.

4. Essayer de traduire les phrases-types **C** en partant du français. Contrôler à l'aide de la traduction et refaire l'exercice jusqu'à ce que les phrases puissent être considérées comme acquises. De nombreuses variantes lexicales et grammaticales mentionnées entre parenthèses devraient être une aide précieuse pour l'utilisateur.

5. Faire le point de l'acquisition lexicale en étudiant la partie **D**. Elle comporte le vocabulaire étudié ainsi que les mots et expressions indispensables du chapitre traité.

6. Vérifier l'acquis grâce aux exercices **E** et le corrigé donné dans la partie Annexes.

⚇ Version-cassette

Une cassette (durée : 60 minutes) constitue un complément utile pour ceux qui souhaitent faire une préparation aux examens de la chambre de commerce ou aux différents concours. Elle comporte des enregistrements avec des extraits de lettres ainsi que de nombreux exercices de transcription améliorant ainsi la compréhension et l'assimilation des structures.

Signes et symboles utilisés

1. ~ Le tilde reprend le mot-entrée.

2. Abréviation de l'article défini :
   r = der   **e = die**   **s = das**

3. Pluriel des substantifs :
   r Vertrag, ⸚e ⟶ **die Verträge**
   s Schreiben, - ⟶ **die Schreiben**
   e Offerte, n ⟶ **die Offerten**

4. Pluriel seul usuel : **e Kosten** (plur.)

5. Double forme de pluriel :
   s Konto, s/ten   • **die Kontos**
                           • **die Konten**

6. Absence de pluriel : **r Bedarf,** ∅

7. Adjectif ou participe substantivé :
   Beamte(r) (adj.)   • **der Beamte**
                             • **ein Beamter**

8. Masculin faible :
   r Kunde, n, n   **n** ou **en** à tous les cas sauf
   r Lieferant, en, en au nominatif singulier

9. Verbe fort à changement vocalique :
   geben, a, e, i ⟶ **gab, gegeben, gibt**

10. Verbe à particule séparable (préverbe) :
    aus/geben, a, e, i

11. Passé formé avec l'auxiliaire **sein** :
    kommen, a, o (ist) ⟶ **ist gekommen**

12. Indication du cas :
    A = accusatif   **D = datif**   **G = génitif**

13. Prononciation de certains mots étrangers en alphabet phonétique international :
    r Computer [kɔm'pjutər]
    e Branche ['brãʃə/'braŋʃə]

14. Variantes entre parenthèses :
    e Anschrift (e Adresse)
    e Korrespondenz (r Schriftwechsel / r Schriftverkehr)

15. Abréviations courantes :
    inf. : infinitif
    m. à m. : mot à mot
    contr. ou ≠ : contraire, antonyme
    syn. ou = : synonyme

1

Aufbau und Form des Geschäftsbriefes

Structure et présentation de la lettre commerciale

Les dix commandements de la correspondance commerciale

- Ecrire d'une façon claire et simple.
- Rédiger des phrases courtes si possible.
- Proscrire politesse et familiarité exagérées.
- Eviter les malentendus qui coûtent cher.
- Structurer la lettre en paragraphes bien marqués.
- Eviter le calque sur le français, source d'erreurs.
- Bien assimiler le vocabulaire spécifique et les tournures idiomatiques de la correspondance commerciale : c'est un gain de temps appréciable.
- Ecrire les pronoms personnels en majuscules (Sie, Ihnen / Du, Dich, etc.).
- Apporter un soin tout particulier à la rédaction de la date, de l'appellation et des formules de politesse.
- Respecter les titres universitaires si chers aux Allemands.

Parties constituantes de la lettre commerciale

1. **Der Briefkopf**	*L'en-tête*
2. **Die Anschrift des Empfängers**	*L'adresse du destinataire*
3. **Die Bezugszeichen**	*Les références*
Das Datum	*La date*
4. **Betreff**	*Objet*
5. **Behandlungsvermerke**	*Mentions particulières*
6. **Die Anrede**	*L'appellation*
7. **Der Brieftext**	*Le corps de la lettre*
8. **Die Grußformel**	*La formule de politesse*
9. **Die Unterschrift**	*La signature*
10. **Die Anlage(n)**	*Les pièces jointes*
11. **Der Brieffuß**	*Le bas de la lettre*

1

sm
SCHÖNHAUS-MÖBEL GMBH
Postfach 1111 • 7530 Pforzheim

2 Herrn
Erich Nagel
Mozartstraße 14
6900 Heidelberg

3 Ihre Zeichen	Ihr Schreiben vom 1.11.19..	Unsere Zeichen MS/IB	Unser Schreiben vom 6.11.19..

4 Betreff
Katalog, Preisliste   5

6 Sehr geehrter Herr Nagel,

Ihr spezielles Interesse an der Küchenmöbelproduktion SCHÖNHAUS und
die freundliche Empfehlung haben uns sehr gefreut.

Sehr gerne lassen wir Ihnen unseren Katalog mit Preisliste zukommen. Trotz
Inflation sind keine wesentlichen Preisänderungen seit letztem Jahr eingetreten.

7 Die Lieferung erfolgt durch eine von uns beauftragte Möbel-Spedition frei
Haus. Bei Bezahlung innerhalb von 8 Tagen nach Rechnungsdatum gewähren
wir 2 Prozent Rabatt. In unseren Preisen ist die gesetzliche Mehrwertsteuer
von ... % einbegriffen.

Für weitere Auskünfte sowohl technischer als auch kommerzieller Art stehen
wir Ihnen jederzeit gerne zur Verfügung. In Erwartung Ihres Besuchs verbleiben
wir

8 mit freundlichen Grüßen

SCHÖNHAUS-MÖBEL GmbH

9 *M. Schäfer*

Manfred Schäfer
Einkaufsleiter

10 Anlagen
Katalog, Preisliste

11 Geschäftsräume Heumarkt 14 Pforzheim	Telex : 483 849 Fernsprecher : (06722) 238847	Telegrammanschrift Schönhaus Pforzheim	Bankkonto Deutsche Bank Pforzheim 304 104 (BLZ 604 9017)	Postscheckkonto Stuttgart 519 42 705 (BLZ 600 100)

1. DER BRIEFKOPF - *L'EN-TÊTE*

L'en-tête d'une lettre commerciale comporte des indications telles que :

der Firmenname, *la raison sociale ;*
die Anschrift (die Adresse), *l'adresse ;*
der Geschäftszweig (Möbel, Textilien, etc.),
la branche commerciale (meubles, textiles, etc.) ;
die Gesellschaftsform (GmbH, AG, KG, etc.),
*la forme de société (S.A.R.L., S.A., Société en commandite
simple).*

Les indications 11 (bas de la page ci-contre) peuvent également
figurer en 1.

2. DIE ANSCHRIFT (DIE ADRESSE) DES EMPFÄNGERS
   L'ADRESSE DU DESTINATAIRE

■ S'adressant à des particuliers, on écrira :

Herrn [1]   **Herrn Erich Nagel**
Erich Nagel

Frau [2]   **Frau Ursula Schönhaus**
Ursula Schönhaus

Fräulein [3]   **Fräulein Christel Beck**
Christel Beck

■ Les titres universitaires font partie intégrante du nom et figurent
sur la même ligne que celui-ci :

Frau   **Herrn**
Dr. [4] **Monika Herz**   **Dipl.-Kfm.** [5] **Schäfer**

■ La profession et la fonction, par contre, sont sur la même ligne
que **Herrn** ou **Frau** :

Herrn Rechtsanwalt   **Frau Ministerialrätin**
Dr. Hans Gruber   **Dr. Helga Strauß**

---

1. **Herrn** : en abrégé Hrn., est l'A de Herr et sous-entend la prép.
an *à* : an Herrn Erich Nagel ; (der Herr est un masculin faible).
2. **Frau** : abrégé en Fr.
3. **Fräulein** : en abrégé Frl. ; signe des temps, **Frau** se substitue
de plus en plus à Fräulein, même pour les femmes non mariées.
4. **Dr. Monika Herz** : le titre universitaire Doktor devient partie intégrante du nom.
5. **Dipl.-Kfm.** = Diplom-Kaufmann, est un *diplômé d'études supérieures de gestion.*

■ Ecrivant à des entreprises, on optera pour le libellé suivant :

Firma   **Siemens AG**   **Schönhaus-**
Hans Meyer   **Möbel GmbH**

■ On indique souvent le nom de la personne à qui la lettre est personnellement destinée, ou le service concerné :

Schönhaus-   **Siemens AG**
Möbel GmbH   **Personalabteilung**
z.Hd. [1] **Herrn Manfred Schäfer**

■ L'adresse proprement dite comporte les indications suivantes :
Straße : *rue*, **Hausnummer** : *numéro*, **Postfach** : *boîte postale*,
Bestimmungsland : *pays de destination*, **Postleitzahl (PLZ)** : *code postal*, **Ort** : *localité* [2].

Spiegel-Verlag   **VEB-Maschinen**
Abonnement-Service   **Karl-Marx-Straße 7**
Postfach 110420   **DDR-7010 LEIPZIG**
D-2000 HAMBURG 11

Wirtschaftshochschule St. Gallen
Dufourstraße 50
CH-9000 ST. GALLEN

■ Les mentions particulières de service postal sont placées au-dessus de l'adresse :

> **(mit) Luftpost,** *par avion ;*
> **(durch) Eilboten,** *exprès, par porteur spécial ;*
> **Drucksache,** *imprimé, pli non urgent ;*
> **Einschreiben,** *recommandé ;*
> **(gegen) Nachnahme,** *contre remboursement ;*
> **Bitte nachsenden,** *faire suivre.*

Einschreiben
Wirtschaftswoche-Redaktion
Georg-Glock-Straße 3
D-4000 DÜSSELDORF 1

3. DIE BEZUGSZEICHEN - DAS DATUM
LES RÉFÉRENCES - LA DATE

■ **Die Bezugszeichen** *les références* permettent d'identifier la lettre et la réponse. En règle générale, la référence comprend les initiales

---

1. **z.Hd.** = **zu Händen (von) Herrn Schäfer,** *à l'attention de (aux bons soins de) M. Schäfer.*
2. Un usage plus ancien pratiquait un ordre différent, la localité précédait la rue : **Frau Anna Kremp, 6532 Oberwesel, Heumarkt 14.**

de la personne qui a dicté la lettre (le dicteur) (**MS : Manfred Schäfer**) et celles de la personne qui a assuré la frappe (**IB : Inge Berger**) :

Ihre Zeichen *Votre réf.*   **Unsere Zeichen** *Notre réf.*
                                       MS/IB

■ La date s'inscrit sous :

Ihr Schreiben (Ihre Nachricht) vom 1.11.19..,
Votre courrier du 1er/11/19.. ;
Unser Schreiben (Unsere Nachricht) vom 6.11.19..,
Notre courrier du 6/11/19...
Ihre Nachricht vom 1.11.19..
Unsere Nachricht vom 6.11.19..

■ Il existe plusieurs possibilités d'indiquer la date [1] :

1.11.19..
1. November 19..
1. Nov. 19..

■ Dans les lettres sans ligne de référence, doit figurer le nom de la ville :

Pforzheim, den 19.4.19..
Hamburg, den 25. Mai 19..
München
15. Juni 19..

■ Le point qui suit le jour et le mois en chiffres revêt bien la fonction d'un chiffre ordinal : **1.11.** il faut lire **erster elfter**.

4. BETREFF - *OBJET*

Betreff .   **Betreff : Katalog, Preisliste**
Katalog, Preisliste
Betr. :   **Betr. : Katalog, Preisliste**
Katalog, Preisliste

■ *L'objet* (**der Betreff**) constitue un résumé de la lettre et permet de gagner du temps dans l'acheminement du courrier à l'intérieur de la société ; il assure une identification plus rapide du message.

5. BEHANDLUNGSVERMERKE - *MENTIONS PARTICULIÈRES*

■ Il peut y avoir des mentions spécifiques telles que :

Persönlich, *personnel ;*
Vertraulich, *confidentiel ;*

---

1. Les noms de mois peuvent être abrégés comme suit : **Jan.,** Januar ; **Febr.,** Februar ; **Apr.,** April ; **Aug.,** August ; **Sept.,** September ; **Okt.,** Oktober ; **Nov.,** November ; **Dez.,** Dezember. Pour les autres mois, on écrira **März, Mai, Juni, Juli.**

> **Streng vertraulich,** *strictement confidentiel ;*
> **Eilt,** *urgent.*

6. DIE ANREDE - *L'APPELLATION*

■ Dans les cas où le nom de l'interlocuteur est connu, on écrira :

> **Sehr geehrter Herr Nagel**[1], *Monsieur,*
> **Sehr geehrte Frau Goldschmit,** *Madame,*
> **Sehr geehrte Frau Dr. Herz,** *Madame,*

■ Le point d'exclamation à la place de la virgule est de plus en plus rare aujourd'hui :

> **Sehr geehrter Herr Nagel !**[2]

■ Dans les lettres adressées à des maisons commerciales, services, autorités, etc. où l'interlocuteur n'est pas identifié, on utilisera un pluriel impersonnel :

> **Sehr geehrte Herren,** *Messieurs,*
> **Sehr geehrte Damen und Herren,** *Madame, Monsieur,*

En raison du nombre important de femmes dans les différents services, la forme **Sehr geehrte Damen und Herren** est à privilégier.

■ Si l'on connaît la fonction de son interlocuteur, on peut écrire :

> **Sehr geehrter Herr Direktor,** *Monsieur le Directeur,*
> **Sehr geehrter Herr Professor,** *Monsieur le Professeur,*
> **Sehr geehrter Herr Bürgermeister,** *Monsieur le Maire,*

■ A l'intention de correspondants que l'on connaît bien et avec lesquels on entretient de bonnes relations d'affaires, on écrira :

> **Lieber Herr Luxem,** *Cher Monsieur,*
> **Liebe Frau Kohl,** *Chère Madame,*

7. DER BRIEFTEXT - *LE CORPS DE LA LETTRE*

Le texte proprement dit commence par une minuscule, au bord de la marge, juste au-dessous de l'appellation. C'est donc la disposition « moderne » ou « américaine » qui est la plus fréquente en allemand moderne. La disposition « classique », caractérisée par la première ligne en retrait, s'emploie peu de nos jours.

■ Les pronoms personnels du ou des interlocuteurs prennent une majuscule : **Du, Dich, Dir, Dein / Ihr, Euch, Euer / Sie, Ihr, Ihnen** (sauf le pronom réfléchi **sich** qui s'écrira toujours en minuscules).

> **Bitte teilen Sie uns mit, ...**

---

1. Le texte de la lettre commence par une minuscule.
2. Après le point d'exclamation, par contre, la lettre commencera par une majuscule.

**Vielleicht interessieren Sie sich für unser Angebot.
Wir wären Ihnen sehr dankbar, wenn ...**

■ La lettre elle-même doit être compréhensible et éviter tout malentendu. Il faut attacher beaucoup d'importance à la présentation du texte qui comporte, en général, plusieurs paragraphes. Grosso modo, on peut dire qu'il y a autant de paragraphes que de points à traiter.

■ Une politesse exagérée et un style ampoulé sont à proscrire. Par contre, il faudra privilégier des phrases courtes, claires et dépourvues de toute ambiguïté. La lettre commerciale bien conçue, clairement structurée et bien lisible joue un rôle important dans le monde des affaires où *le temps est de l'argent* : **Zeit ist Geld.**

8. DIE GRUSSFORMEL - *LA FORMULE DE POLITESSE*

En allemand, contrairement à l'usage français, les formules terminatives sont courtes et ne reprennent jamais l'appellation, par ex. **Sehr geehrte Herren**. Suivant le cas, on utilisera des formules différentes :

■ *Formules neutres, très employées*

**Mit freundlichen Grüßen
Mit freundlichem Gruß
Mit besten Grüßen
Mit bestem Gruß
Mit besten Empfehlungen**
Veuillez agréer, Monsieur, l'expression de nos sentiments distingués / cordiaux / de nos meilleures salutations [1].

Il faut noter que **Mit freundlichen Grüßen** est, de loin, la formule la plus usitée.

■ *Formule respectueuse et formelle*

Hochachtungsvoll
Veuillez croire, Messieurs, à l'expression de nos sentiments respectueux / salutations très distinguées.

Malgré son caractère formel et impersonnel, cette expression est toujours employée, notamment quand le destinataire est inconnu ou lorsqu'il existe un rapport hiérarchique implicite. **Hochachtungsvoll** exprime une déférence polie dans un cadre purement administratif.

---

1. En allemand, appellation et formule de politesse semblent plus équilibrées et moins formelles : **Sehr geehrter Herr Nagel** et **Mit freundlichen Grüßen**, alors qu'en français à la formule de salutation *Messieurs, Monsieur*, assez sèche, correspond une formule finale quelque peu obséquieuse : *Veuillez agréer, Monsieur, l'expression de mes sentiments distingués.*

■ *Formule très formelle et révérencieuse*

   Mit vorzüglicher Hochachtung
   Je vous prie de croire, Monsieur, à l'assurance de ma considération distinguée / de mes sentiments les plus respectueux.

On réservera cette formule, très rare dans la correspondance commerciale habituelle, à des échanges très officiels et formels.

Toutes ces formules de politesse (neutres, formelles, respectueuses) peuvent figurer dans la dernière phrase immédiatement après l'expression verbale **verbleibe ich / verbleiben wir** (m. à m. je continue / nous continuons à rester), mais en dessous :

   In Erwartung Ihrer Antwort verbleibe ich / verbleiben wir
   mit freundlichen Grüßen [1]
   hochachtungsvoll
   mit vorzüglicher Hochachtung
   Dans l'attente de votre réponse, je vous prie/nous vous prions d'agréer, Madame / Monsieur / Messieurs,...

Notez bien la minuscule [2] qui est de rigueur dans cette formule terminative.

9. DIE UNTERSCHRIFT - *LA SIGNATURE*

On appose la signature après la formule de politesse. Comme elle est souvent illisible, on a pris l'habitude d'indiquer à la machine le prénom, le nom de famille et, éventuellement, le titre universitaire du signataire (**Dr. Gerd Manteufel**) suivis, généralement, de sa fonction dans l'entreprise (**Personalleiter** : *chef du personnel*, **Geschäftsführer** : *gérant*, etc.). Contrairement au français, ces indications tapées à la machine figurent toujours après la signature.

■ *La signature peut être précédée de :*

ppa ou **pp** (**per procura**) : *par procuration* [3].
Il s'agit d'une procuration d'un fondé de pouvoir (**Prokurist**) qui doit être inscrite au registre du commerce (**Handelsregister**).
i.V. (**in Vollmacht**) : *par mandat, par procuration.*
C'est un pouvoir accordé aux employés, vendeurs, représentants, etc.
i.A. (**im Auftrag**) : *par ordre, par mandat.*
C'est un pouvoir restreint limité à certaines fonctions, par ex. à celles d'un **Sachbearbeiter** : *responsable d'un dossier et de son suivi.*

---

1. Observez cependant l'espace blanc entre **verbleibe ich / verbleiben wir**.
2. En effet, **mit freundlichen Grüßen / hochachtungsvoll / mit vorzüglicher Hochachtung** dépendent syntaxiquement de **verbleibe ich / verbleiben wir**.
3. Cf. aussi chapitre 19.

■ *Signature précédant le nom et la fonction du signataire :*

M. Schäfer

Manfred Schäfer
Einkaufsleiter

10. DIE ANLAGE(N) - *PIÈCES JOINTES*

Lorsqu'on joint à la lettre des documents tels que factures, bons de commande, certificats, etc., on en fait mention en bas de la feuille, à gauche : **Anlage(n)** ; le mot au singulier ou au pluriel est souligné et correspond à une énumération ou à une indication chiffrée des pièces.

Anlage : Zeugnisse   **Anlagen : Zeugnisse**   **2 Anlagen**
                                                      Lebenslauf

11. DER BRIEFFUSS - *LE BAS DE LA LETTRE*

Les lettres commerciales peuvent comporter, en bas, les indications suivantes :

    Geschäftsräume, *locaux commerciaux ;*
    Fernsprecher, *téléphone ;*
    Fernschreiber (Telex), *télex ;*
    Fernkopierer (Telefax), *télécopieur ;*
    Telegramm-Anschrift, *adresse télégraphique ;*
    Bank- und Postscheckkonten (BLZ),
    numéros de compte bancaire et postal (code bancaire).

Toutes ces indications peuvent également figurer en 1, l'en-tête de la lettre.

1. Sur l'enveloppe figure l'adresse du destinataire.
2. Elle mentionne le nom de la rue, le numéro, le code postal et la localité.
3. Siemens S.A., service du personnel, à l'attention de M. Manfred Schäfer.
4. Raison sociale, adresse, branche commerciale et forme de société figurent sur l'en-tête.
5. Votre courrier du 5 février 19.. / Notre courrier du 25/2/19..
6. Objet : demande de catalogue / lettre de candidature.
7. Monsieur / Messieurs / Madame, Monsieur,... sentiments distingués.
8. Madame,... sentiments respectueux / considération distinguée.
9. Dans l'attente de votre réponse nous vous prions d'agréer, Monsieur,... sentiments distingués.
10. N'oubliez pas votre signature et indiquez votre fonction dans l'entreprise.
11. Pièces jointes : diplômes universitaires, CV.
12. Le bas de la lettre comporte entre autres le n° de compte bancaire, les numéros de téléphone et de télex ainsi que l'adresse télégraphique.

---

1. **Auf dem Umschlag steht die Anschrift (die Adresse) des Empfängers.**
2. **Sie gibt den Straßennamen, die Hausnummer, die Postleitzahl (PLZ) und den Ort an.**
3. **Siemens AG (Aktiengesellschaft), Personalabteilung, zu Händen (z.Hd.) von Herrn Manfred Schäfer.**
4. **Firmenname, Anschrift (Adresse), Geschäftszweig und Gesellschaftsform stehen auf dem Briefkopf.**
5. **Ihr Schreiben (Ihre Nachricht) vom 5.Februar (Febr.) 19../ Unser Schreiben (Unsere Nachricht) vom 25.2.19..**
6. **Betreff (Betr.) : Kataloganforderung, Bewerbungsschreiben.**
7. **Sehr geehrter Herr Nagel, / Sehr geehrte Herren, / Sehr geehrte Damen und Herren, ... Mit freundlichen (besten) Grüßen / Mit besten Empfehlungen.**
8. **Sehr geehrte Frau Goldschmit, ... Hochachtungsvoll / Mit vorzüglicher Hochachtung.**
9. **In Erwartung Ihrer Antwort verbleibe ich / verbleiben wir ... mit freundlichen Grüßen.**
10. **Vergessen Sie nicht Ihre Unterschrift und geben Sie Ihre Funktion (Ihren Aufgabenbereich) im Unternehmen an.**
11. **Anlagen : Universitätsdiplome, Lebenslauf.**
12. **Der Brieffuß enthält u.a. (unter anderem) Bankkontonummer, Telefon- und Telexnummer sowie Telegramm-Anschrift.**

e Korrespondenz, en (r Brief-wechsel, ∅ ; **r Schriftwechsel**, ∅ ; **r Schriftverkehr**, ∅**)** : correspondance.

e Handelskorrespondenz : correspondance commerciale.

s Schreiben, - (r Brief, e) : lettre.

r Geschäftsbrief, e : lettre commerciale.

r Umschlag, ¨e (rare **s Kuvert, s)** : enveloppe.

•

r Briefkopf, ¨e : en-tête.

r Firmenname, ns, n : raison sociale.

r Geschäftszweig, e : branche commerciale.

e Gesellschaftsform, en : forme de société.

•

e Anschrift, en (e Adresse, n) : adresse.

r Absender, - : expéditeur.

r Empfänger, - : destinataire.

r Name, ns, n : nom.

Vor-, Familienname, prénom, nom de famille.

Mädchen~ : nom de jeune fille.

e Straße, n : rue.

e Hausnummer, n : n° de rue.

s Postfach, ¨er : boîte postale.

s Bestimmungsland, ¨er : pays (de destination).

e Postleitzahl, en (PLZ) : code postal.

r Ort, e : localité.

zu Händen (z.Hd.) (von) : à l'attention de, aux bons soins de.

(mit) Luftpost : par avion.

(durch) Eilboten : exprès, par porteur spécial.

e Drucksache, n : imprimé.

s Einschreiben, - : recommandé.

(gegen) Nachnahme : contre remboursement.

Bitte nachsenden : faire suivre.

persönlich : personnel.

vertraulich : confidentiel.

streng vertraulich : strictement confidentiel.

eilt : urgent.

•

s Bezugszeichen, - : référence.

Ihre Zeichen/Unsere Zeichen : Votre réf./Notre réf.

Ihr Schreiben (Ihre Nachricht) vom : votre courrier du.

Unser Schreiben (Unsere Nachricht) vom : notre courrier du.

•

Betreff (Betr.) : objet.

e Bewerbung, en : candidature.

e Preisliste, n : liste des prix.

•

e Anrede, n : appellation, titre de civilité.

Sehr geehrter Herr Nagel : Monsieur.

Sehr geehrte Frau Dinard : Madame.

Sehr geehrte Herren : Messieurs.

Sehr geehrte Damen und Herren : Madame, Monsieur.

•

e Grußformel, n : formule de politesse, terminative.

Mit freundlichen (besten) Grüßen

Mit freundlichem (bestem) Gruß

Mit besten Empfehlungen : ... sentiments distingués.

Hochachtungsvoll : ... sentiments respectueux.

Mit vorzüglicher Hochachtung : ... considération distinguée.

e Unterschrift, en : signature.

•

e Anlage, n : pièces jointes.

r Brieffuß, ¨ße : le bas de la lettre.

A ■ Corrigez les erreurs

1. 1er Februar 19..
2. 2/12/19..
3. 14. Novem. 19..
4. Hamburg, am 25 Ju. 19..
5. 8000 Munich - RFA

B ■ Vrai ou faux ? Corrigez en ajoutant éventuellement un nom

1. Sehr geehrter Herr,
2. Sehr geehrte Herren,
3. Sehr geehrte Dr. Frau,
4. Sehr geehrte Damen und Herren,
5. Mein lieber Herr,

C ■ Trouvez, si nécessaire, l'adjectif approprié

1. Mit __ Grüßen
2. Mit __ Empfehlungen
3. Mit __ Hochachtung
4. Hochachtungsvoll __
5. Mit __ Gruß

D ■ Eléments en désordre. Rétablissez le bon ordre

1. D, Postfach 110420, Service, Abonnement, Verlag, Spiegel, 11, Hamburg, 2000.
2. Leipzig, DDR, 7010, 7, Straße, Karl Marx, Maschinen, VEB.
3. Antwort, Ihrer, Erwartung, in, wir verbleiben, Grüßen, mit, freundlichen.
4. Monika Herz, Dr., Frau, zu Händen von, GmbH, Möbel, Schönhaus.
5. Nachricht, Ihre, Unsere, 1. April 19.., Nachricht, 15. April 19.., vom.

E ■ Traduisez

1. N'oubliez pas de signer votre lettre.
2. Messieurs, ... sentiments distingués.
3. Monsieur / Madame ... sentiments respectueux / considération respectueuse.
4. Schönhaus-S.A.R.L., Service des achats, à l'attention de Monsieur Manfred Schäfer.
5. Objet : lettre de candidature ... Pièces jointes : CV, certificats.
6. Personnel / confidentiel / urgent.
7. Par avion / par porteur spécial / imprimé.
8. Recommandé / contre remboursement / faire suivre.

2

Unverlangte Angebote

Offres non sollicitées

L'offre non sollicitée est une offre de marchandises ou de services par le fabricant ou le fournisseur à des clients potentiels.

Scénario

Une entreprise de produits de beauté recherche des partenaires en RFA et fait des offres de service.

En vue de monter un réseau de représentants en Allemagne du Nord, une société est à la recherche de collaborateurs efficaces.

Son représentant en Allemagne prenant sa retraite, un producteur d'Armagnac demande à une entreprise de vins et spiritueux si elle ne serait pas intéressée par la reprise de sa clientèle et par l'importation de ses produits.

Paris, den 2. 5. 19..

Betreff : Unverlangtes Angebot [1]

Sehr geehrte Damen und Herren,

Ihre Adresse verdanken wir der französischen Handelskammer in Düsseldorf, die uns bei der Suche nach neuen Geschäftspartnern in der Bundesrepublik Deutschland sehr behilflich war. Wir sind ein junges, französisches Kosmetikunternehmen, das ein reiches Sortiment [2] an Schönheitsmitteln für die Dame und den Herrn anbietet.

Wir beabsichtigen, in Kürze eine Filiale [3] in der Bundesrepublik zu eröffnen. Sie wird nach demselben Prinzip, wie alle unsere Zweigstellen in Frankreich, Kosmetika im Versandhandel vertreiben : Die Kunden treffen ihre Wahl in einem Katalog [4], der ihnen frei Haus zugestellt wird.

Die Bestellungen können schriftlich, telefonisch oder über Btx [5] durchgeführt werden. Die Frei-Haus-Lieferung [6] erfolgt innerhalb einer Woche. Bei Nicht-Gefallen [7] können die Schönheitsmittel selbstverständlich innerhalb [8] von acht Tagen zurückgeschickt werden ; die Unkosten [9] für das Porto werden von uns zurückerstattet [10].

Um Ihnen Einblick in die Leistungsfähigkeit und die Qualität unserer Produkte zu geben, übersenden wir Ihnen den in Frankreich z.Zt. [11] gültigen [12] Katalog und ein Musterexemplar pro [13] Produkt.

Wir hoffen, Sie bald als unseren deutschen Geschäftspartner begrüßen zu dürfen und verbleiben

mit freundlichen Grüßen

---

1. **s unverlangte Angebot** : *l'offre non sollicitée* est soumise par un fournisseur (**r Lieferant, en, en**) sans qu'il y ait eu de *demande* (**e Anfrage, n**) préalable.
2. **ein Sortiment an + D** : *assortiment, choix de* (syn. **s Warenangebot, e Warenauswahl**) ; ein ~ **erweitern** : *enrichir, élargir un assortiment.*
3. **e Filiale, n** : *filiale, succursale* ; syn. **e Zweigstelle, n** ; **s Zweiggeschäft, e** ; **e Tochtergesellschaft, en**.
4. **r Katalog, e** : *catalogue* ; einen ~ **an/fordern** : *demander un catalogue* ; nach ~ **bestellen** : *commander sur catalogue.*
5. **Btx = r Bildschirmtext** (m. à m. *texte sur écran*) : *message télématique* ; über Btx (über Btx-System) : *par minitel.*
6. **e Frei-Haus-Lieferung, en** : *livraison franco domicile.*

Paris, le 2/5/19..

Objet : offre non sollicitée

Mesdames, Messieurs,

Votre adresse nous a été communiquée par la Chambre de commerce de Düsseldorf qui nous a beaucoup aidés dans notre recherche de nouveaux partenaires commerciaux en R.F.A. Nous sommes une jeune entreprise française de produits cosmétiques et proposons un riche assortiment de produits de beauté pour homme et pour femme.

Nous envisageons d'ouvrir sous peu une filiale en République fédérale. Suivant le même principe que toutes nos autres succursales en France, elle distribuera des produits de beauté par vente par correspondance. Les clients font leur choix dans un catalogue qui leur est adressé franco-domicile.

Les commandes peuvent être effectuées soit par écrit, soit par téléphone ou minitel. La livraison franco-domicile est effectuée sous huitaine. Il va de soi qu'en cas de non-satisfaction les produits peuvent nous être retournés dans les 8 jours, les frais de port sont alors remboursés par nos soins.

Pour vous donner un aperçu des possibilités offertes par nos produits ainsi que de leur qualité, nous vous adressons le catalogue actuellement en vigueur en France, ainsi qu'un échantillon de chacun de nos produits.

Nous espérons avoir le plaisir de vous compter bientôt parmi nos partenaires allemands et vous prions d'agréer, Mesdames, Messieurs, l'expression de nos sentiments distingués.

---

7. **bei Nicht-Gefallen (falls Ihnen der Artikel nicht gefallen sollte)** : *en cas de non-satisfaction (au cas où l'article ne vous plairait pas)* ; **gefallen, ie, a, ä + D** : *plaire à.*
8. **innerhalb + G/von** : *en, sous, en l'espace de* ; ~ **eines Jahres, einer Woche** : *en un an, sous huitaine* ; **innerhalb** est suivi du **D** quand la marque du **G** n'est pas apparente : ~ **5 Monaten/von 5 Monaten.**
9. **e Unkosten** (plur.) : *(faux) frais, dépenses.*
10. **zurück/erstatten** : *restituer, rembourser.*
11. **z.Zt. = zur Zeit** : *actuellement, pour le moment.*
12. **gültig** : *valable* ; **nicht mehr gültig** : *périmé* ; **etw für ~ erklären** : *valider qqch.*
13. **pro** : *par* ; **pro Produkt** : *par produit* ; **pro Jahr** : *par an.*

Sehr geehrter Herr Berger,

wir entnahmen [1] Ihre Anschrift dem Amtlichen [2] Messekatalog der Deutschen Industriemesse Hannover [3]. Unsere Firma ist im Begriff, ein Vertreternetz in Norddeutschland aufzubauen.

Um Ihnen einen Einblick [4] in die Leistungsfähigkeit unseres Unternehmens zu geben, legen [5] wir Ihnen in der Anlage [6] einen ausführlichen Prospekt unserer Produkte bei.

Sollten Sie an einer eventuellen Zusammenarbeit interessiert sein, wären wir Ihnen für einen baldigen Bescheid [7] dankbar.

Hochachtungsvoll

Sehr geehrter Herr Stolze,

wir haben mit Bedauern [8] festgestellt, daß Sie uns seit dem 25.2. letzten Jahres keine Aufträge mehr erteilt haben. Wir können Ihnen versichern, daß wir dank der Modernisierung unserer Produktionsstätten [9] jetzt noch wettbewerbsfähiger [10] geworden sind.

Die beiliegende Liste unserer Produkte gibt Ihnen einen Überblick [11] über unser reichhaltiges Angebot.

In der Hoffnung [12] auf eine erneute [13] Bestellung verbleiben wir

mit freundlichem Gruß

---

1. **entnehmen, a, o, i (ist) + D/aus + D** : 1) *prendre, prélever* ; 2) Ihrem Schreiben entnehme ich, daß : *je conclus (déduis) de votre lettre que, votre courrier m'apprend que.*
2. **amtlich** : *officiel* ; amtliche Bekanntmachung : *communiqué officiel* ; etw ~ beglaubigen lassen : *faire certifier conforme.*
3. La foire de Hanovre, créée en 1947 et qui a lieu chaque printemps, est l'une des plus importantes d'Allemagne.
4. **einen Einblick in etw + A geben, a, e, i** : *donner un aperçu de* ; Einblick in die Unterlagen nehmen : *prendre connaissance d'un dossier.*
5. **jdm etw bei/legen** : *joindre qqch. à qqun.*
6. **in der Anlage** : *ci-joint, ci-inclus* ; syn. anbei, beiliegend.
7. **r Bescheid, e** entre surtout dans les expressions : jdm ~ sagen (geben) : *informer qqun* ; einen abschlägigen ≠ positiven ~ erhalten :

Monsieur,

Nous avons relevé votre adresse dans le catalogue officiel de la foire de l'industrie allemande de Hanovre. Notre entreprise est en train de monter un réseau de représentants en Allemagne du Nord.

Pour vous donner un aperçu des possibilités de notre entreprise nous vous adressons ci-inclus un prospectus détaillé de notre gamme de produits.

Au cas où vous seriez intéressé par une éventuelle collaboration, nous vous serions obligés de nous le faire rapidement savoir.

Veuillez recevoir nos meilleures salutations.

Monsieur,

Nous avons eu le regret de constater que vous ne nous avez plus passé de commandes depuis le 25 février dernier. Nous pouvons vous assurer que la modernisation de nos unités de production a encore accru notre compétitivité.

La liste de nos produits ci-jointe vous donnera une vue d'ensemble de la grande variété de notre gamme.

Dans l'espoir d'un renouvellement de commande, nous vous prions d'agréer nos cordiales salutations.

---

obtenir une réponse négative ≠ positive ; ~ **wissen über + A** : être au courant de.

8. **mit Bedauern** : *avec regret, à notre grand regret* ; le verbe **bedauern** est souvent suivi d'une conjonctive ou d'une infinitive : ich bedau(e)re, daß/zu...

9. **e Produktionsstätte, n** : *centre, lieu de production.*

10. **wettbewerbsfähig** : *compétitif* ; syn. **konkurrenzfähig.**

11. **jdm einen Überblick geben über + A** : *donner à qqun une vue d'ensemble, un aperçu (global) de qqch.*

12. **in der Hoffnung auf + A** : *dans l'espoir de* ; syn. **wir hoffen, daß / hoffentlich...**

13. **erneut** : *renouvelé,* n'est employé qu'en adj. ; c'est le part. passé du verbe **erneuen** (arch.). Pour *renouveler,* vous utiliserez le verbe **erneuern.**

Madame, Monsieur,

Nous sommes l'un des plus grands producteurs français d'Armagnac. Il y a de nombreuses années déjà que nous sommes représentés dans votre pays par notre propre agence de distribution de Bingen.

Il se trouve malheureusement que notre concessionnaire actuel, Monsieur Schulze, cessera ses activités à compter du mois de novembre de cette année pour cause de départ à la retraite.

Faites-nous savoir dans les meilleurs délais si vous souhaitez reprendre notre clientèle et continuer à importer notre gamme de produits.

Dans l'espoir d'une éventuelle collaboration, nous vous prions de croire, Madame, Monsieur, à l'expression de nos sentiments très cordiaux.

Messieurs,

Notre société de distribution de Birmingham vient de nous aviser que vos magasins de bricolage commercialisaient également des matériaux d'isolation thermique.

Nous sommes depuis longtemps spécialisés dans ce type de produits et fabriquons, en série, des panneaux isolants en différentes dimensions et qualités dans nos usines de Saint-Avold.

Nous accordons un rabais de 3 % sur tout achat mensuel de plus de 5 000 panneaux.

Nous serions disposés à vous accorder l'exclusivité de nos produits pour la RFA si, de votre côté, vous les inscriviez au programme des magasins de votre chaîne de distribution.

Veuillez nous faire savoir dès que possible si vous comptez profiter de cette offre intéressante.

Dans l'espoir d'une collaboration fructueuse pour nos deux maisons, je vous prie d'agréer, Messieurs, l'expression de nos cordiales salutations.

---

1. Variante : **r Produzent, en, en**.
2. **e Vertriebsagentur, en** : *agence de distribution* ; r Vertrieb, e : *distribution, commercialisation, écoulement* ; e Vertriebsgesellschaft, en : *société de distribution* ; vertreiben, ie, ie : *distribuer, commercialiser*.
3. Variante : **in den Ruhestand treten, a, e, i (ist)**.
4. Variante : **Teilen Sie uns schnellstens mit**.
5. Variante : **r Kundenstamm, e Kunden** (plur.).

Sehr geehrte Damen und Herren,

wir sind einer der größten französischen Armagnac-Erzeuger [1]. Seit mehreren Jahren schon sind wir in Ihrem Land durch eine eigene Vertriebsagentur [2] in Bingen vertreten.

Leider gibt unser augenblicklicher Vertragshändler, Herr Schulze, ab November d.J. seine Tätigkeit auf, da er in Rente geht [3].

Lassen Sie uns bitte umgehend wissen [4], ob Sie unsere Kundschaft [5] übernehmen und unser Sortiment weiterhin einführen [6] möchten.

In der Hoffnung auf eine eventuelle Zusammenarbeit verbleiben wir

mit freundlichem Gruß

Sehr geehrte Herren,

unsere Vertriebsgesellschaft in Birmingham hat uns soeben mitgeteilt, daß Ihre Bastler-Geschäfte auch wärmeisolierende Materialien kommerzialisieren [7].

Wir sind seit langem auf diesen Produkttyp spezialisiert und stellen Isolierplatten verschiedener Größen und Qualitäten serienmäßig [8] in unserem Werk [9] von St. Avold her.

Bei einer Abnahme von mehr als 5 000 Platten [10] pro Monat gewähren wir einen 3 %igen Rabatt.

Wir wären bereit, Ihnen das Alleinverkaufsrecht [11] unserer Produkte in der Bundesrepublik zu überlassen, wenn Ihrerseits diese Artikel in das Geschäftsprogramm Ihrer Vertriebskette aufgenommen würden.

Sagen Sie uns möglichst schnell Bescheid, ob Sie von diesem interessanten Angebot Gebrauch machen wollen.

In Erwartung [12] einer fruchtbaren Zusammenarbeit zwischen unseren beiden Firmen verbleiben wir

mit besten Empfehlungen

---

6. Variante : **importieren**.
7. Variante : **vertreiben, vermarkten, verkaufen**.
8. Variante : **in Serie, in großen Mengen**.
9. Variante : **in unserer Fabrik**.
10. Variante : **von über 5000 Platten**.
11. Variante : **r Alleinvertrieb ; e Alleinvertretung**.
12. Variante : **in der Hoffnung auf + A**.

1. A l'occasion de la foire de Hanovre, nous comptons lancer un nouveau produit.
2. Vous nous avez contactés pour avoir la gamme complète de nos produits.
3. Nous nous permettons de vous adresser quelques échantillons de nos modèles les plus récents.
4. Nous vous adressons, ci-joint, notre catalogue accompagné de nos prix courants.
5. Si notre offre vous intéresse, veuillez nous passer commande à temps.
6. Nous disposons d'une gamme très variée d'articles de premier choix.
7. Nos marchandises sont payables à la livraison.
8. Nos prix s'entendent franco-domicile.
9. Nous apporterons le plus grand soin à votre commande.
10. Nous accordons un rabais de 15 % sur achat de quantité et 2 % d'escompte pour paiement immédiat.
11. Nous espérons avoir bientôt une commande d'essai de votre part.
12. Nous espérons avoir bientôt de vos nouvelles.

---

1. **Anläßlich der Hannover Messe haben wir die Absicht, neue Produkte auf den Markt zu bringen.**
2. **Sie haben uns um die Zusendung unserer kompletten Produktpalette gebeten.**
3. **Wir erlauben uns, Ihnen einige Probemuster unserer neuesten Modelle zukommen zu lassen (zuzusenden / zuzuschicken).**
4. **Wir senden Ihnen anbei (beiliegend in der Anlage) unseren Katalog mit der Preisliste.**
5. **Sollten Sie an unserem Angebot interessiert sein, so bitten wir Sie, uns rechtzeitig einen Auftrag zu erteilen.**
6. **Wir verfügen über eine breitgefächerte Palette von erstklassigen Artikeln (Waren, Erzeugnissen).**
7. **Unsere Waren sind bei Lieferung zahlbar.**
8. **Unsere Preise verstehen sich frei Haus.**
9. **Wir werden Ihren Auftrag sorgfältig (mit größter Sorgfalt) ausführen (erledigen).**
10. **Wir gewähren Ihnen einen Mengenrabatt von 15 % und 2 % (zwei Prozent) Skonto bei sofortiger Zahlung.**
11. **Wir hoffen, bald (in nächster Zeit) einen Probeauftrag von Ihnen zu erhalten.**
12. **Wir würden uns freuen, bald von Ihnen zu hören. (Wir hoffen, bald von Ihnen Nachricht zu bekommen.)**

r Auftrag, ¨e : commande.
einen ~ aus/führen (erledigen) : exécuter une commande.
einen ~ bestätigen : confirmer une commande.
r Probeauftrag : commande d'essai (à titre d'essai).
e Mustersendung, en : envoi d'échantillons.
s Rückgaberecht haben : avoir le droit de retourner la marchandise.
Anweisungen beachten : se conformer aux instructions.

•

r Katalog, e : catalogue.
e Preisliste, n : prix-courant(s), liste de prix, tarifs.
zum Preis von : au prix de.
in der Preislage von ... bis : prix compris entre ... et.
unsere Preise verstehen sich : nos prix s'entendent.

•

r Artikel, - (e Ware, n;s Produkt, e) : article, marchandise, produit.
erster Qualität (erstklassig) : de premier choix, de première qualité.
s (neueste) Modell(e) : (dernier) modèle.

•

etw postwendend zu/senden, a, ä : envoyer qqch. par retour du courrier.
etw durch getrennte Post erhalten, ie, a, ä : recevoir qqch. sous pli séparé.
beiliegend (anbei ; in der Anlage) : ci-joint.

s Angebot, e : offre.
verlangtes ≠ unverlangtes ~ : offre sollicitée ≠ non sollicitée.
günstiges, preiswertes ~ : offre intéressante, avantageuse.
freibleibendes (unverbindliches) ~ : offre sans engagement (non contraignante).
ein ~ unterbreiten : soumettre une offre.
ein ~ an/nehmen, a, o, i ≠ ab/lehnen : accepter ≠ refuser une offre.
jdm etw an/bieten, o, o : offrir qqch. à qqun.

•

Anbietende(r) (adj.) (r Anbieter, -) : soumissionnaire, offreur, offrant.
r Interessent, en, en : (personne) intéressé(e).
(eventueller) Abnehmer, - : acheteur (éventuel).
r Kunde, n, n : client.
e Stammkundschaft, en : clientèle attitrée, fidèle.
eine Anschrift von jdm erhalten, ie, a, ä : obtenir une adresse de qqun.

•

e allgemeinen Geschäftsbedingungen (plur.) : conditions générales de vente.
e Zahlungsbedingungen (plur.) : conditions de paiement.
e Liefer(ungs)bedingungen : conditions de livraison.
Bedingungen an/erkennen, a, a ≠ verweigern : reconnaître ≠ refuser des conditions.

33

A ■ Complétez les énoncés ci-dessous

1. Ihre Adresse verdanken wir d__ französisch__ Handelskammer.
2. Sie war uns __ d__ Suche nach neu__ Partner__ behilflich.
3. Die Frei-Haus Lieferung erfolgt inner__ ein__ Woche.
4. __ Nicht-Gefallen können die Artikel zurück__ werden.
5. Sind Sie __ unser__ Angebot interessiert ?

B ■ Reformez les couples

1. einen Rabatt   a) erweitern
2. ein Sortiment   b) zurückerstatten
3. eine Bestellung   c) beilegen
4. einen Prospekt   d) gewähren
5. die Unkosten   e) durchführen

C ■ Chassez l'intrus

1. beiliegend, dazu, anbei
2. Abnehmer, Käufer, Absender
3. Bestellung, Preisliste, Auftrag
4. unverbindlich, freibleibend, allgemein
5. bestätigen, ausführen, erledigen

D ■ Remettez les éléments en ordre

1. anbei, der, Katalog, wir, Preisliste, senden, Ihnen, den, mit.
2. den, neues, die, wir, Markt, auf, Absicht, haben, Modell, bringen, zu.
3. sich, Preise, verstehen, Haus, unsere, frei.
4. bei, Rabatt, wir, Zahlung, gewähren, sofortiger, Ihnen, einen.
5. größter, ausführen, Ihren, werden, Sorgfalt, Auftrag, mit, wir, werden.

E ■ Traduisez

1. Nous avons l'intention de lancer un nouveau produit sur le marché.
2. Veuillez nous faire savoir par retour du courrier si notre offre vous intéresse.
3. Veuillez passer votre commande à temps.
4. Nous accordons 2 % d'escompte pour paiement comptant.
5. Dans l'attente d'une réponse affirmative, nous vous prions...

3

Anfragen

Demandes d'offres

Par la demande d'offre, le client s'adresse au fournisseur ou fabricant en lui demandant de fournir certains renseignements (prix, délais de livraison, etc.) ou de lui envoyer de la documentation (catalogues, échantillons, etc.)

La demande d'offre n'engage en rien le client et les réponses lui permettent de choisir le fournisseur dont les prix lui conviennent le mieux.

Scénario

Un fabricant de vêtements féminins va renouveler son parc de machines à coudre. Le chiffre d'affaires ne cesse d'augmenter et la concurrence d'Extrême-Orient contraint à une modernisation et à un agrandissement des locaux. Il sollicite donc l'envoi d'une documentation précise.

Afin d'élargir l'éventail de ses produits, un magasin de meubles sollicite une offre détaillée concernant des pendules de la Forêt-Noire.

Un installateur de salles de bains écrit à un fabricant allemand de sanitaires pour lui manifester son désir d'acquérir ses produits en vue de les distribuer en France.

Un fournisseur de matériel odontologique prie un fabricant de lui adresser une documentation détaillée.

Berlin, den 15.9.19..

Betreff : Anfrage

Sehr geehrte Herren,

als Hersteller [1] von Damen-Oberbekleidung und als einer der Marktführer im Inlandsgeschäft [2] haben wir die Absicht, unseren Nähmaschinenpark, den wir vor 5 Jahren zu unserer völligen Zufriedenheit mit Pfiff 3912 ausgerüstet hatten, in naher Zukunft zu erneuern.

Unser Exportgeschäft steigt seit 3 Jahren ständig, wir sehen uns deshalb veranlaßt, unsere Herstellungskapazitäten zu verdoppeln [3].

Die immer stärker werdende Konkurrenz aus Südostasien im Textilbereich zwingt uns außerdem zur maximalen Rentabilität [4] unserer Betriebe. Nur eine Modernisierung unserer Produktionsmittel wird uns erlauben, weiterhin wettbewerbsfähig [5] zu bleiben. Der Erwerb [6] Ihrer neuesten Nähmaschinenmodelle, 100 bis 120 Stück, wäre folglich angebracht.

Können Sie uns umgehend [7] diesbezüglich [8] Unterlagen Ihrer neuesten Maschinenpalette [9] mit Preisliste und genauen Angaben über einen möglichen Preisnachlaß [10] bei Mengenabnahme [11], Lieferbedingungen, Garantie und Wartung zusenden.

Teilen Sie uns ebenfalls mit, ob gegebenenfalls [12] die Möglichkeit einer Probelieferung [13] besteht. Sollte die Probelieferung zu unserer Zufriedenheit ausfallen, können Sie mit einer festen Bestellung unsererseits rechnen.

Dem Eingang Ihres detaillierten Angebots sehen [14] wir mit Interesse entgegen.

Hochachtungsvoll

---

1. **r Hersteller, -** : *fabricant, constructeur* ; her/stellen : *fabriquer, construire* ; syn. an/fertigen, fabrizieren.
2. **s Inlandsgeschäft, e** (ici) = r Inlands-, Binnenmarkt, ̈-e.
3. **verdoppeln** : *doubler* ; attention à : verdreifachen, vervier-, verfünf-, verhundertfachen : *tripler, quadrupler, quintupler, centupler*.
4. **e Rentabilität, en** : *rentabilité* ; rentabel : *rentable* ; syn. e Wirtschaftlichkeit, e Effizienz.
5. **wettbewerbsfähig = konkurrenzfähig**
6. **r Erwerb, ∅ = e Anschaffung, en** ; etw erwerben, a, o, i : *acquérir qqch.*
7. **umgehend = so schnell wie möglich, sofort, unverzüglich**.
8. **diesbezüglich** : *à cet effet, à ce sujet* ; syn. hierzu, dazu, in dieser Beziehung.

Berlin, le 15/9/19..

Objet : demande de renseignements

Messieurs,

Fabricants de vêtements féminins, nous sommes l'un des leaders sur le marché intérieur ; nous avons l'intention de renouveler dans un proche avenir notre parc de machines à coudre que nous avions équipé à notre entière satisfaction, voici 5 ans, de « Pfiff 3912 ».

Nos exportations ne cessent de se développer depuis 3 ans et nous nous voyons obligés de doubler nos capacités de production.

Afin de demeurer compétitifs face à la concurrence croissante des pays de l'Asie du Sud-Est dans le secteur du textile, nous devons moderniser nos moyens de production pour atteindre une rentabilité de fabrication maximale. Nous prévoyons des besoins de 100 à 120 machines à coudre les plus modernes.

Pouvez-vous, à cet effet, nous adresser dans les meilleurs délais un éventail complet de vos derniers modèles avec la liste de prix ainsi que des indications précises sur un rabais éventuel pour achat de quantité, les conditions de livraison, la garantie et la maintenance.

Faites-nous également savoir si, le cas échéant, il y a possibilité d'avoir une livraison d'essai. Si elle nous donne satisfaction, vous pouvez compter sur une commande ferme de notre part.

Nous attendons votre offre détaillée avec le plus grand intérêt.

Nous vous prions d'agréer, Messieurs, l'expression de nos salutations distinguées.

---

9. **e Palette, n** : *palette, éventail* ; eine breitgefächerte ~ von + D : *un large éventail de.*
10. **r Preisnachlaß, ⸚sse** = e Preisermäßigung, en ; r Rabatt, e.
11. **Mengen-** utilisé en préfixe signifie *quantité* ; r Mengenabsatz, ⸚e : *vente massive* ; r Mengenpreis, e : *prix (réduit) de quantité.*
12. **gegebenenfalls** = eventuell, möglicherweise.
13. **e Probelieferung, en** : *livraison (à titre) d'essai* ; e Probebestellung, en : *commande d'essai* ; e Probe, n : *échantillon, spécimen.*
14. **dem Eingang Ihres Angebots sehen wir mit Interesse entgegen** = wir erwarten Ihr Angebot mit Interesse.

Sehr geehrter Herr Arnold,

wir sind ein gut eingeführtes [1] Fachgeschäft [2] für Küchenmöbel in Freudenstadt. Wir beabsichtigen, als Neuheit [3] für die Möbelmesse nächsten Jahres auch Küchenuhren in unser Sortiment aufzunehmen. Unser geschätzter Jahresbedarf liegt [4] bei 3 000 Stück [5].

Wir bitten Sie, uns diesbezüglich ein detailliertes Angebot (Katalog, Preisliste, Lieferungs- und Zahlungsbedingungen) zu unterbreiten [6].

In der Hoffnung auf eine eventuelle Zusammenarbeit verbleiben wir

mit besten Grüßen

Sehr geehrter Herr Wagner,

für einen größeren [7] Auftrag in die Tschechoslowakei [8] benötigen wir eine reiche Auswahl an Polsterstoffen [9] für die Herstellung von Bürostühlen.

Schicken [10] Sie uns bitte umgehend Ihren neuesten Katalog mit Stoffmustern, Preisliste usw. zu. Nennen Sie uns ebenfalls Ihre Lieferungs- und Zahlungsbedingungen, Rabattsätze [11] für große Abnahmemengen und eventuelle Lieferfristen.

In Erwartung [12] Ihrer baldigen Antwort verbleiben wir

mit freundlichem Gruß

---

1. **gut eingeführt** : *bien introduit.*
2. **s Fachgeschäft, e** : *magasin spécialisé* ; syn. **r Fachladen, ⁻** ; **Fach-** (préf.) *spécialisé* ; **ein Mann vom Fach** : *un homme du métier* ; **r Facharbeiter, -** : *ouvrier spécialisé.*
3. Attention à : **e Neuheit, en** : *nouveauté* (technologique, par ex.) et **e Neuigkeit, en** : *nouvelle* (Nachricht) ; ainsi : **auf der Messe werden viele Neuheiten gezeigt**, mais **ich habe eine Neuigkeit erfahren.**
4. *nos besoins sont de...* est rendu par le verbe **liegen, a, e** ; **unser Bedarf liegt bei** : *nos besoins sont de ...*
5. **s Stück, e** est invariable quand il désigne une unité de mesure : **3 000 Stück.** Notez également : **3 Uhr, 3 Glas Wein, 30 Grad Hitze, 10 Mark, 5 Pfennig,** etc.
6. **unterbreiten** (insépar.) : *soumettre* ; **jdm einen Vorschlag, einen Plan ~** : *soumettre une proposition, un plan à qqun.*

Monsieur,

Nous sommes un magasin spécialisé de meubles et éléments de cuisines implanté à Freudenstadt et bien introduit sur le marché.

Nous envisageons d'inclure des pendules-coucous dans notre assortiment comme nouveauté pour le prochain salon du meuble. Nous estimons nos besoins annuels à 3 000 pièces environ.

Veuillez nous soumettre à cet effet une offre détaillée (catalogue, tarifs, conditions de livraison et de paiement).

Nous espérons en une éventuelle collaboration, et vous prions de recevoir nos cordiales salutations.

Monsieur,

Pour une commande importante à destination de la Tchécoslovaquie, nous avons besoin d'un grand choix de tissus d'ameublement pour la fabrication de chaises de bureau.

Veuillez nous adresser par retour du courrier votre dernier catalogue d'échantillons de tissus accompagné de vos prix courants, etc. Veuillez également nous préciser vos conditions de livraison et de paiement, les taux de remise sur achats de quantité ainsi que les délais éventuels de livraison.

Dans l'attente d'une prompte réponse, nous vous prions d'agréer, Monsieur, nos plus cordiales salutations.

---

7. **ein größerer Auftrag** : *une commande importante/d'une certaine importance* ; r Auftrag, ⁻e a) *commande* ; syn. e Bestellung, en ; b) *ordre, mandat.*

8. **e Tschechoslowakei** est l'un des noms de pays du féminin avec article obligatoire (comme **die Schweiz, die Türkei, die Sowjetunion, die BRD, die DDR**) ; attention : **ein Auftrag in die DDR, aus der DDR.**

9. **s Polster, -** : *capitonnage, rembourrage* ; der Stuhl ist gut gepolstert : *la chaise est bien rembourrée* ; s Devisenpolster : *matelas de devises.*

10. **jdm etw zu/schicken** = **jdm etw zu/senden, a, a.**

11. **r Satz, ⁻e** : *taux, tarif* ; r Steuersatz : *taux d'imposition* ; r Zinssatz : *taux d'intérêt.*

12. **in Erwartung Ihrer baldigen Antwort** = in der Hoffnung auf eine baldige Antwort.

Messieurs,

Votre adresse nous a été communiquée par notre représentant à Darmstadt, M. Schiller. Il nous a informé que vous fabriquiez différents modèles de cabines de douche.

Nous sommes installateurs de sanitaires et souhaiterions inclure vos modèles dans notre programme de vente en France.

Au cas où vous seriez intéressés par notre proposition, nous vous serions reconnaissants de nous soumettre, dès que possible, une offre détaillée et de nous communiquer vos délais de fabrication.

Nous comptons faire figurer vos modèles dans le catalogue du prochain salon qui se tiendra en septembre à Paris.

Pour tout renseignement nous concernant, veuillez vous adresser à la maison Gottlieb, à Hanau, que nous représentons depuis de longues années en France.

Dans l'attente de vous lire, nous vous prions d'agréer, Messieurs, l'expression de notre considération distinguée.

Madame, Monsieur,

Nous fournissons la grande majorité des cabinets dentaires français en matériel odontologique. Lors de la dernière foire de Hanovre, la visite de votre stand a suscité notre plus vif intérêt.

Nous vous demandons de bien vouloir nous faire parvenir une offre détaillée de vos différents produits avec les prix courants. Veuillez nous fournir, également, tous renseignements utiles concernant les garanties, les délais de livraison ainsi que la réduction accordée sur les achats de quantité.

Dans l'attente d'une prompte réponse, nous vous prions d'agréer, Madame, Monsieur, l'expression de nos sentiments distingués.

---

1. **e Anschrift, en** = **e Adresse, n** : *adresse.*
2. **r Vertreter, -** : *représentant* ; eine Firma vertreten, a, e, i : *représenter une maison de commerce* ; e Vertretung, en : *représentation.*
3. Variante : **e Ausführung, en (Luxusausführung)** : *modèle (version de luxe).*
4. Variante : **r Badezimmerausstatter, -** ; **r Installateur, e**.
5. Variante : **Wenn/Falls Sie ... interessiert sind**.
6. Variante : **schnellstens, umgehend, so bald wie möglich**.

Sehr geehrte Herren,

Ihre Anschrift [1] erhielten wir von unserem Vertreter [2], Herrn Schiller, in Darmstadt. Er hat uns mitgeteilt, daß Sie Duschkabinen in verschiedenen Modellen [3] herstellen.

Wir sind Ausstatter [4] von Sanitäranlagen und möchten Ihre Modelle [3] in unser französisches Verkaufsprogramm aufnehmen.

Sollten Sie an unserem Vorschlag interessiert sein [5], wären wir Ihnen dankbar, uns möglichst schnell [6] ein ausführliches Angebot sowie Ihre Herstellungsfristen zuzuschicken [7].

Wir möchten Ihre Modelle in den Katalog der kommenden Messe aufnehmen, die im September in Paris stattfindet.

Für eventuelle Auskünfte über unser Unternehmen wenden Sie sich bitte an die Firma [8] Gottlieb in Hanau, die wir seit vielen Jahren schon in Frankreich vertreten.

In Erwartung Ihrer Antwort [9] verbleiben wir

mit freundlichen Grüßen

Sehr geehrte Damen und Herren,

wir beliefern [10] die Mehrzahl der französischen Zahnarztpraxen mit zahntechnischem Material. Bei der letzten Hannover-Messe hat der Besuch Ihres Stands unser lebhaftes Interesse [11] geweckt.

Wir möchten Sie bitten, uns ein ausführliches Angebot Ihrer verschiedenen Produkte mit der Preisliste zu übersenden. Machen Sie uns auch bitte Angaben über Garantieleistungen, Lieferfristen [12] sowie Preisnachlaß bei Mengenabnahme.

In der Hoffnung auf eine baldige Antwort verbleiben wir

mit besten Empfehlungen

---

7. Variante : **zuzusenden, zu übersenden**.
8. **e Firma, -men** : a) *maison (de commerce), entreprise* ; b) *raison sociale* ; **r Firmensitz, e** : *siège social*.
9. Variante : **Wir hoffen, bald von Ihnen Nachricht zu erhalten**.
10. **jdn beliefern mit + D** = **jdm liefern + A**.
11. **jds Interesse (an + D/für + A) wecken** : *susciter l'intérêt de qqun (pour qqch.)*.
12. **e Lieferfrist, en** : *délai de livraison* ; **e ~ ein/halten, ie, a, ä** : *respecter le délai de livraison*.

1. Nous vous prions de bien vouloir nous faire parvenir une offre détaillée ainsi que vos prix courants.
2. Nous vous serions reconnaissants de nous adresser une documentation concernant vos articles... dans une gamme de prix (se situant) entre ... et ...
3. Veuillez nous faire connaître vos conditions générales de vente par retour du courrier.
4. Nous désirerions entrer le plus rapidement possible en relations commerciales avec votre maison.
5. La Chambre de commerce de ... vient de nous transmettre votre adresse.
6. Veuillez nous faire savoir dans les plus brefs délais si vous seriez en mesure de nous livrer avant un mois.
7. En espérant avoir bientôt de vos nouvelles (le plaisir de vous lire), nous vous prions d'agréer, Messieurs,...
8. Dans l'attente d'une prompte réponse, nous vous prions d'agréer, Messieurs, l'expression de nos salutations distinguées.

---

1. **Wir bitten Sie, uns ein ausführliches Angebot und die Preisliste zuzusenden. (Wir bitten Sie um ein detailliertes Angebot und um die Preisliste.)**
2. **Wir wären Ihnen für Unterlagen (Informationsmaterial) über Ihre Artikel ... in der Preislage von ... bis ... dankbar (zu Dank verpflichtet).**
3. **Teilen Sie uns bitte Ihre Geschäftsbedingungen umgehend mit.**
4. **Wir möchten so schnell wie möglich mit Ihnen in Geschäftsverbindung treten.**
5. **Soeben hat uns die Handelskammer in ... Ihre Adresse (Anschrift) genannt (mitgeteilt, übermittelt).**
6. **Lassen Sie uns bitte schnellstens wissen, ob Sie uns innerhalb eines Monats beliefern können.**
7. **In der Hoffnung auf eine baldige Antwort verbleiben wir (Wir hoffen, bald von Ihnen zu hören und verbleiben) ... mit den besten Grüßen.**
8. **In Erwartung einer baldigen Antwort verbleiben wir ... hochachtungsvoll / mit freundlichen Grüßen.**

e Anfrage, n : demande de renseignements.
eine ~ an eine Firma richten : adresser une demande à une société.
auf ~ : sur demande.
bei jdm brieflich/telefonisch an/fragen : se renseigner auprès de qqun par lettre/par téléphone.
sich an jdn wenden, a, a : s'adresser à qqun.
einen Katalog/Prospekte an/fordern : demander un catalogue/des prospectus.
um ein Angebot bitten, a, e (ein Angebot erbitten) : solliciter une offre.
jdm ein Angebot übersenden, a, a (zu/senden, zu/schicken) : adresser, envoyer une offre à qqun.
ein Angebot machen : faire une offre.

•

e Auskunft, ⁻e : renseignement, information.
über jdn ~⁻e ein/holen : prendre des renseignements sur qqun.
jdm ~ erteilen : fournir un renseignement à qqun, renseigner qqun.
r Auskunftsdienst, e : service de renseignements.
e Auskunftsperson, en : 1) personne sur laquelle on prend des renseignements ; 2) personne qui donne des informations.

•

r Hersteller, - (r Produzent, en, en ; r Fabrikant, en, en) : fabricant, producteur.

etw her/stellen (produzieren) : fabriquer, produire qqch.
e Herstellung, en (e Produktion, en ; e Fabrikation, en) : fabrication, production.

•

s Interesse, n : intérêt.
~ haben an + D (zeigen für + A) : avoir de l'intérêt pour.
die ~n vertreten, a, e, i : représenter les intérêts de.
die ~n wahren : sauvegarder les intérêts.
jds Interesse wecken : susciter l'intérêt de qqun.
ich wäre an + D interessiert : je serais intéressé par.
wir würden uns für + A interessieren : nous serions intéressés par.

•

e Lieferung, en : livraison, fourniture.
prompte (umgehende) ~ : livraison immédiate.
~ frei Haus : livraison franco domicile.
zahlbar bei ~ : payable à livraison.
liefern : livrer, fournir.
frei Haus ~ : livrer franco domicile.
r Lieferant, en, en (r Lieferer, -) : fournisseur.
e Lieferfrist, en : délai de livraison.
s Lieferland, ⁻er : pays fournisseur.
r Lieferort, e : lieu de livraison.
r Lieferpreis, e : prix à la livraison.

Exercices

A ■ Choisissez le bon terme

1. Wir sind einer der Markt__ im Inlandsgeschäft.
   -führer   -werte   -anteile   -wirtschaft

2. Wir wollen wettbewerbs__ bleiben.
   -tüchtig   -fällig   -würdig   -fähig

3. Unsere Firma beabsichtigt, Möbel in ihr Sortiment __zunehmen.
   ein-   herein-   herauf-   auf-

4. Wir haben eine reiche Auswahl __ Polstermöbeln.
   für   bei   an   zu

5. Mit freundlichen __.
   Gruß   Grüße   Grüßen   gegrüßt

B ■ Traduisez

1. Wir haben die Absicht, unseren Maschinenpark zu erweitern.
2. Senden Sie uns bitte Angaben über Ihre Wartungsbedingungen.
3. Nennen Sie uns Ihre Rabattsätze für große Abnahmemengen.
4. Für eventuelle Auskünfte wenden Sie sich an Herrn XYZ.
5. Dem Eingang Ihres detaillierten Angebots sehen wir mit Interesse entgegen.

C ■ Indiquez au moins un synonyme

1. herstellen : __
2. wettbewerbsfähig : __
3. die Anschaffung : __
4. umgehend : __
5. die Preisermäßigung : __

D ■ Complétez les trous

1. Wir sind ein gut__ Fachgeschäft für Küchenmöbel__ in dies__ Stadt.
2. Für d__ Möbelmesse nächst__ Jahr__ haben wir folgend__ Absicht.
3. Wir möchten Küchenuhr__ in unser__ Sortiment aufnehmen.
4. Unser geschätzt__ Bedarf liegt bei 3 000 Stück__.
5. __ d__ Hoffnung __ ein__ baldig__ Antwort verbleiben wir...

E ■ Traduisez

1. Veuillez nous adresser vos prix courants dans les plus brefs délais.
2. Nous souhaiterions entrer en relations commerciales avec vous.
3. Votre adresse nous a été communiquée par la Chambre de commerce.
4. Dans l'attente d'une prompte réponse...
5. ... nous vous prions d'agréer, Messieurs, l'expression de nos sincères salutations.

4

Antwort auf Anfragen

Réponses aux demandes d'offres

Le fournisseur remercie le client de l'intérêt qu'il porte à ses articles et essaie de satisfaire sa demande. Il lui donne les renseignements souhaités et lui fait parvenir prix, catalogues, conditions de paiement, etc.

Si le fournisseur ou fabricant n'est pas en mesure de donner une suite favorable à la demande de son client, il peut éventuellement lui indiquer d'autres maisons.

Scénario

Une maison donne suite à une demande d'envoi d'échantillons.

Un catalogue de jouets ainsi qu'une documentation présentant des articles promotionnels sont envoyés à un client.

Une entreprise regrette de ne pouvoir donner suite à la demande qui lui a été adressée. Elle se propose d'envoyer d'autres échantillons en échange.

Une société n'est pas en mesure de satisfaire un client, mais elle indique une maison concurrente qui se mettra en rapport avec lui.

Un fournisseur attire l'attention de sa clientèle potentielle sur une offre intéressante, mais limitée dans le temps.

Betreff : Musterkollektion [1]

Sehr geehrter Herr Weigel,

wir danken Ihnen für Ihr Schreiben vom 20.12. Ihrem Anliegen [2], Ihnen Unterlagen unserer neuesten Frühjahrsmusterkollektion [3] zu übersenden [4], kommen wir selbstverständlich gern nach. Gleichzeitig legen wir Ihnen die bis Ende Juni gültige Export-Preisliste bei.

Wir würden uns sehr freuen, mit Ihrem Unternehmen Geschäftsverbindungen [5] aufzunehmen und verbleiben

mit besten Grüßen

Anlagen :
1 Musterkollektion
1 Preisliste

Betr. : Katalog

Sehr geehrte Damen und Herren,

wir danken Ihnen für Ihre Anfrage vom 15.3.19.. und für Ihr Interesse [6] an unseren Spielwaren. Anbei finden Sie den gewünschten Katalog [7] mit den neuesten Modellen.

Im Rahmen der Werbekampagne « Kinder 2 000 » bieten wir Ihnen Videospiele zu stark reduzierten Preisen [8] an.

Es würde uns freuen, wenn unser Angebot bei Ihnen Anklang [9] finden würde und verbleiben

hochachtungsvoll

Anlage
Spielwarenkatalog

---

1. **e Musterkollektion, en** = **e Kollektion von Warenmustern**.
2. **s Anliegen, -** : *demande, requête* ; syn. r Wunsch, ⁻e ; einem ~ nach/kommen, a, o (ist) : *donner suite à une demande.*
3. **Frühjahrs-** (et non pas Frühlings-) : *de printemps* ; e Frühjahrsmesse : *foire de printemps.*
4. **übersenden** = **senden, schicken.**
5. **e Geschäftsverbindung, en** : *relation d'affaires* ; ~ en auf/nehmen, a, o mit + D : *nouer des relations d'affaires avec.*

Objet : collection d'échantillons

Monsieur,

Nous vous remercions de votre courrier en date du 20/12 et donnons bien volontiers suite à votre demande d'envoi d'échantillons de notre dernière collection de printemps. Nous vous adressons simultanément notre tarif à l'exportation valable jusqu'à fin juin.

Nous serions heureux d'entrer en relation avec votre maison et vous prions d'agréer l'expression de nos salutations les meilleures.

Pièces jointes :
1 collection d'échantillons
1 liste de prix

Objet : catalogue

Madame, Monsieur,

Nous vous remercions de votre demande du 15/3/19.. et de votre intérêt pour notre gamme de jouets. Vous trouverez, ci-joint, le catalogue désiré avec nos modèles les plus récents.

Dans le cadre de notre campagne publicitaire « Enfants 2 000 », nous vous proposons des jeux vidéo à des prix fortement réduits.

Nous serions heureux que notre offre rencontre un écho favorable auprès de vous et vous prions de croire, Madame, Monsieur, à l'expression de nos sentiments dévoués.

P.J. :
Catalogue de jouets

---

6. **s Interesse, n** : *intérêt* **(an + D, für + A)**.
7. **r Katalog, e** : *catalogue* ; **illustrierter** ~ : *catalogue illustré* ; **einen** ~ **an/fordern** : *demander un catalogue.*
8. **zu reduzierten Preisen** = **zu ermäßigten Preisen** ; **(stark) reduziert** : *à prix (fortement) réduit.*
9. **das findet bei den Kunden Anklang** = *das gefällt den Kunden.*

Sehr geehrte Frau Schulz,

Ihre Anfrage vom 25. d.M. haben wir dankend erhalten [1]. Leider [2] stellen wir die von Ihnen gewünschten Artikel nicht in gleicher Qualität her.

Zu Ihrer Information übersenden wir Ihnen Qualitätsmuster [3] unserer Produktion. Wir bitten Sie, eingehend [4] zu prüfen, ob unsere Erzeugnisse Ihren Ansprüchen genügen [5].

Für weitere Auskünfte stehen wir Ihnen selbstverständlich zur Verfügung [6] und verbleiben in Erwartung Ihrer baldigen Antwort

mit vorzüglicher Hochachtung

Sehr geehrter Herr Tauber,

mit Dank bestätigen [7] wir Ihnen den Erhalt Ihres Schreibens vom 19. d.M. Es tut uns sehr leid, Ihnen mitteilen zu müssen, daß wir aus Wettbewerbsgründen die von Ihnen gewünschten Produkte nicht mehr herstellen.

Wir sind demnach zu unserem Bedauern nicht mehr in der Lage, Ihre Anfrage positiv zu beantworten [8].

Wir haben uns erlaubt, Ihre Anfrage an einen Konkurrenten weiterzuleiten [9], der sich in Kürze [10] mit Ihnen in Verbindung setzen wird.

Mit der Bitte um Verständnis [11] verbleiben wir

mit besten Grüßen

---

1. **Ihre Anfrage / Ihr Schreiben / Ihre Sendung haben wir dankend erhalten** : *nous avons bien reçu votre demande / votre lettre / votre envoi et vous en remercions.*
2. **leider** : *malheureusement* ; syn. unglücklicherweise / zu unserem Bedauern / wir bedauern, daß...
3. **Muster an / fordern** : *demander des échantillons* ; Muster ohne Wert : *échantillon sans valeur* est archaïque et remplacé aujourd'hui par Warensendung.
4. **eingehend = genau, sorgfältig, mit Sorgfalt**.
5. **den Ansprüchen genügen** : *satisfaire à des exigences* ; syn. den Erwartungen entsprechen, a, o, i.

Madame,

Nous vous accusons réception de votre demande du 25 courant et vous en remercions. Nous ne fabriquons malheureusement plus les articles demandés dans la qualité identique.

Pour votre information, nous vous adressons des échantillons qualitatifs de notre production. Nous vous serions obligés de bien vouloir examiner en détail si nos produits correspondent à ce que vous en attendez.

Il va de soi que nous restons à votre disposition pour tout renseignement complémentaire. Dans l'attente d'une prompte réponse, nous vous prions d'agréer...

Monsieur,

Nous accusons réception de votre courrier en date du 19 courant et vous en remercions. Nous sommes au regret de devoir vous informer que nous ne fabriquons plus les articles demandés pour des raisons de compétitivité.

A notre grand regret, nous ne sommes plus en mesure de donner une suite favorable à votre demande.

Nous avons pris la liberté de transmettre votre demande à un concurrent qui se mettra sous peu en rapport avec vous.

Nous vous remercions de votre compréhension et vous prions d'agréer ...

---

6. **jdm zur Verfügung stehen, a, a** : *être à la disposition de qqun* ; **jdm etw zur ~ stellen** : *mettre à la disposition de qqun.*
7. **wir bestätigen den Erhalt (den Empfang) Ihres Schreibens** : *nous accusons réception de votre lettre.*
8. **etw positiv ≠ negativ beantworten = eine positive ≠ negative Antwort geben auf + A**.
9. **weiter / leiten an + A** : *transmettre à.*
10. **in Kürze** : *sous peu, à bref délai* ; syn. **demnächst, bald.**
11. **mit der Bitte um Verständnis = wir bitten um Ihr Verständnis** : *nous sollicitons votre compréhension.*

Madame,

En réponse à votre demande du 16 courant, nous vous informons que notre offre spéciale de meubles de jardin est limitée dans le temps.

Nous ne pourrons malheureusement pas donner suite aux commandes qui nous parviendraient après le 25/2. Nous vous prions de bien vouloir tenir compte de ce délai en passant votre ordre.

Dans l'attente d'une prochaine commande, nous vous prions d'agréer, Madame, l'expression de nos sentiments dévoués.

Monsieur,

Nous vous sommes très obligés de votre demande du 8/3/19.. et vous accusons en même temps réception de l'échantillon que vous nous avez adressé.

Après un examen minutieux effectué par nos services de recherche, nous sommes en mesure de vous informer que nous pouvons vous livrer, sans aucune difficulté, la qualité demandée.

La documentation ci-jointe vous fournira tous les détails techniques nécessaires.

En espérant recevoir très bientôt une réponse positive de votre part, nous vous prions d'agréer, Monsieur, l'expression de nos sentiments très cordiaux.

---

1. **einen Brief beantworten/in Beantwortung Ihres Schreibens** : en corresp. com., on emploie fréquemment la forme transitive. Pour débuter une lettre, vous utiliserez aussi : **auf einen Brief antworten/in Antwort auf Ihr Schreiben.**
2. **s Sonderangebot, e** : *offre spéciale, réclame.*
3. **zeitlich begrenztes (beschränktes) Angebot** : *offre limitée dans le temps.*
4. **die Bestellungen gehen ein = die Bestellungen treffen ein.**
5. **etw berücksichtigen = etw in Betracht ziehen, o, o** : *prendre qqch. en considération.*

Sehr geehrte Frau Neumann,

in Beantwortung [1] Ihrer Anfrage vom 16.d.M. teilen wir Ihnen mit, daß unser Sonderangebot [2] an Gartenmöbeln zeitlich begrenzt [3] ist.

Bestellungen, die nach dem 25.2. bei uns eingehen [4], können wir leider nicht mehr berücksichtigen [5]. Wir bitten Sie, bei Ihrer Bestellung diesen Termin [6] zu beachten.

In der Erwartung Ihres baldigen [7] Auftrags verbleiben wir mit freundlichen Grüßen

---

Sehr geehrter Herr Walter,

verbindlichen Dank [8] für Ihre Anfrage vom 8.3.19.. Wir bestätigen gleichzeitig den Erhalt Ihres Warenmusters.

Nach sorgfältiger Prüfung in unserer Forschungsabteilung [9] können wir Ihnen mitteilen, daß wir die von Ihnen angestrebte Qualität ohne Schwierigkeiten liefern können.

Über die technischen Einzelheiten informiert Sie der beiliegende Prospekt.

Wir hoffen, recht bald von Ihnen einen positiven Bescheid [10] zu erhalten und verbleiben

hochachtungsvoll

---

6. **r Termin, e** : *date, échéance, terme, rendez-vous* ; einen ~ beachten (ein/halten, ie, a, ä) : *respecter une date, un rendez-vous.*
7. **baldig** : *prochain, imminent, prompt.*
8. **verbindlichen Dank** = **besten / herzlich(st)en Dank**.
9. **e Abteilung, en** : *service, département* ; technische/kaufmännische ~ : *service technique/commercial.*
10. **ein positiver Bescheid** = **eine positive Antwort**.

1. En réponse à votre courrier du ..., nous vous informons que ...
2. Nous vous sommes très obligés de votre demande ; nous vous adressons, ci-joint, notre collection d'échantillons.
3. Nous vous envoyons par le même courrier la documentation demandée.
4. Nous sommes en possession de votre demande et nous vous en remercions.
5. Nous accusons réception de votre offre et vous en remercions.
6. Nous ne sommes malheureusement pas en mesure de vous soumettre d'offre.
7. Nous sommes au regret de vous informer que nous ne fabriquons plus cet article.
8. Nous vous prions de vous adresser de notre part à la maison X.
9. Après un examen minutieux par nos services compétents, nous vous signalons que...
10. Nous sommes heureux de pouvoir donner une suite favorable à votre demande.
11. Nous ne tarderons pas à reprendre contact avec vous.
12. Nous serions heureux de recevoir prochainement votre commande.

---

1. **In Beantwortung Ihres Schreibens (Briefs) vom ... teilen wir Ihnen mit, daß...**
2. **Verbindlichsten Dank für Ihre Anfrage ; anbei (beiliegend) übersenden wir Ihnen unsere Musterkollektion.**
3. **Mit gleicher Post schicken (senden) wir Ihnen die gewünschten (angeforderten) Prospekte.**
4. **Ihre Anfrage liegt uns vor. Verbindlichen (Besten) Dank.**
5. **Mit (bestem) Dank bestätigen wir den Erhalt Ihres Angebots.**
6. **Leider sind wir nicht in der Lage, Ihnen ein Angebot zu unterbreiten (zu machen).**
7. **Wir bedauern, Ihnen mitteilen zu müssen, daß wir diesen Artikel (diese Ware) nicht mehr herstellen.**
8. **Wenden Sie sich bitte unsererseits an die Firma X (Wir bitten Sie, sich von uns an ... zu wenden).**
9. **Nach sorgfältiger Prüfung durch unsere zuständigen Abteilungen teilen wir Ihnen mit, daß ...**
10. **Wir freuen uns, Ihrem Anliegen nachkommen zu können (Ihrem Wunsch stattzugeben).**
11. **Wir werden uns in Kürze wieder mit Ihnen in Verbindung setzen. (Wir werden mit Ihnen bald wieder Kontakt aufnehmen.)**
12. **Wir würden uns freuen, Ihren baldigen Auftrag (Ihre baldige Bestellung) zu erhalten.**

e Prüfung, en : examen, contrôle.
nach sorgfältiger ~ : après un examen minutieux.
etw prüfen : examiner qqch.
etwas nach/prüfen : vérifier qqch.

•

r Termin, e : date, terme, échéance, délai, rendez-vous.
einen ~ fest/setzen : fixer une date.
einen ~ ein/halten, ie, a, ä (beachten) : respecter une date.
einen ~ vereinbaren : fixer un rendez-vous, une date.
fester ~ : date fixe.
letzter ~ : dernier délai.

•

r Vertreter, - : représentant, agent.
r Vertreterbesuch, e : visite de représentant.
s Vertreternetz, e : réseau de représentants.
e Vertretung, en : représentation.
vertreten, a, e, i : représenter.
er vertritt mehrere Firmen : il représente plusieurs maisons.

•

s Muster, - : échantillon, modèle, spécimen.
nach ~ kaufen : acheter sur échantillon.
~ ohne Wert : échantillon sans valeur.
e Mustersendung, en : envoi d'échantillons, échantillon sans valeur.
e Musterkollektion, en : collection de modèles, d'échantillons.

•

e Konkurrenz, en (r Wettbewerb, e) : compétition, concurrence.

r Konkurrent, en, en (r Wettbewerber, -) : concurrent.
e Konkurrenzfähigkeit, en (e Wettbewerbsfähigkeit) : compétitivité.
konkurrenzfähig (wettbewerbsfähig) : compétitif.
konkurrieren : concurrencer.

•

zu unserem großen Bedauern : à notre grand regret.
wir bedauern sehr, daß : nous sommes au regret de.
leider müssen wir... : nous sommes au regret de ...
es tut uns leid, zu ... : nous sommes désolés de ...

•

etw positiv ≠ negativ beantworten : donner une suite favorable ≠ défavorable.
einen positiven ≠ negativen (abschlägigen) Bescheid erhalten, ie, a, ä : obtenir une réponse favorable ≠ défavorable.

•

einer Sendung etw bei/legen : joindre qqch. à un envoi.
wir senden Ihnen anbei (beiliegend) : nous vous adressons ci-joint.
als Anlage erhalten Sie : vous trouverez ci-joint.

•

wir beziehen uns auf Ihr Schreiben (unter Bezugnahme auf Ihren Brief) : comme suite à votre lettre, en référence à votre lettre.
wir weisen Sie auf unser Schreiben hin (unter Hinweis auf unser Schreiben) : nous attirons votre attention sur notre lettre.

A ■ Complétez

1. Wir danken __ __ Ihr Schreiben __ 20. März.
2. Ihr__ Anliegen kommen wir gerne __.
3. Wir legen Ihnen die __ Ende Juni gültige Preisliste __.
4. Wir bieten Videospiele __ reduzierten Preis__ __.
5. Prüfen Sie, __ unsere Produkte Ihr__ Anspruch__ genügen.

B ■ Rétablissez l'ordre chronologique

1. Wir erlauben uns, Ihre Anfrage an einen Konkurrenten weiterzuleiten.
2. Leider stellen wir die gewünschten Produkte nicht mehr her.
3. Mit der Bitte um Verständnis verbleiben wir...
4. Mit Dank bestätigen wir den Erhalt Ihres Schreibens.
5. Wir sind demnach nicht mehr in der Lage, Ihre Anfrage positiv zu beantworten.

C ■ Jeu des 5 erreurs : trouvez-les

1. Wir freuen uns, Ihrem Anliegen nicht nachkommen zu können.
2. Unverbindlichen Dank für Ihre Anfrage vom 8.3.
3. Wir hoffen recht bald, von Ihnen einen negativen Bescheid zu erhalten.
4. In der Erwartung eines baldigen Auftrags bleiben wir ...
5. Wir bitten Sie zu prüfen, ob Ihre Erzeugnisse unseren Ansprüchen genügen.

D ■ Découpez le monstre (en phrases, majuscules, ponctuation)

1. beiliegenderprospektinformiertsieüberdietechnischeneinzelheiten.
2. wirwürdenunsfreuenihrenbaldigenauftragzuerhalten.
3. ihreanfrageliegtunsvorverbindlichendank.
4. wirhabenihreanfrageaneinenkonkurrentenweitergeleitet.
5. mitderbitteumverständnisverbleibenwirmitbestengrüßen.

E ■ Traduire

1. Nous vous remercions de l'intérêt que vous portez à nos produits.
2. Nous serions heureux que notre offre vous agrée.
3. Nous accusons réception de votre demande du 25 courant et vous en remercions.
4. Nous ne tarderons pas à reprendre contact avec vous.
5. Nous sommes heureux de pouvoir accéder à votre demande.

5

Liefer- und Zahlungsbedingungen

Conditions de livraison et de paiement

Le fournisseur indique ses conditions habituelles ou précise celles qu'il est prêt à consentir.

L'acheteur se renseigne sur les conditions de livraison (délai, départ usine, franco domicile, etc.) et de paiement (à la commande, à la livraison, crédit, remise, etc.) ou confirme les dispositions prises à l'occasion d'une transaction.

Scénario

Une entreprise s'adresse à un client sud-américain en lui précisant les conditions de garantie et de transport. Les modalités de paiement font l'objet d'un soin particulier dans les opérations avec l'outre-mer.

Des précisions détaillées sont données pour l'envoi de meubles de bureau et de tissus d'été.

Une maison demande le règlement d'avance à ses nouveaux clients pour toute première livraison.

Betreff : Liefer- und Zahlungsbedingungen

Sehr geehrter Herr Lopez,

auf Ihre Anfrage vom 11.d. M., die wir mit Dank bestätigen, können wir Ihnen folgendes Angebot, solange Vorrat [1] reicht, unterbreiten :
  150 Gartensalons bestehend aus
  • je einem Tisch (160 × 90 cm) zu 700 DM,
  • vier zusammenklappbaren Stühlen (100 × 40 × 16 cm) zu 480 DM.

Die Garantiedauer [2] dieses wetterbeständigen Modells beträgt 5 Jahre.

Die Preise verstehen sich fob [3] Hamburg einschließlich seemäßiger Verpackung. Die Seefracht Hamburg-Montevideo und die Versicherungskosten belaufen sich z. Zt. auf US $ ... Wir weisen Sie darauf hin, daß wir uns das Recht vorbehalten, die am Tag der Lieferung gültigen Sätze in Rechnung zu stellen [4].

Unsere Zahlungsbedingungen sind die folgenden : Bei Erstaufträgen Eröffnung eines unwiderruflichen Akkreditivs [5] bei der Commerzbank in Frankfurt a. M. zu unseren Gunsten. Für weitere Bestellungen gewähren wir Kasse gegen Dokumente [6] durch eine Bank Ihrer Wahl in Uruguay.

Die Lieferung kann innerhalb von 14 Tagen nach Eingang der Akkreditivbestätigung erfolgen.

Wir freuen uns, daß Sie unsere in Europa seit langem bewährten Gartenmöbel in Uruguay vertreiben wollen und hoffen, in Kürze einen Auftrag Ihrerseits ausführen zu dürfen.

Hochachtungsvoll

---

1. **r Vorrat, ¨e** : *stock, réserves* ; solange (der) ~ reicht : *jusqu'à épuisement des stocks* ; unsere ~¨e sind ausverkauft (erschöpft) : *nos stocks sont épuisés, nous sommes en rupture de stocks.*
2. **die Garantie, n** : *garantie* ; eine ~ gewähren : *accorder une garantie* ; eine ~ in Anspruch nehmen, a, o, i : *recourir à une garantie.*
3. **fob (free on board)** : *franco à bord* (clause de commerce international, clauses Incoterms).
4. **etw in Rechnung stellen = etw fakturieren**.
5. **s Akkreditiv, e** : *crédit documentaire, accréditif* (c'est un document

Objet : conditions de livraison et de paiement

Monsieur,

En réponse à votre demande du 11 courant dont nous accusons réception et vous remercions, nous pouvons vous soumettre l'offre suivante dans la mesure des stocks disponibles :

150 salons de jardin comportant respectivement :
- une table (160×90) à 700 DM l'unité,
- quatre chaises pliantes (100×40×16 cm) à 480 DM.

La durée de garantie de ce modèle résistant aux intempéries est de 5 ans.

Nos prix s'entendent fob (franco à bord) Hambourg, emballage pour transport maritime compris. Le fret maritime Hambourg-Montevideo et les frais d'assurance se montent actuellement à ... dollars. Nous attirons votre attention sur le fait que nous nous réservons le droit d'appliquer les tarifs en vigueur au jour de la livraison.

Nos conditions de paiement sont les suivantes : Pour une première commande, ouverture d'un crédit documentaire irrévocable en notre faveur auprès de la Commerzbank de Francfort. Pour les commandes ultérieures, documents contre paiement dans une banque uruguayenne de votre choix.

La livraison pourra être effectuée quinze jours après la confirmation de l'ouverture du crédit documentaire.

Nous sommes heureux que vous soyez intéressés par la distribution pour l'Uruguay de nos meubles qui ont, depuis longtemps, fait leurs preuves en Europe. Nous espérons pouvoir exécuter très prochainement une commande de votre part.

Dans cette attente, nous vous prions d'agréer...

---

qu'un banquier remet à son client pour lui permettre d'obtenir un crédit auprès d'une autre banque ; c'est le mode de paiement qui donne le plus de garantie à l'exportateur).
6. D'autres conditions de paiement à l'exportation sont **Kasse gegen Dokumente** : *documents contre paiement* ; **Dokumente gegen Wechselakzept** : *documents contre acceptation d'un effet* ; **Vorauskasse** : *paiement d'avance* ; **Zahlung nach Empfang der Ware** : *paiement à réception de la marchandise.*

Sehr geehrter Herr Schaub,

wir danken Ihnen für Ihre Anfrage vom 1.3. und bieten Ihnen die gewünschten Büromöbel wie folgt an :

50 Bürodrehstühle, Farbe granatrot zu je 680 DM.

Die Preise verstehen sich frei Grenze einschließlich Verpackung.

Die Lieferzeit beträgt [1] 6 Wochen ; unsere Zahlungsbedingungen lauten [2] :

1/3 bei Auftragserteilung,
1/3 bei Lieferung,
1/3 innerhalb [3] von 30 Tagen nach Lieferung.

In Erwartung Ihrer baldigen Bestellung verbleiben wir mit besten Grüßen

---

Sehr geehrte Frau Römer,

besten Dank für Ihre Anfrage nach günstigen Sommerstoffresten. Wir sind in der Lage, Ihnen ein besonders günstiges Auslaufmodell freibleibend [4] anzubieten. Bedruckter Baumwollstoff :

Artikel Blume (Länge 20 m, Breite 90 cm),
Preis [5] pro Meter : 13,20 DM inkl. MwSt.

Der angegebene Nettopreis versteht sich ab Lager. Für Verpackung berechnen wir 0,5 % des Warenwertes. Die Lieferzeit beträgt 2 Wochen.

Wir gewähren Ihnen, wie allen unseren Stammkunden, ein Ziel [6] von 30 Tagen oder bei Barzahlung 2 % Skonto [7]. Dieses Angebot gilt bis zum 3.3.

Mit besten Empfehlungen

---

1. **beträgt 6 Wochen = beläuft sich auf 6 Wochen** ; betragen, u, a, ä : *être de, s'élever à.*
2. **unsere Zahlungsbedingungen lauten** : *nos conditions de paiement sont les suivantes* ; auf DM lauten : *être libellé en marks.*
3. **innerhalb von + D** : *dans un délai de* ; syn. binnen + D : binnen 3 Monaten.
4. **freibleibend** : *sans engagement, sans obligation, sous réserve.*
5. **Preis inkl. MwSt** : *prix TVA incluse* ; en indiquant le prix, on précise s'il y a un supplément ; **zuzüglich Mehrwertsteuer** : *TVA*

Monsieur;

Nous vous remercions de votre demande du 1er mars et vous soumettons l'offre suivante concernant les meubles de bureau souhaités :

50 fauteuils de bureau tournants,
teinte rouge grenat à 680 DM pièce.

Nos prix s'entendent franco frontière, emballage compris.

Le délai de livraison est de 6 semaines. Nos conditions de paiement sont les suivantes :

1/3 à la commande,
1/3 à la livraison,
1/3 30 jours après la livraison.

Dans l'attente d'une commande prochaine, nous vous prions d'agréer, Monsieur, nos cordiales salutations.

Madame,

Nous vous remercions vivement de votre demande concernant nos tissus d'été invendus à des prix intéressants. Nous sommes en mesure de vous proposer, sans engagement de votre part, un modèle de fin de série particulièrement avantageux. Un tissu imprimé en coton :

Article fleur (longueur 20 m, largeur 90 cm),
prix au m 13,20 DM, TVA incluse.

Le prix net indiqué ci-dessus s'entend départ entrepôt. Nous comptons 0,5 % de la valeur de la marchandise pour les frais d'emballage. Les délais de livraison sont de deux semaines.

Comme à tous nos clients attitrés, nous vous accordons un délai de paiement de 30 jours ou 2 % d'escompte contre paiement comptant. Cette offre est valable jusqu'au 3 mars.

Veuillez agréer, Madame, nos salutations distinguées.

en sus ; zuzüglich Verpackung und Versicherung : *frais d'emballage et d'assurance en sus* ; inkl. (inklusive, einschließlich) Frachtkosten und Zoll ; *fret et droits de douane inclus.*
6. **s Ziel** = **s Zahlungsziel** : *délai de paiement, échéance* ; jdm ein ~ gewähren : *accorder une date de paiement à qqun.*
7. **r** ou **s Skonto, s** ou **ti** : *escompte, remise au comptant* ; 3 % ~ bei Barzahlung : *escompte de caisse 3 % ; 3 % d'escompte pour paiement comptant.*

Monsieur,

Nous vous remercions vivement de votre demande du ... Nous attirons votre attention sur nos conditions de livraison et de paiement et vous soumettons l'offre suivante :

   10 scies circulaires automatiques de type F 147, de 350 mm de diamètre à 998 F. pièce.

Le délai de livraison est de 6 semaines. Nous demandons le règlement d'avance pour toute première livraison à de nouveaux clients.

Notre prix s'entend franco de port, départ entrepôt. Les frais d'emballage sont à notre charge.

Veuillez agréer, Monsieur, nos cordiales salutations.

Messieurs,

Nous référant à votre lettre du 16 février, nous vous remercions de l'intérêt que vous portez à notre production.

Nous sommes en mesure de vous accorder un rabais de 2 % sur toute commande minimum de 30 chaudières par an.

Les frais d'emballage sont inclus dans le prix. La livraison sera effectuée par crédit documentaire irrévocable. Le délai de livraison est de deux mois au maximum.

Nos conditions de garantie sont les suivantes : nous prenons à notre charge le remplacement gratuit de toute pièce défectueuse pour une durée de 3 ans à compter de la date de livraison.

Nous ne pourrons malheureusement maintenir l'offre ci-dessus que jusqu'au 30 juin de l'année en cours.

Nous vous serions obligés de nous faire savoir dès que possible si vous comptez profiter de cette offre intéressante.

Dans l'attente de votre réponse, nous vous prions d'agréer, Messieurs, l'expression de nos salutations distinguées.

---

1. **unter Hinweis auf + A = wir machen Sie auf + A aufmerksam**.
2. **gegen Vorauszahlung = gegen Vorkasse**.
3. **r Rechnungsbetrag, ¨e** : *montant de la facture*.
4. **wir beziehen uns auf Ihr Schreiben** = in Antwort auf Ihren Brief ; unter Bezugnahme auf Ihr Schreiben.

Sehr geehrter Herr Meidinger,

vielen Dank für Ihre Anfrage vom ... Unter Hinweis [1] auf unsere Liefer- und Zahlungsbedingungen machen wir Ihnen folgendes Angebot :

  10 automatische Kreissägen Typ F147, Durchmesser 350 mm zu 998 F. pro Stück.

Die Lieferzeit beläuft sich auf 6 Wochen. Bei Erstversand liefern wir an neue Kunden nur gegen Vorauszahlung [2] des Rechnungsbetrags [3].

Der Preis versteht sich frachtfrei ab Lager. Die Verpackungskosten gehen zu unseren Lasten.

Mit freundlichen Grüßen

Sehr geehrte Herren,

wir beziehen uns auf Ihr Schreiben [4] vom 16.2. und bedanken uns für das darin zum Ausdruck gebrachte Interesse an unseren Erzeugnissen.

Wir können Ihnen bei einer Mindestabnahme [5] von 30 Heizkesseln pro Jahr eine Preisermäßigung von 2 % gewähren.

Die Verpackung ist im Preis inbegriffen. Die Lieferung erfolgt nur gegen unwiderrufliches Akkreditiv. Die Lieferzeit beträgt maximal 2 Monate.

Für die Garantieleistungen gelten folgende Bedingungen : Wir kommen für den kostenlosen Ersatz defekter Teile für die Dauer von 3 Jahren ab [6] Liefertermin auf.

Das obige Angebot können wir leider nur bis zum 30.6. d.J. aufrechterhalten.

Bitte lassen Sie uns recht bald wissen, ob Sie unser günstiges Angebot in Anspruch nehmen wollen. Ihrem Bescheid sehen wir gerne entgegen und verbleiben [7]

hochachtungsvoll

---

5. **e Abnahme, n** : *achat, commande, acquisition* ; **r Abnehmer,-** : *acheteur, acquéreur* ; **ab/nehmen, a, o, i** : *acheter, être acquéreur.*
6. **ab** : a) *à partir de* ; **~ Ostern** : *à partir de Pâques* ; **~ 1. (erstem/ersten) März** : *à partir du 1er mars* ; b) **~ Werk** : *départ usine.*
7. Variante : **wir würden uns freuen, bald von Ihnen Nachricht zu erhalten und verbleiben...**

1. Nos prix s'entendent fob Hambourg, frais d'emballage compris.
2. Nous consentons une remise de 2 % sur nos prix.
3. Nos prix s'entendent TVA comprise.
4. La livraison sera effectuée départ usine / entrepôt.
5. Livraison franco domicile / fret payé.
6. La marchandise vous sera livrée sous huitaine / dans les trois mois / d'ici le...
7. Le délai de livraison est de 2 mois.
8. Livré franco Hambourg dédouané / non dédouané.
9. Conditions de paiement : 1/3 à la commande, 1/3 à la livraison et 1/3 dans les 3 mois suivant la livraison.
10. Pour paiement comptant, nous accordons un rabais de 2 % sur le prix catalogue.
11. Paiement d'un acompte de 40 % à la commande, le solde de 60 % étant payable à la livraison.
12. Montant de la facture exigible dès réception de la marchandise.

---

1. **Unsere Preise verstehen sich fob Hamburg einschließlich Verpackung.**
2. **Wir gewähren (räumen... ein) 2 % Nachlaß (Rabatt) auf unsere Preise.**
3. **Unsere Preise schließen die MwSt (Mehrwertsteuer) ein.**
4. **Die Lieferung erfolgt ab Werk / ab Lager.**
5. **Lieferung frei Haus / frachtfrei.**
6. **Die Ware geht Ihnen innerhalb von 8 Tagen / innerhalb von 3 Monaten / bis zum ... zu.**
7. **Die Lieferfrist beträgt 2 Monate.**
8. **Geliefert wird frei Hamburg verzollt / unverzollt.**
9. **Zahlungsbedingungen : 1/3 bei Bestellung (Auftragserteilung), 1/3 bei Lieferung und 1/3 innerhalb von 90 Tagen nach Lieferung.**
10. **Bei Barzahlung gewähren wir einen zweiprozentigen (2 %igen) Rabatt auf die Katalogpreise.**
11. **Anzahlung von 40 Prozent bei Bestellung, die übrigen 60 % (sind) bei Lieferung fällig (zu zahlen).**
12. **(Der) Rechnungsbetrag (ist / wird) bei Erhalt (Eingang) der Ware fällig.**

liefern : livrer.
frei Haus ~ : livrer franco domicile.
e Lieferung, en : livraison.
sofortige (umgehende, prompte) ~ : livraison immédiate.
~ **auf Abruf** : livraison sur appel.
~ **innerhalb von acht Tagen** : livraison sous huitaine.
~ **erfolgt gegen Barzahlung** : livraison contre paiement comptant.
Liefer-/Lieferungs- (mots composés) : ... de livraison.
r Lieferschein, e (Lieferungsschein) : bon de livraison.
e Lieferfrist, en : délai de livraison.
r Lieferort, e : lieu de livraison.
e Lieferbedingung, en : condition de livraison.

•

e Incoterms-Regeln (plur.) : conventions incoterms, clauses de commerce internationales.
ab Werk : départ usine.
fob (free on board) : franco à bord
cif (cost, insurance, freight) : caf (coût, assurance, fret).
fas (free alongside ship) : franco le long du navire.

•

zahlen (bezahlen) : payer.
bar ~ : payer (au) comptant.
per Scheck ~ : régler par chèque.

im voraus ~ : payer d'avance.
e Zahlung, en : paiement, versement.
eine ~ **leisten** : effectuer un versement.
eine ~ **ein/stellen** : suspendre un paiement.
eine ~ **fordern** : exiger un paiement.
pünktliche ~ : paiement ponctuel.
rückständige ~ : paiement en souffrance.
gegen ~ : moyennant paiement.

•

e Zahlungsbedingung, en : condition, modalité de paiement.
e Vorkasse (e Vorauszahlung) : paiement d'avance.
e Anzahlung, en : acompte.
gegen Nachnahme : contre remboursement.
e Ratenzahlung, en : versement échelonné, paiement fractionné.
30 Tage Ziel (innerhalb von 30 Tagen) : à 30 jours.
Kasse gegen Dokumente : documents contre paiement.

•

unsere Preise verstehen sich : nos prix s'entendent.
frei Bahnstation / Hafen / Grenze : franco gare / port / frontière.
verpackt ≠ **unverpackt** : emballé ≠ sans emballage.
frachtfrei (Fracht bezahlt) : franco de port.

A ■ Rendez à chacun sa moitié

1. ein unwiderrufliches   a) Angebot
2. Kassa gegen   b) Nettopreis
3. freibleibendes   c) Barzahlung
4. der angegebene   d) Akkreditiv
5. 2 % Skonto bei   e) Dokumente

B ■ Trouvez la préposition adéquate

1. __ Ihre Anfrage können wir folgendes Angebot unterbreiten.
2. Sie müssen ein Akkreditiv __ einer Bank eröffnen.
3. Der Scheck muß __ DM lauten und __ Ihnen unterschrieben sein.
4. Ein Drittel des Betrags __ von 30 Tagen __ Lieferung.
5. Preise __ Lager und 2 % Skonto __ Barzahlung.

C ■ Quel substantif correspond à ?

1. anfragen   6. ersetzen
2. zahlen   7. interessieren
3. verpacken   8. anbieten
4. betragen   9. liefern
5. ausdrücken   10. bestätigen

D ■ Comblez les trous

1. Unter __ auf unsere Zahlungsbedingungen machen wir folgendes __.
2. An neue __ liefern wir zunächst nur gegen __.
3. Die Verpackung ist im Preis __.
4. Das obige Angebot können wir nur __ zum 30.6. __.
5. Teilen Sie uns bitte __, ob Sie unser Angebot in __ nehmen wollen.

E ■ Traduisez

1. Nos prix s'entendent franco domicile, emballage compris.
2. La marchandise vous sera livrée sous trois mois.
3. Vous payez 1/3 à la commande, 2/3 à la livraison.
4. La facture sera exigible dès réception de la marchandise.
5. Nos conditions de garantie sont les suivantes.

6

Bestellung - Auftragsbestätigung

Commande
Confirmation de commande

Le client passe commande en précisant la date et les modalités de livraison. Le fournisseur accuse réception de la commande, confirme souvent les conditions de livraison et de paiement ou fait, éventuellement, savoir les changements intervenus par rapport à l'offre.

Scénario

Un commerçant commande des protège-matelas par livraison partielle en colis exprès.

Une autre entreprise accuse réception d'une commande de carrelage mural et rappelle ses conditions de livraison et de paiement.

A l'occasion d'une importante commande, un client précise à nouveau les modalités de transport et de paiement.

Enfin, une commande de machines se voit accompagnée d'une demande du client qui désire une extension de la garantie.

Betreff : Bestellung [1] von Matratzenschonern

Sehr geehrter Herr Köhler,

bitte senden Sie uns nach Ihrem Angebot vom 12.d.M., wenn möglichst sofort, sonst in Teillieferungen :

2 500 Matratzenschoner aus reiner Baumwolle (90 × 190) zu 34,85 DM/Stück inkl. MwSt.

Die Ware ist dringend erforderlich [2]. Wir bitten Sie deshalb, uns zumindest die 1. Teillieferung als Expreßgut zukommen zu lassen. Die zusätzlichen Versandkosten [3] übernehmen wir selbstverständlich. Sobald die Sendung bei uns eintrifft [4], überweisen wir Ihnen umgehend den Rechnungsbetrag abzüglich [5] 3 % Skonto.

In Erwartung einer prompten Ausführung unseres Auftrags verbleiben wir

mit freundlichem Gruß

Betreff : Auftragsbestätigung [6] von Dekor-Wandplatten PVC

Sehr geehrte Herren,

wir danken Ihnen für Ihren Auftrag vom 25.9. über :

5 000 Dekor-Wandplatten Hart-PVC (20 × 20) zu je 4,35 DM.

Wir erinnern Sie nochmals an die Zahlungsbedingungen : Ziel 4 Wochen oder 2 % Skonto bei Zahlung binnen 14 Tagen ab Rechnungsdatum. Erfüllungsort und Gerichtsstand sind Waiblingen [7].

Die Lieferung erfolgt ab heutigem Datum in 3 Wochen frei deutsche Grenze.

Wir teilen Ihnen den genauen Versandtermin [8] fernschriftlich [9] mit und verbleiben

hochachtungsvoll

---

1. **e Bestellung, en** : *commande, ordre* ; eine ~ auf / geben, a, e, i : *passer commande* ; einen Artikel bestellen : *commander un article.*
2. **die Ware ist dringend erforderlich** = wir benötigen (brauchen) die Ware dringend ; die Ware wird dringend benötigt (gebraucht).
3. **Kosten übernehmen, a, o, i** : *prendre les frais (charges) à son compte.*
4. **eintrifft** = **ankommt.**
5. **abzüglich + G** : *à déduire de* ; ~ 3 % Skonto / der Kosten : *déduction faite de 3 % d'escompte / frais à déduire.*

Objet : commande de protège-matelas

Monsieur,

Veuillez nous adresser, conformément à votre offre du 12 courant, immédiatement si possible ou, dans le cas contraire, par livraisons partielles, les articles suivants :

2 500 protège-matelas, pur coton (90 × 190)
à 34,85 marks pièce, TVA incluse.

Nous en avons un besoin urgent. Pour cette raison, nous vous prions de nous expédier au moins la première livraison partielle en colis exprès. Il va de soi que nous prendrons à notre charge le coût supplémentaire en résultant. Dès que la marchandise nous sera parvenue, nous vous virerons, sans tarder, le montant de la facture, moins 3 % d'escompte.

Dans l'attente d'une prompte exécution de la commande, nous vous prions d'agréer...

Objet : accusé de réception de commande de carreaux muraux décoratifs en PVC

Messieurs,

Nous vous remercions de votre offre du 25/9 portant sur :

5 000 carreaux muraux décoratifs en PVC dur (20 × 20)
à 4,35 marks pièce.

Nous vous rappelons les conditions de paiement : à 4 semaines ou 2 % d'escompte moyennant paiement sous quinzaine à compter de la date de la facture. Lieu d'exécution et tribunal compétent : Waiblingen.

La livraison sera effectuée dans 3 semaines à compter de ce jour, franco frontière allemande.

Nous vous communiquerons la date exacte d'expédition par télex et vous prions d'agréer...

---

6. **e Auftragsbestätigung, en** : *accusé de réception de la commande* ; **einen Auftrag bestätigen** : *accuser réception de la commande.*

7. **Erfüllungsort und Gerichtsstand sind Waiblingen** : *pour toute contestation, le tribunal de Waiblingen est seul compétent et habilité à recouvrer des dettes éventuelles.*

8. **r Versandtermin, e** : *date d'expédition* ; retenez également : **r Versandhandel**, *∅* : *vente par correspondance.*

9. **fernschriftlich** : *par télex* ; **s Fernschreiben, -** : *télex* ; syn. **s Telex.**

Sehr geehrter Herr Lienert,

wir beziehen [1] uns auf Ihr Angebot vom 15.d.M. und erteilen Ihnen folgenden Auftrag :

50 000 Blatt Schreibmaschinenpapier (70 g) weiß ;
DIN A 4 zu 10,35 DM/1 000 Blatt.

Wir hoffen, daß Sie in der Lage sind, obigen Auftrag binnen 4 Wochen frei Haus zu liefern. Könnten Sie uns bitte fernschriftlich mitteilen, zu welchem Zeitpunkt die von uns beauftragte [2] Spedition [3] die bestellte Ware bei Ihnen abholen [4] kann.

Die Frachtkosten gehen, wie im Angebot ausgemacht, auf Ihre Kosten [5]. Nach Erhalt der Ware werden wir unsere Bank beauftragen, den Rechnungsbetrag abzüglich 3 % Skonto an Sie zu überweisen.

Wie bitten Sie um eine kurze Auftragsbestätigung. Bei einwandfreier [6] Lieferung können Sie mit regelmäßigen Aufträgen unsererseits rechnen.

Hochachtungsvoll

Betreff : Auftragsbestätigung

Sehr geehrte Frau Lummer,

wir bestätigen dankend den Erhalt Ihres Auftrags vom 28.d.M. zur Lieferung von 50 000 Blatt Schreibmaschinenpapier.

Wie von Ihnen in Ihrer Bestellung gewünscht, sind wir imstande, dem von Ihnen beauftragten Spediteur die Ware in 3 Wochen abholbereit [4] in unserem Auslieferungslager zu übergeben [7]. Bis zur vollständigen Bezahlung bleiben wir Eigentümer der Ware.

Wir sichern Ihnen eine zufriedenstellende Ausführung Ihrer Bestellung zu und verbleiben [8]

mit besten Grüßen

---

1. **wir beziehen uns auf Ihr Angebot vom** = **wir nehmen Bezug auf Ihr Angebot vom** : *nous nous référons à votre offre du ...*
2. **jdn mit etw beauftragen** : *charger qqun de qqch., mandater qqun.*
3. **e Spedition, en** : a) *expédition, transport (de marchandises)* : b) *entreprise de transport* ; c) *service des expéditions.*
4. **eine Ware ab/holen** : *prendre livraison de la marchandise, (faire) prendre la marchandise* ; **abholbereit** : *prêt à être enlevé.*

Monsieur,

Nous nous référons à votre offre du 15 courant et vous passons la commande suivante :

    50 000 feuilles de papier-machine (70 g), blanc
    format DIN A 4, à 10,35 marks la rame de 1 000 feuilles.

Nous espérons que vous serez en mesure de nous livrer la commande ci-dessus franco domicile d'ici 4 semaines. Voudriez-vous nous faire savoir par télex à quelle date le transporteur mandaté par nos soins pourra prendre livraison de la marchandise.

Comme convenu dans votre offre, les frais de port seront à votre charge. Dès réception de la marchandise, nous donnerons ordre à notre banque de vous virer le montant de la facture sous déduction de 3 % d'escompte.

Veuillez nous accuser brièvement réception de notre ordre. En cas de livraison irréprochable, vous pouvez compter sur des commandes régulières de notre part.

Veuillez agréer, Monsieur,...

Objet : accusé de réception de commande

Madame,

Nous accusons réception de votre commande du 28 courant portant sur 50 000 feuilles de papier-machine et vous en remercions.

Comme vous en émettez le souhait dans votre commande, nous sommes en mesure de tenir la marchandise prête à être remise à votre transporteur en notre dépôt d'ici 3 semaines. Nous demeurons propriétaires de la marchandise jusqu'au paiement intégral.

Nous vous assurons d'exécuter votre commande à votre entière satisfaction et vous prions d'agréer, Madame,...

---

5. **die Frachtkosten gehen auf Ihre Kosten = Sie übernehmen die Frachtkosten** : *le fret est à votre charge*.
6. **einwandfrei** : *irréprochable* ; syn. **tadellos, fehlerfrei, makellos**.
7. **jdm etw übergeben, a, e, i** : *remettre qqch. à qqun.*
8. Variante : **wir werden uns bemühen, Ihre Bestellung zu Ihrer vollen Zufriedenheit auszuführen und verbleiben...**

Messieurs,

En référence à votre offre du 9 courant, nous vous passons commande d'une étiqueteuse entièrement automatique ETIMAT 654. L'emballage en conteneurs est inclus dans le prix de 250 000 francs, le délai de livraison est de 5 mois.

Aux termes de votre offre, vous accordez une garantie de 9 mois sur vos machines. Or, vous n'êtes pas sans savoir qu'elle est de 12 mois chez vos concurrents. Nous vous demandons donc de bien vouloir reconsidérer votre offre et nous accorder les mêmes conditions de garantie.

Dans l'attente d'une prompte réponse, nous vous prions, Messieurs,...

Messieurs,

Nous vous remercions de votre commande du 5/3/19.. portant sur une remplisseuse-poseuse de capsules automatique pour bouteilles d'eau minérale en PVC de 1,5 l, et d'un débit maximum de 6 000 unités/heure.

Notre prix de 400 000 francs s'entend fob dans un port français. Le délai de livraison est de 5 mois à réception d'un acompte représentant 30 % de la facture totale.

Pour le solde de la facture, veuillez faire ouvrir un accréditif irrévocable auprès d'une banque de votre choix.

Nous vous assurons d'exécuter votre ordre avec le plus grand soin et vous prions d'agréer, Messieurs,...

---

1. **gemäß + D** : *selon, d'après, conformément à.*
2. **jdm einen Auftrag erteilen (über + A)** : *passer un ordre, une commande (de) à qqun* ; e **Auftragserteilung, en** : *passation d'une commande.*
3. **r Container, -** : *conteneur/container* ; einen ~ an jdn ab/schicken : *expédier un conteneur à qqun* ; s **Container-Schiff, e** : *transcontainer, navire porte-conteneurs.*
4. **laut** : *selon, d'après, conformément à* ; cette prép. qui exige, en principe, le **D** ou le **G** est souvent suivie d'un nom sans marque de cas : ~ Angebot, ~ Ihrem Angebot, ~ Ihres letzten Schreibens.

Sehr geehrte Herren,

gemäß[1] Ihrem Angebot vom 9. d.M. erteilen wir Ihnen folgenden Auftrag[2] über eine vollautomatische Etikettiermaschine ETIMAT 654. Die Verpackung in Containern[3] ist im Preis von 250 000 F. inbegriffen. Die Lieferfrist beträgt 5 Monate.

Laut[4] Angebot gewähren Sie auf Ihre Maschinen eine Garantieleistung von 9 Monaten. Sie wissen sicherlich, daß sie bei Ihren Konkurrenten 1 Jahr beträgt. Wir möchten Sie folglich bitten, Ihr Angebot nochmals zu überprüfen und uns dieselben Garantiebedingungen einzuräumen[5].

In Erwartung einer baldigen Antwort verbleiben wir

hochachtungsvoll[6]

Sehr geehrte Damen und Herren,

wir danken Ihnen für Ihren Auftrag vom 5.3.19.. über eine automatische Abfüll- und Verschließmaschine Typ AFV 30 für Mineralwasser in PVC-Flaschen 1,5 l mit einer Maximalgeschwindigkeit von 6 000 Stck/h.

Der Preis von 400 000 Fr. versteht sich fob französischer Hafen. Die Lieferfrist beträgt 5 Monate nach Erhalt[7] einer Vorauszahlung von 30 % des Rechnungsbetrags.

Für den Rechnungsrestbetrag bitten wir Sie, ein unwiderrufliches Akkreditiv[8] bei einer Bank Ihrer Wahl zu eröffnen.

Wir sichern Ihnen eine sorgfältige Ausführung[9] Ihres Auftrags zu und verbleiben

mit freundlichem Gruß

---

5. **Bedingungen ein / räumen = Bedingungen gewähren**.
6. Variante : **wir hoffen, bald von Ihnen zu hören und verbleiben ... mit besten Grüßen**.
7. Variante : **die Lieferzeit beläuft sich auf 5 Monate nach Eingang ...**
8. **s Akkreditiv, e** : cf. chapitre 5.
9. **e Ausführung, en = e Durchführung** : *exécution, réalisation* ; einen Auftrag aus / führen (durchführen) : *exécuter un ordre (une commande)*.

1. Nous prenons bonne note de votre ordre du...
2. Conformément à votre envoi d'échantillons, nous vous passons commande de (nous vous prions de nous livrer)...
3. Nous insistons sur le respect impératif de la date de livraison.
4. Veuillez adresser la commande à l'adresse ci-dessus.
5. Vous trouverez la nature et les dimensions des articles souhaités dans le bon de commande ci-joint.
6. Veuillez nous communiquer la date probable de livraison dans votre accusé de réception.
7. Nous accusons réception de votre commande et vous en remercions.
8. Nous nous réservons le droit de modifier nos tarifs.
9. Votre commande a été notée comme suit :
10. Malheureusement, nous n'avons plus l'article désiré en stock.
11. Nous allons exécuter votre ordre portant sur ... dans les plus brefs délais.
12. La marchandise ne vous appartient qu'après son paiement intégral.

---

1. **Ihren Auftrag (Ihre Bestellung) vom ... nehmen wir dankend an.**
2. **Gemäß Ihrer Mustersendung bestellen wir (bitten wir um Lieferung von) ...**
3. **Wir bestehen auf strengster Einhaltung der Lieferfrist.**
4. **Liefern Sie bitte die Bestellung an obige Adresse.**
5. **Größe und Art der gewünschten Artikel finden Sie auf beiliegendem Bestellschein.**
6. **Teilen Sie uns in Ihrer Auftragsbestätigung den voraussichtlichen Liefertermin mit.**
7. **Wir bestätigen (hiermit) dankend Ihren Auftrag (den Empfang Ihres Auftrags).**
8. **Preisänderungen behalten wir uns vor.**
9. **Ihren Auftrag haben wir wie folgt vorgemerkt :**
10. **Leider haben wir den gewünschten Artikel nicht mehr auf Lager.**
11. **Wir werden Ihren Auftrag über ... schnellstens ausführen (durchführen).**
12. **Erst mit Bezahlung der Rechnung (des Rechnungsbetrags) werden Sie Eigentümer der Ware.**

e Bestellung, en : commande, ordre.
eine ~ auf / geben, a, e, i (machen) : passer (une) commande, faire une commande.
eine ~ aus / führen : exécuter une commande.
eine ~ entgegen / nehmen, a, o, i : prendre une commande.
eine ~ widerrufen (annullieren) : annuler une commande.
bestellen : commander.
mündlich / schriftlich / über Btx ~ : commander oralement / verbalement / par minitel.

•

r Auftrag, ¨e : commande, ordre.
einen ~ (über + A) erteilen : passer une commande de.
einen ~ aus / führen : exécuter un ordre.
einen ~ bestätigen : accuser réception d'une commande.
e Auftragsbestätigung, en : confirmation, accusé de réception d'une commande.
e Auftragserteilung, en : passation de commande.
r Eigentumsvorbehalt, e : clause de réserve de propriété.

•

r Preis, e : prix, tarif.
~e senken / erhöhen / ändern : baisser / augmenter / modifier les prix.
zu den alten ~en (aus)liefern : livrer à l'ancien tarif.
e Preise als verbindlich betrachten : considérer les prix comme fermes et définitifs.

der ~ versteht sich inklusive MwSt : le prix s'entend TVA incluse.

•

e Rechnung, en : facture.
eine ~ aus / stellen : établir une facture.
eine ~ begleichen, i, i : acquitter une facture.
r Rechnungsbetrag, ¨e : montant de la facture.
den ~ auf ein Konto überweisen, ie, ie : virer la somme sur un compte.
r Restbetrag, ¨e : solde, montant dû.

•

e Garantie, n : garantie.
ohne ~ : sans garantie.
e ~ auf (für) ein Gerät ist abgelaufen : l'appareil n'est plus sous garantie.
unter ~ stehen, a, a : être sous garantie.
garantieren : garantir.
für die Qualität einer Ware ~ : garantir la qualité d'un produit.
e Garantieleistung, en : garantie, couverture du risque.

•

e Lieferung, en : livraison, fourniture, envoi.
e Teillieferung : livraison partielle.
e Ersatzlieferung : marchandise livrée en remplacement.
liefern : livrer, fournir.
lieferbar : livrable.
r Lieferer, - (r Lieferant, en, en) : fournisseur.

A ■ Jeu des 10 erreurs : Trouvez-les

1. Wir beziehen uns an Ihr Angebot vom 15.d.M.
2. Wir erteilen Ihnen folgendes Auftrag :
3. 50 000 Blätter Schreibmaschinenpapier (70 g) weiß.
4. Wir hoffen, daß Sie in der Situation sind, ...
5. ... obige Bestellung bis 4 Wochen zu liefern.
6. Die Fracht geht an Ihre Kosten.
7. Nach Erhalt der Ware werden wir unserer Bank befehlen, ...
8. ... den Rechnungsbetrag an Ihnen zu überweisen.

B ■ Chassez l'intrus

1. Bestellung
   Auftrag
   Empfang

2. informieren
   erteilen
   mitteilen

3. betragen
   liefern
   sich belaufen auf

4. Zusammenfassung
   Einzelheiten
   Details

5. einräumen
   gewähren
   verweigern

6. MwSt
   Mehrwertsteuer
   Einkommensteuer

7. Ausführung
   Abwicklung
   Vormerkung

8. Eingang
   Ausgang
   Erhalt

C ■ Trouvez une expression synonyme

1. Die Ware ist dringend erforderlich.
2. Wir übernehmen die Frachtkosten.
3. ... verbleiben wir ... hochachtungsvoll.
4. Folgende Bestellung wurde aufgegeben.
5. Wir räumen dieselben Bedingungen ein.

D ■ Traduisez

1. Nous vous passons commande de 200 lampadaires.
2. Veuillez nous communiquer la date probable de livraison.
3. Nous nous réservons le droit de modifier nos tarifs.
4. Expédition sous huitaine après confirmation de l'accréditif.
5. Nous apporterons le plus grand soin à l'exécution de votre commande.
6. Nous avons noté votre commande comme suit :
7. Nous accusons réception de votre commande.

7

Änderung oder Widerruf einer Bestellung

Modification ou annulation de commande

Diverses raisons — variations de prix, délais de livraison, rupture de stock, abandon d'un modèle — peuvent justifier une modification ou annulation de la commande de la part du fournisseur ou de son client.

Scénario

Un client s'étant ravisé, le fournisseur sollicite une modification de commande sans modification de prix ni de conditions de vente. Le fabricant est au regret de devoir donner une réponse négative, mais fait une contre-proposition.

L'annulation d'une commande n'est pas toujours possible, surtout quand la mise en fabrication a déjà commencé. Un accord amiable demeure cependant possible.

Un client est disposé à accepter le retard de livraison annoncé par le fabricant.

Betreff : Änderung der Bestellung

Sehr geehrter Herr Wilm,

am 16.d.M. erteilten wir Ihnen den Auftrag über :
    100 Kochtöpfe K 901, mit Deckel, schwarz,
    Durchmesser 24 cm, zu je 38,95 DM.

Zu unserem Bedauern äußerte gestern unser Kunde nachträglich den Wunsch [1], alle Töpfe in weinrot passend zu seiner neuen Hotelküche zu beziehen [2].

Wir bitten Sie folglich, uns die Töpfe anstatt in schwarz alle in weinrot zu liefern. Die Preis- und Lieferbedingungen [3] bleiben unverändert.

Würden [4] Sie uns bitte nach Erhalt der geänderten Bestellung eine kurze Auftragsbestätigung zuschicken ?

In der Hoffnung, daß Sie uns, wie wir es bei Ihnen gewohnt sind, termingerecht beliefern [5] können, verbleiben wir

mit besten Grüßen

Betreff : Auftragsbestätigung mit Vorbehalt [6]

Sehr geehrter Herr Schulz,

Ihr geänderter Auftrag vom 25.d.M. ist bei uns gestern eingetroffen. Leider haben wir schon vorgestern mit der Produktion der Töpfe in der Farbe schwarz begonnen.

Wir sind folglich nicht in der Lage, Ihre nachträglich [7] geänderte Bestellung wie gewünscht bis zum 23.4. zu liefern. Wir sind jedoch gerne bereit, ohne Zusatzkosten [8] für Sie, die erste Bestellung zu stornieren und Ihnen die Töpfe in weinroter Ausführung bis zum 15.5. zuzustellen.

Teilen Sie uns bitte umgehend fernschriftlich mit, ob Sie an unserem Angebot interessiert sind. Wir hoffen, Ihnen mit unserem erneuten Angebot entgegengekommen [9] zu sein und verbleiben

mit freundlichen Grüßen

---

1. **einen Wunsch äußern** : *exprimer un souhait.*
2. **etw beziehen, o, o** : *prendre, se fournir en, acheter* ; ein Gehalt ~ : *toucher un traitement* ; eine Zeitung ~ : *être abonné à un journal* ; eine Wohnung ~ : *entrer, s'installer dans un appartement.*
3. **die Lieferbedingungen bleiben unverändert** : *les conditions de livraison restent (demeurent) inchangées.*
4. **würden Sie uns bitte...** : *veuillez... / nous vous serions obligés de... / nous vous prions de bien vouloir...*
5. **jdn beliefern** : *fournir qqun* ; er beliefert uns täglich mit Lebensmitteln : *il nous livre chaque jour des produits alimentaires.*

Objet : modification de la commande

Monsieur,

Le 16 courant, nous vous avons passé commande de :
100 casseroles K 901, avec couvercle, en noir,
diamètre 24 cm, à 38,95 marks l'unité.

A notre grand regret, notre client a exprimé, après coup, le souhait de prendre l'ensemble des casseroles en couleur lie-de-vin assorties aux nouvelles cuisines de son hôtel.

Veuillez nous livrer en conséquence la totalité des casseroles en lie-de-vin à la place de noir, sans modification de prix ni de conditions de vente.

Je vous demande de bien vouloir accuser brièvement réception de la modification de l'ordre.

Nous espérons que vous serez en mesure de nous livrer dans les délais prévus, selon votre habitude, et vous prions d'agréer...

Objet : accusé de réception sous toutes réserves

Monsieur,

La modification de votre commande du 25 de ce mois nous est bien parvenue hier. Nous avons malheureusement déjà commencé avant-hier la mise en fabrication des casseroles de couleur noire.

Nous ne sommes, de ce fait, pas en mesure de vous livrer, comme vous le souhaitez, la commande modifiée après coup d'ici le 23 avril. Nous sommes cependant tout à fait disposés à annuler la première commande, sans frais supplémentaires pour votre part, et à vous fournir les casseroles lie-de-vin d'ici le 15 mai.

Veuillez nous aviser par télex si cette offre vous intéresse. Nous espérons vous être agréable avec cette nouvelle offre et vous prions de croire à l'expression de nos bien cordiales salutations.

---

6. **r Vorbehalt, e** : *réserve, restriction* ; mit / unter (allem) ~ : *sous toutes réserves* ; mit / unter üblichem ~ : *avec les réserves d'usage.*
7. **nachträglich** : *ultérieur, après coup, supplémentaire* ; ~e Änderungen sind nicht ausführbar : *des modifications ultérieures ne sont pas exécutables* ; ein ~es Angebot : *offre supplémentaire.*
8. **ohne Zusatzkosten = ohne zusätzliche Kosten** : *sans frais supplémentaires.*
9. **jdm entgegen / kommen, a, o (ist)** : *être agréable à qqun.*

Betreff : Widerruf (Annullierung) unseres Auftrags

Sehr geehrter Herr Faller,

am 13.d.M.[1] haben wir bei Ihrer Firma eine Bestellung über 100 Halogen-Stehlampen Typ 512 in Auftrag gegeben, lieferbar in 5 Monaten.

Der Neubau unserer Büroräume, für die die Stehlampen bestimmt sind, ist sehr in Verzug[2] geraten. Das Ende ist nicht vor einem Jahr abzusehen[3].

Zu unserem Bedauern sehen wir uns deshalb gezwungen, unseren Auftrag bei Ihnen zu widerrufen[4]. Wir bitten Sie, hierfür Verständnis[5] aufzubringen.

Sobald der Rohbau unserer neuen Büroräume beendet ist, werden wir Ihnen selbstverständlich einen erneuten Auftrag zukommen lassen.

Wir danken Ihnen für Ihr Verständnis und verbleiben mit besten Grüßen

---

Betreff : Antwort auf Auftragswiderruf

Sehr geehrter Herr Schulte,

den Widerruf Ihres Auftrags vom 29.d.M. können wir leider nicht mehr annehmen, da wir schon mit der Fertigung Ihrer Bestellung angefangen[6] haben.

Wir können Ihnen jedoch folgenden Vorschlag[7] unterbreiten : Wir behalten die in Auftrag gegebene Ware in unserem Lager (maximal 12 Monate) bis auf Abruf[8] Ihrerseits. Die Zahlungs- und Lieferbedingungen bleiben wie gehabt :
— 1/3 bei Auftragsbestätigung,
— 1/3 bei Fertigstellung,
— 1/3 bei Lieferung.

Wir hoffen, Ihnen hiermit gedient zu haben und verbleiben mit freundlichem Gruß

---

1. **d.M.** = **dieses Monats** : *de ce mois, courant.*
2. **der Verzug** : retard ; der ~ ist wegen eines Streiks entstanden : *le retard a été occasionné par une grève* ; in ~ geraten, ie, a, ä (ist) : *prendre du retard* ; mit der Zahlung in ~ sein : *être en retard de paiement.*
3. **das Ende ist nicht abzusehen** = das Ende ist nicht vorauszusehen ; es ist noch nicht abzusehen, wann... : *il est encore impossible de prévoir quand...*
4. **widerrufen, ie, u** : notez l'orthographe wider, et non pas wieder ; etw widerrufen : *annuler, révoquer qqch.* ; syn. etw annullieren, stornieren. r Widerruf = e Annullierung, e Stornierung : *annulation.*

Objet : annulation d'une commande

Monsieur,

Le 13 courant, nous avons commandé à votre maison 100 lampadaires halogènes de type 512 livrables sous 5 mois.

Les travaux de construction de nos bureaux auxquels les lampadaires sont destinés ont pris un retard considérable. Leur achèvement n'est pas prévu avant un an.

A notre vif regret, nous nous voyons contraints d'annuler la commande que nous vous avions passée et espérons pouvoir compter sur votre compréhension.

Dès que le gros œuvre de nos nouveaux locaux sera achevé, il va de soi que nous vous ferons parvenir une nouvelle commande.

Nous vous remercions de votre compréhension et vous prions d'agréer nos cordiales salutations.

Objet : réponse à une annulation d'ordre

Monsieur,

Nous sommes au regret de ne pas pouvoir accepter l'annulation de votre commande, car nous avons déjà commencé la mise en fabrication.

Nous sommes toutefois en mesure de vous soumettre l'offre suivante : nous conserverons la marchandise commandée en notre dépôt pour une durée maximum de 12 mois, jusqu'à livraison sur appel de votre part.

Nos conditions de paiement et de livraison demeurent comme précédemment :
- 1/3 à la confirmation de la commande,
- 1/3 à la mise en fabrication,
- 1/3 à la livraison.

Nous espérons vous avoir été agréables et vous prions d'agréer nos bien cordiales salutations.

---

5. **s Verständnis** : compréhension ; ~ **auf/bringen, a, a** : *manifester de la compréhension, faire preuve de compréhension* ; **volles ~ für etw haben** : *comprendre parfaitement qqch.* ; **auf mangelndes ~ bei jdm stoßen, ie, o, ö** : *rencontrer un manque de compréhension chez qqun.*
6. **an/fangen, i, a, ä (beginnen, a, o) mit + D : mit der Fertigung** ~ : *commencer la fabrication de...*
7. **jdm einen Vorschlag unterbreiten** : *soumettre (faire) une proposition à qqun.*
8. **auf Abruf** : *sur appel* : **Lieferung ~ Ihrerseits** : *livraison sur appel de votre part.*

Objet : annonce d'un retard de livraison

Messieurs,

Nous avons été dans l'obligation d'exécuter prioritairement plusieurs commandes urgentes à destination de l'étranger. Nos commandes intérieures en ont souffert et n'ont pu, à notre grand regret, être exécutées dans les délais.

Nous ne sommes de ce fait malheureusement pas non plus en mesure de vous livrer le 30 novembre, comme initialement prévu, la cartonneuse de type MX 102 au prix de 645 000 F, mais seulement à compter du 20 décembre. Faites-nous savoir si vous êtes d'accord avec notre proposition malgré ce retard de livraison.

Nous espérons que vous voudrez bien comprendre nos difficultés et que vous excuserez ce retard. Nous vous assurons de respecter scrupuleusement à l'avenir les délais de livraison convenus.

Veuillez agréer, Messieurs, l'expression de nos sentiments les meilleurs.

Objet : réponse à une annonce de retard de livraison

Messieurs,

Nous sommes au regret de ne pas pouvoir accepter le retard de livraison dont vous nous avisez dans votre courrier du 15 courant. De nombreuses commandes urgentes nous amènent à vous demander encore une fois de respecter les délais de livraison stipulés dans votre confirmation de commande.

Au cas où vous ne pourriez pas respecter ces délais, nous nous verrions malheureusement contraints de confier notre commande à vos concurrents et de vous réclamer des dommages et intérêts pour non-exécution de votre part.

En espérant que vous donnerez une suite favorable à notre commande, nous vous prions d'agréer, Messieurs, l'expression de nos sentiments distingués.

---

1. **e Lieferverzögerung** = **r Lieferverzug** ; etw verzögern : *retarder qqch.*
2. **vorrangig** = **bevorzugt** : *prioritaire.*
3. **eine Bestellung erledigen** = **eine Bestellung aus/führen**.
4. **fristgemäß** : *dans les délais* ; syn. **termingerecht** ; die Frist, en : *délai.*
5. **in der Lage sein** = **können, imstande sein**.
6. **ab 20. Dezember** = **vom 20. Dezember an** : *à partir du 20 décembre.*

Betreff : Ankündigung einer Lieferverzögerung [1]

Sehr geehrte Herren,

wir waren gezwungen, mehrere dringende Auslandsbestellungen vorrangig [2] zu erledigen [3]. Unsere Inlandsaufträge haben darunter gelitten und konnten zu unserem großen Bedauern nicht fristgemäß [4] ausgeführt werden.

Daher sind wir leider nicht in der Lage [5], Ihnen die Einkartoniermaschine vom Typ MX 102 zum Preis von 645 000 F wie ursprünglich vorgesehen bis zum 30. November, sondern erst ab [6] 20. Dezember zu liefern. Bitte teilen Sie uns mit, ob Sie trotz dieser Lieferverzögerung mit unserem Vorschlag einverstanden sind.

Wir hoffen, daß Sie für unsere Schwierigkeiten Verständnis haben und diesen Verzug entschuldigen. Wir versichern Ihnen, in Zukunft die vereinbarten Liefertermine gewissenhaft einzuhalten.

Hochachtungsvoll

Betreff : Antwort auf die angekündigte Lieferverzögerung

Sehr geehrte Damen und Herren,

wir bedauern, die in Ihrem Schreiben vom 15.d.M. angekündigte [7] Lieferverzögerung nicht annehmen zu können. Zahlreiche dringende Aufträge veranlassen uns, Sie noch einmal zu bitten, daß Sie sich an die in Ihrer Auftragsbestätigung vereinbarten Lieferfristen halten.

Im Falle [8], daß Sie diese Liefertermine nicht einhalten können, sehen wir uns leider gezwungen, unseren Auftrag Ihrer Konkurrenz zu übergeben und von Ihnen Schadenersatz [9] wegen Nichterfüllung zu fordern.

In der Hoffnung, daß Sie unseren Auftrag wie gewünscht erledigen, verbleiben wir

mit vorzüglicher Hochachtung

---

7. **etw an/kündigen** : *annoncer qqch* ; syn. **an/sagen**.
8. **im Falle, daß Sie ... nicht einhalten können** = falls Sie sich nicht an die Lieferfristen halten.
9. **r Schadenersatz,** ∅ : *dommages et intérêts, indemnité, dédommagement* ; ~ **beanspruchen** : *réclamer un dédommagement* ; **auf ~ klagen** : *intenter une action en dommages-intérêts* ; ~ **leisten** : *verser des dommages et intérêts.*

1. A notre grand regret, nous ne sommes pas en mesure ...
2. ... de pouvoir livrer la marchandise dans les délais convenus.
3. Nous avons pris du retard dans l'exécution de nos commandes.
4. Nous sollicitons votre compréhension pour nos difficultés et vous prions d'excuser ce retard.
5. Nous vous assurons de respecter à l'avenir les délais convenus.
6. La livraison doit être reportée de quelques jours / semaines.
7. Nous sommes malheureusement dans l'impossibilité de vous adresser la commande d'ici la mi-juillet.
8. En raison d'une grève de nos sous-traitants ...
9. ... il ne nous est plus possible de modifier la commande selon vos instructions.
10. En cas de retard à la livraison, nous nous réservons le droit d'annuler la commande.
11. Dès que nous connaîtrons votre réponse, nous ferons le nécessaire ...
12. ... pour exécuter la commande en retard aussi rapidement que possible.

---

1. **Zu unserem großen Bedauern (leider) sind wir nicht in der Lage (sind wir nicht imstande / können wir nicht), ...**
2. **... die Ware fristgemäß (termingerecht, in der vereinbarten Frist) zu liefern.**
3. **Wir sind mit der Erledigung (Durchführung) unserer Aufträge in Verzug geraten.**
4. **Wir bitten Sie, für unsere schwierige Lage Verständnis aufzubringen (zu haben) und diese Verzögerung (diesen Verzug) zu entschuldigen.**
5. **Wir versichern Ihnen, in Zukunft die vereinbarten Fristen (Termine) einzuhalten.**
6. **Die Lieferung muß um einige Tage / Wochen verschoben werden.**
7. **Leider (zu unserem Bedauern) sind wir nicht imstande, Ihnen bis Mitte Juli die Bestellung zu schicken (zu senden, zuzuschicken, zuzusenden).**
8. **Infolge (wegen) eines Streiks bei unseren Zulieferanten...**
9. **... ist es uns nicht mehr möglich, die Bestellung (den Auftrag) nach Ihren Anweisungen (Angaben) abzuändern.**
10. **Im Falle einer Lieferverzögerung (eines Lieferverzugs) behalten wir uns (das Recht) vor, den Auftrag zu widerrufen (annullieren, stornieren).**
11. **Sobald Ihr Bescheid (Ihre Antwort) vorliegt, werden wir das (alles) Notwendige veranlassen, ...**
12. **... um den in Verzug geratenen Auftrag schnellstens (so schnell wie möglich) auszuführen (zu erledigen).**

einen Auftrag widerrufen, ie, u (annullieren, stornieren, rückgängig machen) : annuler une commande, décommander.
r Widerruf (e Annullierung ; e Stornierung ; e Rückgängigmachung) einer Bestellung : annulation d'une commande.
einen Auftrag ab / lehnen (nicht an / nehmen) : refuser, ne pas accepter une commande.
eine Bestellung (ab)ändern : modifier une commande.

•

e Verzögerung, en (r Verzug, ∅) : retard.
Lieferverzögerung (Lieferverzug) : retard de livraison.
in Verzug sein / geraten, ie, a, ä (ist) : être en retard / prendre du retard.
sich verzögern : être en retard.
eine Lieferung / eine Zahlung verzögern : retarder une livraison / un paiement.
im Rückstand sein mit + D : être en retard avec, avoir du retard dans.

•

e Lieferfristen (Liefertermine) nicht ein / halten, ie, a, ä : ne pas respecter les délais de livraison.
eine Ware nicht fristgemäß (termingerecht / in der vereinbarten Frist) liefern : ne pas livrer une marchandise dans les délais.
seinen Lieferverpflichtungen nicht nach / kommen, a, o (ist) : ne pas honorer ses engagements de livraison.

mit Aufträgen überhäuft sein : être surchargé de commandes.

•

bedauern : regretter.
mit Bedauern fest / stellen : constater avec regret.
zu unserem (großen) Bedauern : à notre grand regret.
leider : malheureusement, hélas.
nicht in der Lage sein (nicht imstande sein / nicht können) : ne pas être en mesure, être dans l'impossibilité.

•

s Verständnis, ∅ : compréhension.
~ auf / bringen, a, a (haben) für + A : avoir de la compréhension pour.
jdn um ~ bitten, a, e : solliciter la compréhension de qqun.
jdm entgegen / kommen, a, o (ist) : être agréable à qqun.
den Kunden um Nachsicht bitten, a, e : solliciter l'indulgence d'un client.

•

r Bescheid, e : réponse, avis, information, décision.
abschlägiger ≠ zusagender ~ : réponse négative ≠ positive.
jdm ~ sagen (geben / erteilen) : informer qqun, donner une réponse à qqun.
~ wissen, u, u über + A : être au courant de.

A ■ Trouvez des synonymes

1. Wir müssen den Auftrag widerrufen : ...
2. Entschuldigen Sie bitte den Lieferverzug : ...
3. Die Ware wird fristgemäß geliefert : ...
4. Ihr Auftrag ist eingetroffen : ...
5. Eine Bestellung ausführen : ...

B ■ Complétez les blancs

1. Schick__ Sie uns bitte ein__ Auftrags__ zu.
2. Sehr geehrt__ Herr__.
3. Teil__ Sie uns um__ __.
4. Wir dank__ __ für __ Verständnis und ...
5. __ mit den best__ Gruß__.

C ■ A chaque chiffre sa lettre

1. die Fertig-   a) -bedingungen
2. die Liefer-   b) einhalten
3. der Schaden-   c) aufbringen
4. Verständnis   d) -stellung
5. die Lieferfristen   e) -ersatz

D ■ Trouvez l'infinitif manquant

1. Mit der Zahlung in Verzug __.
2. Der Kunde will Schadenersatz __.
3. Wir können Ihnen folgenden Vorschlag __.
4. Wir hoffen, Ihnen hiermit __.
5. In der Hoffnung, Ihnen mit diesem. Angebot __.

E ■ Traduisez

1. Nous ne livrerons pas la marchandise dans les délais convenus.
2. Nous avons pris un retard de deux semaines.
3. Nous nous réservons le droit d'annuler la commande.
4. Faites-nous savoir par retour du courrier.
5. La livraison sera reportée d'un mois.

8

Bitte um Referenzen
(Ruf, Geschäftsmethoden, Zahlungsfähigkeit usw.)

Demandes de renseignements
(réputation, pratiques commerciales, solvabilité, etc.)

Avant d'enregistrer une commande importante d'un nouveau client, le fournisseur ou fabricant se renseigne sur la réputation et la situation financière de l'acheteur. Il écrit à une agence de renseignements commerciaux, à une entreprise citée en référence par le nouveau client, ou demande à son banquier de se renseigner auprès de la banque de l'acheteur.

Scénario

Une entreprise en consulte une autre pour lui demander des renseignements confidentiels sur la solvabilité d'un de ses clients.

En raison de ses propres expériences négatives, une maison déconseille toute collaboration avec un de ses clients.

Par contre, quand la situation financière est saine, l'avis est toujours favorable.

Betreff : Bitte um Auskunft   Vertraulich !

Sehr geehrter Herr Weiland,

die auf beiliegendem Blatt [1] genannte Firma hat uns heute einen ersten Auftrag über Waren im Wert von 250 000 DM erteilt und uns um ein Zahlungsziel von 6 Wochen gebeten.

Ihr Unternehmen wurde uns als Referenz [2] genannt, da Sie seit Jahren mit der erwähnten Firma regelmäßige Geschäftsabschlüsse [3] tätigen.

Wir wären Ihnen sehr zu Dank [4] verpflichtet, wenn Sie uns eine möglichst genaue Auskunft [5] über Umsatz, finanzielle Lage und Zahlungsfähigkeit dieser Firma geben könnten.

Ihre Angaben werden selbstverständlich streng vertraulich behandelt. Für Ihr Entgegenkommen danken wir Ihnen im voraus und verbleiben

hochachtungsvoll

Betreff : Ersuchen [6] um Referenzen [7]

Sehr geehrte Herren,

die Firma, über die Sie Auskunft wünschen, ist uns seit 9 Jahren als zuverlässiger Geschäftspartner bekannt. Das angefragte Unternehmen ist eine 1962 gegründete AG [8] und beschäftigt 1200 Mitarbeiter.

Die Gesellschaft konnte, nach unserem Wissen, das Exportvolumen [9] in den letzten 3 Jahren von 23 % auf 40 % erhöhen. Soweit wir dies beurteilen können, sind Umsatz und Gewinn in den vergangenen Jahren ständig gestiegen.

Über die Zahlungsfähigkeit ist uns nichts Nachteiliges bekannt ; wir sind überzeugt, daß Sie in dieser Firma einen seriösen und kreditwürdigen Geschäftspartner gefunden haben.

Wir hoffen, Ihnen hiermit gedient zu haben und verbleiben mit vorzüglicher Hochachtung

---

1. **auf beiliegendem Blatt** : *sur la fiche ci-jointe* (le nom de l'entreprise n'est jamais indiqué).
2. **e Referenz, en** : *référence, recommandation* ; als ~ nennen (an / führen) : *citer comme référence* ; ~ en : *renseignements commerciaux* ; über jdn ~ en ein / holen : *prendre des renseignements (commerciaux) sur qqun.*
3. **mit jdm Geschäftsabschlüsse tätigen** : *traiter des affaires avec qqun* ; syn. mit jdm Geschäfte ab / schließen.
4. **jdm zu Dank verpflichtet sein** : *être obligé à qqun, être reconnaissant à qqun.*
5. **e Auskunft, ¨e** : *renseignement* ; jdm ~ geben (erteilen) über + A : *fournir des renseignements à qqun sur.*

Objet : demande de renseignements   Confidentiel

Monsieur,

La maison mentionnée ci-contre nous a passé, ce jour, une première commande de 250 000 marks et sollicité un délai de paiement de 6 semaines.

Votre entreprise nous a été citée comme référence en raison des affaires régulières que vous traitez depuis des années avec elle.

Nous vous serions très obligés de bien vouloir nous communiquer les renseignements les plus précis possibles concernant le chiffre d'affaires, la situation financière et la solvabilité de cette maison.

Il va de soi que nous ferons le plus discret usage de ces indications et vous remercions à l'avance de votre obligeance.

Veuillez agréer...

Objet : demande de renseignements

Messieurs,

L'entreprise pour laquelle vous souhaitez des renseignements nous est connue depuis 9 ans déjà comme un partenaire commercial digne de confiance. La maison en question est une société anonyme, fondée en 1962, qui emploie 1 200 personnes.

Au cours des 3 dernières années, la société a pu, à notre connaissance, augmenter ses exportations de 17 %. Pour autant que nous puissions en juger, son chiffre d'affaires et ses bénéfices n'ont cessé de croître dans les années passées.

Ne pouvant rien vous communiquer de défavorable concernant sa solvabilité, nous sommes convaincus que vous aurez en cette maison un partenaire commercial sérieux et financièrement digne de confiance.

Nous espérons vous avoir été utiles et vous prions d'agréer, Messieurs, l'expression de nos sentiments distingués.

---

6. **s Ersuchen, -** : *demande, sollicitation, requête* ; ~ **um** + A : *demande de.*
7. **e Referenzen** (plur.) : *renseignements (commerciaux)* ; ils peuvent porter sur : **e Kreditwürdigkeit / Zahlungsfähigkeit** : *solvabilité* ; **r Umsatz** : *chiffre d'affaires* ; **e finanzielle Lage** : *situation financière* ; **e Verschuldung** : *endettement* ; **e Kundschaft** : *clientèle* ; **e Geschäfts-methoden** : *pratiques commerciales* ; **e Zuverlässigkeit** : *fiabilité.*
8. **e AG, s** = **e Aktiengesellschaft, en** : *société anonyme.*
9. **s Exportvolumen** = **s Ausfuhrvolumen.**

Sehr geehrte Herren,

das auf beiliegendem Blatt erwähnte Unternehmen hat sich um die Alleinvertretung [1] unserer Schönheitsprodukte in der Bundesrepublik beworben [2] und Sie als Referenz genannt.

Bevor wir der genannten Firma [3] das Alleinvertretungsrecht übertragen, möchten wir Sie bitten, uns einige Angaben [4] über die Größe, den Ruf, die Kreditwürdigkeit und die Geschäftsmethoden der betreffenden Gesellschaft zu machen.

Wir danken Ihnen für Ihre Mühe und versichern Ihnen, Ihre Angaben streng vertraulich [5] zu behandeln.

Hochachtungsvoll

Streng vertraulich !

Sehr geehrte Herren,

auf Ihre Anfrage vom 15. d.M. müssen wir Ihnen leider mitteilen, daß wir mit diesem Unternehmen keine guten Erfahrungen gemacht haben. Die Geschäftsführung erwies sich als nicht sehr zuverlässig. Sie hat mehrmals um Zahlungsaufschub [6] gebeten und bis heute zwei noch ausstehende Rechnungen [7] nicht beglichen.

Wir zweifeln [8] folglich daran, daß die von Ihnen genannte Firma für Sie der geeignete Alleinvertreter in der Bundesrepublik ist und können Ihnen daher nur von einer Zusammenarbeit abraten [9].

Wir bedauern, Ihnen keine bessere Auskunft erteilen zu können, und bitten Sie verständlicherweise um größte Verschwiegenheit [10].

Mit freundlichem Gruß

---

1. **e Alleinvertretung, en** : *représentation exclusive, exclusivité* ; syn. e Exklusivvertretung ; r Exklusivvertrag.
2. **sich bewerben, a, o, i um + A** : *solliciter qqch.*
3. **e Firma, -men** : *maison (de commerce)* ; syn. s Unternehmen ; e Gesellschaft ; r Betrieb.
4. **Angaben machen über + A** : *donner des indications sur.* Quelques expressions pour formuler la demande de renseignements : *wir wenden uns an Sie* : *nous nous adressons à vous* ; *wir bitten Sie um Auskunft über + A* : *nous vous demandons de bien vouloir nous fournir des renseignements sur.*

Messieurs,

La maison mentionnée sur la fiche ci-contre a sollicité l'exclusivité de nos produits de beauté en RFA et vous a cités à titre de référence.

Avant de lui confier la vente exclusive de notre gamme, nous aimerions que vous nous donniez quelques indications concernant l'importance, la réputation et la solvabilité ainsi que les méthodes commerciales de la société concernée.

Nous vous remercions du mal que vous vous donnerez et vous assurons d'utiliser vos renseignements avec la plus grande discrétion.

Veuillez agréer, ...

Strictement confidentiel

Messieurs,

Suite à votre demande du 15 courant, nous sommes malheureusement dans l'obligation de vous faire savoir que les expériences que nous avons eues avec cette entreprise ont été défavorables. Sa gestion s'est avérée peu fiable. A plusieurs reprises, elle a sollicité un sursis de paiement et n'a pas encore réglé à ce jour les deux factures en suspens.

De ce fait, nous doutons fort que la maison mentionnée en annexe soit en mesure d'assurer votre représentation exclusive en RFA et nous ne pouvons, en l'occurrence, que vous déconseiller une collaboration avec elle.

Nous sommes au regret de ne pouvoir vous donner de meilleurs renseignements et nous vous demandons, vous le comprendrez aisément, la plus grande discrétion.

Veuillez agréer, ...

---

5. **(streng) vertraulich** : *(strictement) confidentiel* ; etw ~ behandeln : *traiter qqch. avec discrétion* ; syn. mit Verschwiegenheit.
6. **um Zahlungsaufschub bitten, a, e** : *demander un délai de paiement, demander un sursis.*
7. **ausstehende Rechnung** : *facture en suspens, non réglée* ; eine Rechnung begleichen, i, i : *régler, acquitter une facture.*
8. **zweifeln an + D** : *douter de* ; ich zweifle daran, daß : *je doute que.*
9. **jdm ab/raten, ie, a, ä von + D** : *déconseiller qqun de.*
10. **e Verschwiegenheit = e Diskretion.**

Messieurs,

L'entreprise mentionnée sur la feuille ci-jointe a cité votre banque comme référence.

Nous sommes actuellement en pourparlers avec cette maison, en vue d'une commande portant sur 3 millions de francs. Comme elle sollicite un délai de paiement de 3 mois, nous nous sommes permis de vous demander des renseignements sur sa situation financière et sa solvabilité.

Il va de soi que nous utiliserons ces renseignements avec toute la discrétion requise et nous vous remercions à l'avance de votre obligeance.

Veuillez agréer, Messieurs, l'expression de nos sentiments distingués.

Messieurs,

En référence à votre demande du 20 courant, nous sommes en mesure de vous communiquer les renseignements suivants au sujet de l'entreprise concernée.

La maison est une société anonyme d'un capital social de 4 millions de francs qui emploie 2 500 personnes. Elle compte parmi les entreprises de pointe de ce secteur et dispose d'une importante clientèle fidélisée.

Selon les informations en notre possession, la maison a écoulé 45 % de sa production à l'exportation au cours des deux dernières années. Pour autant que nous puissions en juger, elle a toujours régulièrement fait face à ses engagements financiers.

De ce fait, nous sommes d'avis que l'on peut lui accorder, sans réserve, le délai de paiement demandé. Nous vous communiquons ces renseignements à titre confidentiel et sans engagement de notre part.

Veuillez croire, Messieurs, à l'assurance de notre considération distinguée.

---

1. **die Firma hat uns Ihre Bank empfohlen** = die Firma hat uns Ihre Bank als Referenz genannt (angeführt).
2. **mit jdm Gespräche führen über** + A : *être en pourparlers avec qqun.*
3. **mit Bezug auf** + A : *en référence à* ; syn. unter Bezugnahme auf + A / bezugnehmend auf + A ; in Antwort auf + A / in Beantwortung + G : *en réponse à.*
4. **e Beschäftigten** (plur.) : *personnel* ; syn. e Belegschaft ; s Personal.
5. **e Stammkundschaft,** ⌀ : *clientèle fidélisée* ; eine Stammkundschaft (Stammkunden) heran/bilden : *fidéliser une clientèle.*

Sehr geehrte Herren,

das auf beiliegendem Zettel angegebene Unternehmen hat uns Ihre Bank empfohlen [1].

Mit dieser Firma führen wir z.Zt. Gespräche [2] über einen Auftrag von 3 Millionen Francs. Da sie einen dreimonatigen Zahlungsaufschub beantragt, erlauben wir uns, Sie um Auskunft über ihre Finanzverhältnisse und Kreditwürdigkeit zu bitten.

Selbstverständlich werden wir diese Auskünfte streng vertraulich behandeln. Wir danken Ihnen für Ihre Mühe im voraus und verbleiben

hochachtungsvoll

Sehr geehrte Herren,

mit Bezug [3] auf Ihre Nachfrage vom 20. d.M. können wir Ihnen über das betreffende Unternehmen folgende Auskunft erteilen.

Die Firma ist eine Aktiengesellschaft mit einem Grundkapital von 4 Millionen Francs und 2500 Beschäftigten [4]. Sie zählt zu den führenden Unternehmen ihrer Branche und verfügt über eine bedeutende Stammkundschaft [5].

Nach den uns vorliegenden Informationen hat die Firma in den letzten zwei Jahren 45 % ihrer Produktion im Export abgesetzt [6]. Soweit wir das beurteilen können, ist sie ihren Zahlungsverpflichtungen [7] immer regelmäßig nachgekommen.

Deshalb sind wir der Meinung, daß dieser Firma die verlangte Zahlungsfrist ohne Bedenken [8] gewährt werden kann. Wir erteilen Ihnen diese Auskunft vertraulich und ohne jede Gewähr [9].

Mit vorzüglicher Hochachtung [10]

---

6. **ab / setzen** : *vendre, écouler* ; syn. **verkaufen**.
7. **sie ist ihren Zahlungsverpflichtungen regelmäßig nachgekommen** = sie hat ihre Zahlungsverpflichtungen regelmäßig erfüllt.
8. **ohne Bedenken** : *sans réserves, sans hésitation*.
9. **ohne jede Gewähr** = **ohne jede Haftung** : *sans engagement, sans garantie*.
10. **mit vorzüglicher Hochachtung** : est la formule terminative la plus respectueuse.

Phrases types

1. La maison X vous a cité comme référence.
2. Nous vous serions obligés de nous donner des renseignements précis à son sujet.
3. Nous voudrions être plus amplement informés de sa solvabilité.
4. Peut-on lui accorder le crédit demandé ?
5. C'est avec plaisir que nous vous communiquons les renseignements suivants.
6. Nous connaissons la maison mentionnée de longue date.
7. Elle a régulièrement fait face à ses engagements financiers.
8. Nous la considérons comme un excellent partenaire commercial...
9. ... jouissant d'une bonne réputation dans son secteur.
10. Nous sommes au regret de vous communiquer ce qui suit.
11. Actuellement, elle connaît de graves difficultés financières.
12. Vous pouvez être sûrs que nous traiterons vos renseignements avec la plus grande discrétion.

---

1. **Die Firma XYZ hat Sie als Referenz genannt (hat uns Ihren Namen empfohlen).**
2. **Wir wären Ihnen dankbar, wenn Sie uns genaue Auskunft (eingehende Auskünfte) über sie erteilen (geben) könnten.**
3. **Wir möchten Näheres über ihre Zahlungsfähigkeit (Kreditwürdigkeit) erfahren.**
4. **Kann man ihr den gewünschten Kredit gewähren (einräumen, bewilligen) ?**
5. **Wir freuen uns (sind erfreut), Ihnen Folgendes mitzuteilen.**
6. **Die Firma ist uns seit längerer Zeit bekannt. (Wir kennen die Firma seit langem.)**
7. **Sie ist ihren Zahlungsverpflichtungen regelmäßig nachgekommen. (Sie hat ihre Zahlungsverpflichtungen regelmäßig erfüllt.)**
8. **Wir halten sie für einen ausgezeichneten Geschäftspartner ...**
9. **... und in ihrer Branche erfreut sie sich eines guten Rufes (hat sie einen guten Ruf).**
10. **Leider müssen wir Ihnen Folgendes mitteilen.**
11. **Zurzeit (Augenblicklich) hat sie finanzielle Schwierigkeiten.**
12. **Sie können sicher sein, daß wir Ihre Auskunft (streng) vertraulich (mit größter Verschwiegenheit) behandeln.**

zahlungsfähig (kreditwürdig) sein : être solvable.
e Zahlungsfähigkeit, ∅ (Kreditwürdigkeit) : solvabilité.
zahlungsunfähig (nicht kreditwürdig) sein : être insolvable.
seinen Verpflichtungen nach/kommen, a, o (ist) (seine Verpflichtungen erfüllen) : faire face à ses engagements.

•

e finanzielle Lage, n (Vermögenslage) : situation financière.
e finanzstarke Firma, -men : maison qui a les reins solides.
zuverlässiger ≠ unzuverlässiger Geschäftspartner, - : partenaire commercial fiable ≠ non fiable.
einen guten Ruf haben (sich eines guten Rufs erfreuen) : avoir une bonne (jouir d'une bonne) réputation.

•

e Auskunft, ̈e : renseignement.
jdn um ~ bitten, a, e : demander des renseignements à qqun.
~ erteilen (geben, a, e, i) über + A : fournir des renseignements sur.
~ erhalten, ie, a, ä über + A : obtenir des renseignements sur.
e Referenz, en : référence, recommandation.
~ en : renseignements (commerciaux).
als ~ an/führen : citer comme référence.

~ en ein/holen : prendre des références (**über jdn** : sur qqun).

•

(streng) vertraulich : (strictement) confidentiel.
etw vertraulich (mit Verschwiegenheit) behandeln : traiter qqch avec discrétion.
jdm größte Verschwiegenheit zu/sichern : assurer qqun de la plus grande discrétion.
aus zuverlässiger Quelle : de source bien informée.

•

wir freuen uns, Ihnen mitzuteilen, daß : nous avons le plaisir de vous communiquer que.
leider müssen wir Ihnen mitteilen, daß : nous sommes au regret de vous dire que.
enttäuscht sein von + D : être déçu de.
e Erwartungen nicht erfüllen : ne pas répondre à l'attente.
e Geschäftsverbindungen ab/brechen, a, o, i : rompre les relations commerciales.

•

r Kredit, e : crédit.
jdm einen ~ gewähren (ein-/räumen / bewilligen) : accorder un crédit à qqun.
einen ~ beantragen : demander un crédit.
r Zahlungsaufschub, ̈e (e Zahlungsfrist, en) : délai, sursis de paiement.
jdn um ~ bitten, a, e : demander un délai de paiement à qqun.

Exercices

A ■ Chassez les deux intrus

1. Es ist streng __.
   a) vertraut   b) vertraulich   c) vertrauend

2. Wir bitten um größte __.
   a) Verschwiegenheit   b) Verschweigen   c) Schweigen

3. Er ist seinen Zahlungsverpflichtungen __.
   a) zugekommen   b) vorbeigekommen   c) nachgekommen

4. Für Ihr __ danken wir Ihnen.
   a) Vorkommen   b) Entgegenkommen   c) Zusammenkommen

5. Sie wurden von der Firma Schönhaus als Referenz __.
   a) angeführt   b) verführt   c) zugeführt

B ■ Choisissez la bonne préposition

1. Können Sie uns Auskunft __ diese Firma geben?
2. Wir sind Ihnen sehr __ Dank verpflichtet.
3. Die __ beiliegendem Blatt genannte Firma.
4. __ Bezug __ Ihre Nachfrage.
5. Ihr Ersuchen __ Referenzen.

C ■ Constituez les bons couples

1. um Zahlungsaufschub   a) Referenzen einholen
2. jdm einen Kredit   b) begleichen
3. mit jdm Geschäfte   c) gewähren
4. eine Rechnung   d) bitten
5. über diese Firma   e) abschließen

D ■ Complétez par le substantif manquant

1. Diese Firma hat Sie als __ genannt.
2. Wir möchten Näheres über ihre __ erfahren.
3. Dieses Unternehmen erfreut sich eines guten __.
4. Wir wissen das aus zuverlässiger __.
5. Seit Jahren tätigen wir mit der erwähnten Firma regelmäßig __.

E ■ Traduisez

1. La banque X a cité votre maison comme référence.
2. La société dont le nom figure sur la fiche ci-jointe ...
3. Nous vous serions reconnaissants pour tout renseignement concernant la solvabilité de cette maison.
4. Nous assurons à vos renseignements la plus grande discrétion.
5. Cette entreprise a toujours fait face à ses engagements financiers.

9

Lieferung - Versandanzeige
Warenempfangsbestätigung

Livraison - Avis d'expédition
Accusé de réception de marchandises

Après expédition de la marchandise, le fournisseur ou fabricant adresse en général un avis d'expédition à son client. Il peut y joindre une facture ou une traite que le client doit lui retourner signée.

Cet avis d'expédition doit comporter la date de l'envoi, les conditions de livraison et de paiement ainsi que le mode de transport (par exprès, par avion, par chemin de fer, par camion, par bateau).

Le fournisseur peut également envoyer un avis au client pour lui annoncer que les marchandises sont à sa disposition ou attendent d'être enlevées.

Le client envoie un accusé de réception de la marchandise après s'être assuré de son bon état à l'arrivée.

Scénario

Une entreprise expédie, comme convenu, la commande de planches à voile et prie son client de bien vouloir honorer la traite.

Le client accuse réception de la marchandise et rappelle les modalités de paiement.

L'envoi de scies à moteur en Argentine n'est pas simple et nécessite de nombreux documents.

Un fournisseur avise son client de l'expédition imminente des PC.

Sehr geehrter Herr Maurer,

die von Ihnen am 12.2. d.J.[1] bestellten Surfbretter AX Typ
Tahiti sind von uns heute an Sie versandt[2] worden. Der Transport
erfolgt, wie vereinbart, per LKW[3] durch die Spedition
Wieland. Die Versandkosten übernehmen wir.

Über den Betrag unserer Rechnung in Höhe von 37480 DM
haben wir auf Sie einen Wechsel[4] per 90 Tage Sicht[5] gezogen.

Wir bitten Sie, uns die Tratte[6] so bald wie möglich mit Ihrem
Akzept versehen zukommen zu lassen.

Mit freundlichem Gruß

Anlagen : Rechnung, Wechsel

Sehr geehrter Herr Martin,

wir bestätigen Ihnen dankend den Empfang[7] Ihrer Lieferung
vom 18.10., die gestern bei uns fristgerecht[8] eingetroffen ist.

Wie wir bei der sofortigen Nachprüfung über den Zustand
der Waren feststellen konnten, ist die Bestellung einwandfrei
zu unserer vollen Zufriedenheit ausgefallen[9].

Wir haben heute unsere Bank angewiesen, den Rechnungsbetrag
in Höhe[10] von ... abzüglich 3 % Skonto auf Ihr Konto
bei der BNP in Blois zu überweisen[11].

Mit besten Grüßen

---

1. **d.J. = dieses Jahres**.
2. **versenden, a, a an + A = verschicken an + A**.
3. **per LKW = mit LKW (Lastwagen)**.
4. **auf jdn einen Wechsel über ... ziehen, o, o** : *tirer une traite de ... sur qqun.*
5. **ein Wechsel per 90 Tage Sicht** : *traite à 90 jours de vue* ;
syn. 3 Monate nach Sicht fälliger Wechsel.
6. **e Tratte = r gezogene Wechsel** : *traite, lettre de change.*
7. **wir bestätigen den Empfang** : nous accusons réception ; e
Empfangsbestätigung (e Empfangsbescheinigung ; e Empfangsanzeige)
: *accusé de réception.*

Monsieur,

Nous vous avons expédié ce jour les planches à voile AX, modèle Tahiti, que vous nous avez commandées le 12/2 courant. Comme convenu, le transport sera effectué par camion par la société de transport Wieland. Nous prenons les frais d'expédition à notre charge.

Nous avons tiré sur vous une traite de 37 480 DM à 3 mois de vue couvrant le montant de notre facture.

Nous vous serions obligés de nous faire parvenir, dans les meilleurs délais, la traite revêtue de votre acceptation.

Veuillez agréer l'expression de nos sentiments dévoués.

Pièces jointes : facture, traite.

Monsieur,

Nous accusons réception de votre livraison du 18/10 qui nous est parvenue en temps voulu et nous vous en remercions.

L'examen immédat des marchandises nous a permis de constater que la commande a été exécutée d'une façon parfaite et nous a donné entière satisfaction.

Nous avons aujourd'hui même donné ordre à notre banque de virer le montant de la facture, soit ... moins 3 % d'escompte, sur votre compte auprès de la BNP de Blois.

Veuillez agréer, Monsieur, l'expression de nos salutations empressées.

---

8. **fristgerecht** = **termingerecht** : *dans les délais*.
9. **e Bestellung ist einwandfrei ausgefallen** = r Auftrag ist zufriedenstellend ausgeführt worden.
10. **eine Rechnung in Höhe von** : *une facture d'un montant de* ; retenez aussi : Waren im Wert(e) von : *des marchandises pour une valeur de*.
11. **auf ein Konto überweisen, ie, ie** : *virer à un compte* ; e Überweisung (auf + A) : *virement (à)*.

Sehr geehrter Herr Lopez,

wie in der Auftragsbestätigung vereinbart, haben wir am 15.4.19.. die 10 Motorsägen SK16 mit dem gewünschten Zubehör [1] in 5 Kisten durch die Bahn frachtfrei [2] an die Überseespedition HEINKE Westkai 2000 Hamburg gesandt.

Die Sendung wird von dort durch die Firma HEINKE an Sie weitergeleitet. Das Gewicht der Kisten beträgt brutto 376 kg, netto 330 kg, gekennzeichnet AM /1-5... Argentinien. Der Verladetermin [3] ab Hamburg ist spätestens der 30.4.19..

Die Reederei [4] HEINKE hat von uns folgende Dokumente erhalten :
— Ausfuhrmeldung (1. Ausfertigung)
— drei vom argentinischen Konsulat [5] beglaubigte [6] Handelsrechnungen
— Importlizenz n° 123456

Die Überseespedition HEINKE hat uns fernschriftlich [7] heute mitgeteilt, daß sie einen Satz Konnossemente (dreifach) vorbereitet und die Transportversicherung [8] ab Hamburg bis Buenos Aires abgeschlossen hat.

Die Kosten des Verladens [9] an Bord, die Transportversicherung, die Seefracht und andere Verschiffungskosten [10] (Provision, Konnossementspesen) übernehmen wir. Den Kostenbetrag überweisen wir sofort nach Erhalt der Dokumente an die Firma HEINKE.

Wir hoffen, daß Sie mit unserer Lieferung zufrieden sind und uns in Kürze weitere Aufträge zukommen lassen [11].

Mit vorzüglicher Hochachtung

---

1. **s Zubehör, e** : *accessoires* ; e Zubehörindustrie souvent pour e Zulieferindustrie : *industrie de sous-traitance.*

2. **frachtfrei** : *franco de port, fret payé* ; ~e Lieferung : *livraison en port payé (franco de port).*

3. **r Verladetermin, e** : *date de chargement* ; e Verladung, en : *chargement, expédition* ; dans les mots composés, le suffixe -ung est souvent remplacé par -e : **Verladedokumente** : *documents d'expédition.*

4. **e Reederei, en** : *société d'armement maritime* ; r Reeder, - : *armateur, fréteur.*

5. **s Konsulat, e** : *consulat* ; r Konsul, e : *consul* (agent diplomatique chargé, à l'étranger, de la défense et de l'administration des ressortissants et des intérêts commerciaux de son pays).

Monsieur,

Comme convenu dans l'accusé de réception de votre commande, nous avons expédié le 15/4/19.., dans 5 caisses, par chemin de fer et en franco de port, les 10 scies à moteur SK 16 accompagnées des accessoires demandés à la maison de transports transatlantiques HEINKE, quai Ouest 2000 Hambourg.

De là, la marchandise vous sera réexpédiée par les soins de la maison HEINKE. Les caisses ont un poids brut de 376 kg, un poids net de 330 et sont marquées AM 1-5... Argentine. La date d'embarquement départ Hambourg sera au plus tard le 30/4/19..

La compagnie d'armement maritime HEINKE a reçu par nos soins les documents suivants :
— déclaration d'exportation/de sortie de marchandises (un exemplaire n° 1) ;
— 3 factures commerciales légalisées par le Consulat d'Argentine ;
— la licence d'importation n° 123456.

L'entreprise de transport pour l'outre-mer HEINKE nous a avisés aujourd'hui par télex qu'elle a préparé un jeu de connaissements (en 3 exemplaires) et contracté l'assurance-transport de Hambourg à Buenos Aires.

Le coût du chargement à bord, l'assurance-transport, le fret maritime et autres frais d'embarquement (commission, frais de connaissement) sont entièrement à notre charge. Dès réception des documents, nous en virerons le montant à la maison HEINKE.

Nous espérons que notre livraison vous donnera entière satisfaction et que vous nous honorerez bientôt de nouvelles commandes.

Veuillez agréer, Monsieur, l'expression de nos sentiments très dévoués.

---

6. **beglaubigen** : *attester, certifier, authentifier* ; e Beglaubigung, en : *attestation, homologation, légalisation.*
7. **fernschriftlich = per Telex** : *par télex.*
8. **eine Transportversicherung ab/schließen, o, o** : *contracter une assurance de transports.*
9. **s Verladen, ∅ = e Verladung, en** : *chargement, expédition* ; Waren an Bord verladen, u, a, ä : *charger des marchandises à bord.*
10. **e Verschiffungskosten** (plur.) : *frais de transport maritime* ; verschiffen : *transporter par voie maritime* ; *embarquer.*
11. **jdm Aufträge zukommen lassen = jdm Aufträge zu/sichern (geben).**

Messieurs,

Nous avons le plaisir de vous informer que les ordinateurs personnels commandés le 11/3 ont été terminés en temps voulu et qu'ils sont en attente d'expédition.

Nous vous adressons ci-joint une facture de ... que nous vous prions de bien vouloir régler d'avance comme c'est l'usage dans notre maison pour un premier envoi.

Dès réception de votre virement, nous mandaterons la société de transports Berger de prendre la marchandise en charge dans nos usines et à nos frais, emballée dans 10 colis, et de vous l'acheminer par avion.

Dans l'attente de votre prochain règlement, nous vous prions de croire à nos sentiments dévoués.

Messieurs,

Nous référant à votre ordre du 14/3 courant, nous vous confirmons que les 500 magnétoscopes TY 20 passés en commande ont bien quitté notre usine de Colmar dans la journée d'hier. Ils sont emballés dans 125 caisses et vous ont été expédiés par chemin de fer en temps voulu.

La marchandise expédiée en régime ordinaire sera prise en charge à la gare de destination de Westerburg par la société de transports Sorg qui vous la livrera franco dédouanée à Oberwesel.

Vous trouverez, ci-joint, notre facture pour laquelle nous avons tiré sur vous une traite à 2 mois de vue. Veuillez nous la retourner acceptée dès que possible.

Nous espérons que notre envoi vous donnera entière satisfaction et que vous continuerez à nous honorer de vos commandes.

Veuillez agréer, Messieurs, l'expression de nos sentiments très dévoués.

---

1. Variante : **mitteilen zu können**.
2. **r Personalcomputer, - (r PC, s)** : *ordinateur personnel, P.C.* ; retenez également : **r Mikrocomputer, r Minicomputer** : *micro-ordinateur, mini-ordinateur*.
3. Variante : **versandbereit sein, zum Versand bereit / liegen**.
4. Variante : **beiliegend, in der Anlage**.
5. Variante : **schicken, übersenden**.
6. *régler d'avance* : **im voraus begleichen, im voraus bezahlen, voraus / zahlen**.
7. Variante : **wie es bei einer Erstsendung firmenüblich ist ; wie es bei Erstkunden üblich ist**.

Sehr geehrte Herren,

wir freuen uns, Ihnen mitzuteilen [1], daß die am 11.3. bestellten Personalcomputer [2] termingerecht fertiggestellt worden sind und versandfertig [3] sind.

Anbei [4] senden [5] wir Ihnen die Rechnung in Höhe von ... mit der Bitte, sie im voraus zu begleichen [6], wie es in unserer Firma bei einer Erstsendung üblich ist [7].

Sobald wir Ihre Überweisung erhalten haben [8], beauftragen wir die Spedition Berger, die Ware auf unsere Kosten in unserem Werk zu übernehmen, und sie Ihnen in 10 Kolli [9] verpackt per Luftfracht zu übersenden.

In Erwartung Ihrer baldigen Rechnungsbegleichung verbleiben wir

mit besten Grüßen

Sehr geehrte Herren,

unter Bezugnahme [10] auf Ihren Auftrag vom 14.3. d.J. bestätigen wir Ihnen, daß die 500 bestellten Videogeräte TY 20 gestern unser Werk in Colmar verlassen haben. Sie sind in 125 Kisten verpackt und wurden Ihnen per Bahn [11] termingerecht zugeschickt.

Das Frachtgut wird am Zielbahnhof Westerburg von der Speditionsfirma Sorg übernommen und Ihnen frei Haus verzollt nach Oberwesel zugestellt.

In der Anlage finden Sie unsere Rechnung, über deren Betrag wir auf Sie einen Wechsel per 60 Tage Sicht [12] gezogen haben. Bitte schicken Sie ihn [13] uns so schnell wie möglich [14] mit Ihrem Akzept versehen zurück.

Wir hoffen, daß unsere Sendung zu Ihrer vollen Zufriedenheit ausfällt [15] und daß Sie uns weiterhin mit Aufträgen beehren.

Mit freundlichen Grüßen [16]

---

8. Variante : **nach Erhalt (nach Eingang) Ihrer Überweisung**.
9. **s Kollo, -lli** : *colis* ; syn. **s Frachtstück, e**.
10. Variante : **wir beziehen uns auf + A, bezugnehmend auf + A**.
11. *par chemin de fer* ; **per Bahn, per Bahnfracht** ; la préposition latine s'emploie couramment en allemand commercial : **per Post / Schiff / Flugzeug**.
12. Variante : **einen 2 Monate nach Sicht fälligen Wechsel**.
13. Variante : **die Tratte**.
14. **so schnell wie möglich = möglichst schnell**.
15. Variante : **Sie völlig zufriedenstellt**.
16. Variante : **Mit den besten Grüßen / Hochachtungsvoll**.

1. Nous vous informons que nous avons expédié ce jour les marchandises suivantes : ...
2. Nous espérons que l'envoi vous parviendra en bon état.
3. Nous y joignons une traite à 90 jours de vue ...
4. ... et vous prions de nous la retourner après acceptation.
5. Ci-joint, vous trouverez la facture établie en double / triple / quadruple exemplaire.
6. Nous accusons réception des marchandises commandées...
7. ... et vous remercions de la prompte livraison.
8. En espérant que notre livraison vous donnera satisfaction, ...
9. ... nous vous prions de croire, Messieurs, à l'assurance de nos sentiments dévoués.
10. Nous avons donné ordre à notre banque de virer la somme sur votre compte.
11. La marchandise vous sera expédiée en régime ordinaire.
12. Nous vous prions de bien vouloir régler la facture d'avance.

---

1. **Wir teilen Ihnen mit, daß heute folgende Waren (an Sie) verschickt (versandt) wurden : ...**
2. **Wir hoffen, daß die Sendung bei Ihnen in gutem Zustand (wohlbehalten) ankommt (ankommen wird).**
3. **Wir legen einen Wechsel per 90 Tage Sicht bei ...**
4. **... und bitten Sie, diesen nach Annahme (Akzept) zurückzusenden (zurückzuschicken).**
5. **Anbei (Beiliegend) die Rechnung in zweifacher / dreifacher / vierfacher Ausfertigung.**
6. **Wir bestätigen den Erhalt (Empfang) der bestellten Waren ...**
7. **... und danken Ihnen für die schnelle (prompte) Lieferung.**
8. **In der Hoffnung, daß unsere Lieferung zufriedenstellend ausfällt (Sie zufriedenstellt) ...**
9. **verbleiben wir mit freundlichen Grüßen (hochachtungsvoll / mit vorzüglicher Hochachtung).**
10. **Wir haben unsere Bank angewiesen, den Betrag (die Summe) auf Ihr Konto zu überweisen.**
11. **Die Ware wird Ihnen als Frachtgut zugestellt (zugeschickt, zugesandt).**
12. **Wir bitten Sie, die Rechnung im voraus zu begleichen (zu bezahlen).**

r Versand, ⌀ **(e Versendung, en** [rare]**)** : envoi, expédition.
einen ~ an/zeigen : aviser d'une expédition.
den Käufer vom ~ benachrichtigen : aviser l'acheteur de l'envoi.
Waren zum ~ bringen, a, a : expédier des marchandises.
zum sofortigen ~ : pour envoi immédiat.
e Versandanzeige, n (~bescheinigung, en) : avis d'expédition.
dem Kunden die ~ zu/senden (zu/schicken) : envoyer l'avis d'expédition au client.
e Versandabteilung, en : service d'expédition (des expéditions).
e Versandkosten (plur.) : frais d'envoi.
e Versandpapiere (~dokumente) (plur.) : documents d'expédition.
r Versandort, e : lieu d'expédition.
Waren versenden, a, a (verschicken) : expédier des marchandises.
r Versender, - : expéditeur.

•

r Empfang, ¨e : réception, reçu.
den ~ an/zeigen : aviser de la réception.
den ~ bestätigen : accuser réception.
etw in ~ nehmen, a, o, i : réceptionner qqch., prendre livraison de qqch.

e Empfangsbestätigung, en (~bescheinigung, ~anzeige) : accusé, avis de réception.
Waren~ : accusé de réception des marchandises.
gegen ~ : contre accusé de réception.
eine ~ aus/stellen : délivrer un accusé de réception.

•

e Verladung, en : chargement, expédition.
~ an Bord : chargement à bord.
r Verladeort, e : lieu de chargement, d'embarquement.
e Verladekosten (plur.) : coût, frais de chargement.
r Verlader, - : expéditeur, chargeur.
verladen, u, a, ä : charger, expédier.
auf Schiff ~ : charger sur navire.
e Waren in den Waggon ~ : charger les marchandises dans le wagon.

•

r Reeder, - : armateur, fréteur.
e Reederei, en (e ~gesellschaft) : société d'armement maritime, compagnie de frètement maritime, fluvial.

A ■ Trouvez un synonyme

1. der gezogene Wechsel : __
2. die Empfangsbestätigung : __
3. fristgerecht : __
4. fernschriftlich : __
5. im voraus begleichen : __

B ■ Quelle est la structure nominale équivalente ?

1. einen Betrag überweisen : __
2. einen Wechsel akzeptieren : __
3. eine Ware senden : __
4. wir beziehen uns auf Ihr Schreiben vom : __
5. sobald wir Ihre Überweisung erhalten haben : __

C ■ Rendez-lui sa moitié

1. das Fracht-
2. der Verlade-
3. die Speditions-
4. die Verschiffungs-
5. die Auftrags-

a) firma
b) kosten
c) bestätigung
d) gut
e) termin

D ■ Complétez les blancs

1. __ von Ihnen __ Surfbretter sind an Sie __ worden.
2. __ Transport erfolgt __ Lkw durch __ Spedition Wieland.
3. Wir haben __ Wechsel __ 37480 DM __ Sie __.
4. __ Konnossement__ sind vorbereitet und eine Transportversicherung ist __ worden.
5. __ senden wir Ihnen __ Rechnung in __ von 5 000 Mark.

E ■ Traduisez

1. La marchandise vous a été expédiée dans les délais.
2. Le fournisseur a adressé un avis d'expédition à son client.
3. La maison X a renvoyé la traite acceptée (revêtue de son acceptation).
4. Nous vous prions de nous faire parvenir l'accusé de réception de la marchandise.
5. En espérant que notre envoi vous aura donné entière satisfaction ...

10

Rechnungsausstellung - Zahlung

Facturation - Paiement

Le fournisseur adresse la facture au client en précisant le mode de règlement. Le client écrit pour annoncer le règlement. Le fournisseur accuse réception du versement.

Kreditantrag- Kreditgewährung

Demande de crédit - Octroi de crédit

Le client sollicite l'ouverture d'un crédit auprès de sa banque. La banque étudie sa demande, accorde le prêt et fixe les modalités de remboursement.

Scénario

L'expédition d'un nombre important de boulons de machines s'accompagne d'une facture détaillée. Le client accuse réception de la marchandise et effectue le règlement.

Une entreprise désire développer ses exportations et sollicite un crédit important auprès de sa banque. Celle-ci donne un avis favorable.

Un commerçant, client de longue date d'une banque, souhaite obtenir un prêt pour moderniser son magasin.

Sehr geehrter Herr Pilz,

wir sandten Ihnen am 5. d.M. 5000 Stück Maschinenschrauben 5/8 Zoll × 40 mm zu einem Einzelpreis von ... DM. Der Gesamtpreis beläuft sich abzüglich [1] eines Mengenrabatts von 2 % auf ... DM. Die LKW-Versandkosten haben wir Ihnen als Erstkunden nicht in Rechnung gestellt [2].

Bitte überweisen Sie uns den Rechnungsbetrag nach Erhalt [3] der Ware umgehend auf unser Konto bei der Stadtsparkasse Karlsruhe.

Wir hoffen, daß unsere Lieferung Ihren Erwartungen entspricht und verbleiben in der Hoffnung [4] auf weitere Aufträge Ihrerseits

mit besten Empfehlungen

Sehr geehrter Herr Schaurer,

wir danken Ihnen für Ihre Lieferung vom 7. d.M., die bei uns vorgestern wohlbehalten per LKW [5] eingetroffen ist.

Zum Ausgleich [6] Ihrer Rechnung haben wir heute unsere Bank beauftragt, den Betrag in Höhe von ... abzüglich 3 % Skonto auf Ihr Konto bei der Sparkasse Karlsruhe zu überweisen.

Wir bitten Sie um eine kurze Gutschriftanzeige [7] und verbleiben

mit bestem Gruß

Sehr geehrter Herr Dr. [8] Braun,

vielen Dank für Ihre prompte Begleichung [6] der Rechnung vom 2. d.M. Mit der heutigen Überweisung ist Ihr Konto bei uns ausgeglichen [9].

In Erwartung erneuter Geschäftsverbindungen verbleiben wir

mit freundlichem Gruß

---

1. **abzüglich + G** : *déduction faite de, à déduire de* ; contr. **zuzüglich** + G.
2. **e Versandkosten nicht in Rechnung stellen** : *ne pas compter le transport, ne pas facturer les frais de transport.*
3. **nach Erhalt der Ware = nach Empfang der Ware.**
4. **in der Hoffnung auf weitere Aufträge = in der Hoffnung auf weitere Bestellungen.**
5. **r LKW / Lkw,s = r Last(kraft)wagen** : *camion.*
6. **zum Ausgleich Ihrer Rechnung** : *en règlement de votre facture* ; syn. **zur Begleichung (Bezahlung) Ihrer Rechnung.**

Monsieur,

Nous vous avons adressé le 5 courant 5 000 unités de boulons pour machines de 5/8 pouces sur 40 mm au prix unitaire de ... DM. Déduction faite d'un rabais de quantité de 2 %, la somme globale se monte à ... DM. Comme c'est votre première commande, nous ne vous avons pas facturé le transport par camion.

Dès réception de la marchandise, nous vous prions de virer le montant de la facture sur notre compte auprès de la Caisse d'épargne municipale de Karlsruhe.

Nous espérons que notre livraison vous donnera toute satisfaction et, dans l'attente de commandes ultérieures, nous vous prions d'agréer, Monsieur, l'expression de nos sentiments dévoués.

Monsieur,

Nous vous remercions de votre livraison du 7 courant qui nous est parvenue en bon état, avant-hier, par camion.

En règlement de votre facture, nous avons donné ordre à notre banque de virer la somme de ... moins 3 % d'escompte sur votre compte auprès de la Caisse d'épargne de Karlsruhe.

Veuillez avoir l'obligeance de nous adresser un bref avis de crédit et soyez assurés, Monsieur, de nos sentiments dévoués.

Monsieur,

Nous vous remercions de la célérité de votre règlement du 2 courant. Le versement de ce jour solde votre compte.

Dans l'attente de nouvelles relations commerciales, nous vous prions de croire, Monsieur, en nos sentiments dévoués.

---

7. **e Gutschriftanzeige, n** : *avis de crédit* ; e Gutschrift, en : *crédit, avoir* ; einem Konto einen Betrag von ... gut/schreiben : *créditer une somme de ... à un compte* ; contr. e Lastschriftanzeige, n : *avis de débit* ; ein Konto mit einer Summe von ... belasten : *débiter un compte d'une somme de.*
8. **Herr Dr. Braun = Herr Doktor Braun** ; n'oubliez pas l'importance du titre universitaire qui fait partie intégrante du nom de famille.
9. **ein Konto aus/gleichen, i, i** : *solder un compte.*

Sehr geehrter Herr Direktor [1],

in der Absicht [2], unser Exportgeschäft noch weiter auszudehnen, bitten wir Sie, uns mitzuteilen, unter welchen Bedingungen [3] Ihre Bank bereit ist, uns als langjährigem Kunden bei der Finanzierung behilflich [4] zu sein.

Wir benötigen einen mittelfristigen Kredit von 350 000 DM (in Worten dreihundertfünfzigtausend Deutsche Mark) mit einer Laufzeit von 5 Jahren.

Als Sicherheiten [5] bieten wir Ihnen 8 %ige Pfandbriefe [6], in Ihrer Bank hinterlegt [7], in Höhe von 250 000 DM und zusätzlich eine Teilverpfändung [8] von 40 % unseres Warenlagers zu Ihren Gunsten.

Ihrer Stellungnahme sehen wir mit großem Interesse entgegen [9].

Hochachtungsvoll

Sehr geehrter Herr Wild,

wir haben Ihren Kreditantrag erhalten und sind gern bereit, Ihnen ein Darlehen [10] von 350 000 DM (in Worten dreihundertfünfzigtausend Deutsche Mark) mit einer Laufzeit von 5 Jahren zu gewähren.

Die Kreditzinsen liegen 1,5 % über dem jeweiligen Bundesbank-Diskontsatz. Die monatlichen Rückzahlungsbeträge (Zinsen und Kapital) belaufen sich auf ... DM. Als Kreditsicherheit dienen die Verpfändung der bei unserer Bank deponierten Wertpapiere in Höhe von 250 000 DM und eine 45 %ige Hypothek [11] auf das Warenlager Ihres Unternehmens.

Wir bitten Sie, die Verpfändungsurkunde unterschrieben an uns zurückzuschicken.

In der Hoffnung, Ihnen hiermit gedient zu haben, verbleiben wir mit freundlichen Grüßen

---

1. **Sehr geehrter Herr Direktor** : *Monsieur le Directeur* ; avec une dénomination professionnelle, le nom de famille peut ne pas être indiqué.
2. **in der Absicht** = **wir beabsichtigen, zu...**
3. **unter welchen / solchen / diesen Bedingungen** : *à quelles / à de telles / à ces conditions.*
4. **jdm behilflich sein bei** + D = jdm helfen bei + D.
5. **e Sicherheit, en** : *garantie* ; syn. s Pfand, e Garantie.
6. **r Pfandbrief, e** : *lettre hypothécaire* est une *obligation* dont le *gage* (s Pfand) est constitué par des immeubles ou des terrains.
7. **etw bei einer Bank deponieren (hinterlegen)** : *déposer qqch. auprès d'une banque.*

Monsieur le Directeur,

Nous avons l'intention d'élargir le champ de nos exportations et vous prions de nous faire savoir à quelles conditions votre banque serait disposée à contribuer à notre financement au titre de client de longue date.

Nous avons besoin d'un crédit à moyen terme de 350 000 DM (trois cent cinquante mille deutsche marks) sur 5 ans.

A titre de garantie, nous vous proposons des obligations hypothécaires à 8 % déposées auprès de votre banque, d'un montant global de 250 000 DM, auxquelles s'ajoute le nantissement partiel de 40 % de notre stock de marchandises en votre faveur.

Nous attendons votre décision avec le plus grand intérêt et vous prions d'agréer, Monsieur le Directeur, l'expression de nos salutations distinguées.

Monsieur,

Nous avons bien reçu votre demande de crédit et sommes tout disposés à vous consentir un prêt de 350 000 DM (trois cent cinquante mille deutsche marks) d'une durée de 5 ans.

Les intérêts seront de 1,5 % supérieurs au taux d'escompte du moment de la Bundesbank. Les remboursements mensuels (intérêts et capital) se monteront à ... DM. Le nantissement des titres déposés dans notre établissement et portant sur 250 000 DM ainsi qu'une hypothèque de 45 % du stock-marchandises de votre entreprise garantiront votre crédit.

Nous vous prions de bien vouloir nous retourner le titre de gage dûment signé.

En espérant vous avoir été agréable, nous vous prions d'agréer, Monsieur, l'expression de nos sentiments très dévoués.

---

8. **e Verpfändung, en** : *mise en gage, nantissement* ; **verpfänden** : *mettre en gage, donner en nantissement.*

9. **entgegensehen + D** : *attendre qqch.* ; **wir sehen Ihrer Stellungnahme / Antwort mit (großem) Interesse entgegen** : *nous attendons votre réponse / décision avec (beaucoup) d'intérêt.*

10. **s Darlehen, -** : *prêt* ; **jdm Geld leihen, ie, ie** : *prêter de l'argent à qqun.* ; **bei jdm Geld leihen** : *emprunter de l'argent à qqun.*

11. **e Hypothek, en** : *hypothèque* ; **eine ~ auf ein Warenlager nehmen** : *prendre une hypothèque sur des stocks, hypothéquer des stocks.*

Messieurs,

Veuillez trouver, ci-joint, une facture de 8 500 F en règlement des marchandises commandées le 15 mars.

Nous vous consentons, sur cette somme, l'escompte habituel de 2 % pour paiement comptant et vous serions obligés de bien vouloir nous couvrir de cette somme, comme d'habitude, par virement à notre compte chèque postaux.

Dans l'espoir que vous continuerez à nous honorer de vos ordres, nous vous prions de croire, Messieurs, à nos sentiments dévoués.

Objet : demande de crédit

Monsieur le Directeur,

En ma qualité de client de longue date et de commerçant établi depuis 20 ans dans cette ville, je me permets de solliciter l'ouverture d'un crédit de cinquante mille francs, sur une durée d'un an.

Je me vois en effet contraint d'agrandir et de moderniser mon magasin. L'augmentation considérable des stocks m'a amené à immobiliser des fonds importants. En outre, l'un de mes gros clients, qui n'a momentanément pas pu faire face à ses engagements, me demande de proroger les traites tirées sur lui.

Je vous serais obligé de me faire savoir dans les plus brefs délais si vous acceptez ma demande d'ouverture de crédit et à quelles conditions.

Veuillez agréer ...

---

1. Variante : **zum Ausgleich für die am 15. März bestellten Waren**.
2. **e Barzahlung, en** : *paiement (au) comptant* ; bar (be)zahlen : *payer comptant.*
3. **r** ou **s Skonto, s/ti** : *escompte, remise au comptant* ; 2 % ~ gewähren : *accorder 2 % d'escompte.*
4. **einen Betrag auf ein Postscheckkonto / Bankkonto überweisen, ie, ie** : *virer une somme sur un CCP / à un compte bancaire.*
5. Variante : **in der Hoffnung auf weitere Aufträge / wir hoffen, daß Sie uns weiterhin Aufträge zukommen lassen.**
6. Variante : **etablierter Geschäftsmann.**
7. **ich gestatte mir** = ich erlaube mir.

Sehr geehrte Herren,

anbei finden Sie die Rechnung über 8 500 F zur Bezahlung der Waren, die am 15. März bestellt wurden [1].

Auf diese Summe gewähren wir Ihnen bei Barzahlung [2] den üblichen Skonto [3] von 2 %. Wir bitten Sie, den Rechnungsbetrag wie gewöhnlich auf unser Postscheckkonto zu überweisen [4].

In der Hoffnung, daß Sie uns weiterhin mit Aufträgen [5] beehren, verbleiben wir

mit freundlichen Grüßen ·

Betreff : Kreditantrag

Sehr geehrter Herr Direktor,

als langjähriger Kunde Ihrer Bank und seit 20 Jahren in dieser Stadt ansässiger Kaufmann [6] gestatte [7] ich mir, einen Kreditantrag [8] über fünfzigtausend Francs für die Dauer eines Jahres zu stellen.

Ich sehe mich nämlich gezwungen, mein Geschäft zu erweitern und zu modernisieren. Die beträchtliche Aufstockung meines Warenlagers [9] hat mich veranlaßt, bedeutende Geldmittel [10] aufzubringen. Außerdem bittet mich einer meiner wichtigsten Kunden, der zurzeit finanzielle Schwierigkeiten [11] hat, die auf ihn gezogenen Wechsel [12] zu verlängern.

Ich wäre Ihnen dankbar, mich schnellstens wissen zu lassen, ob und unter welchen Bedingungen mein Kreditantrag angenommen werden kann.

Hochachtungsvoll

---

8. **einen Kreditantrag stellen** : *faire une demande de crédit, solliciter un crédit* ; syn. einen Kredit beantragen.
9. Variante : **(Waren)bestände** (plur.) ; etw nicht auf Lager haben / etw nicht vorrätig haben : *être en rupture de stocks.*
10. Variante : **e Gelder** (plur.), **s Kapital**.
11. **finanzielle Schwierigkeiten haben** = seinen finanziellen Verpflichtungen nicht nachkommen können : *avoir des difficultés financières, ne pas pouvoir faire face à ses engagements (financiers).*
12. **r Wechsel, -** : *traite, lettre de change, effet de commerce* ; einen ~ verlängern (prolongieren) : *proroger une traite.*

1. Veuillez trouver, ci-joint, la facture s'élevant à 1 500 marks.
2. En règlement de votre facture, nous avons demandé à notre banque ...
3. ... de virer la somme de 1 000 DM à votre compte de chèques postaux.
4. Sur cette somme, nous vous consentons l'escompte habituel de 2 % pour paiement comptant.
5. Nous vous prions de bien vouloir nous envoyer un avis de crédit.
6. Nous vous remercions du règlement rapide de la facture du 5 courant.
7. Je me permets de solliciter l'ouverture d'un crédit de 30 000 DM (en lettres trente mille DM).
8. La banque lui a accordé un prêt de 150 000 marks (en lettres cent cinquante mille marks) d'une durée de cinq ans.
9. Pour ce prêt, les intérêts s'élèvent à 4,5 %.
10. Une hypothèque sur les stocks tient lieu de garantie au crédit.
11. Il ne peut momentanément pas faire face à ses engagements financiers.
12. La modernisation de mon magasin m'a amené à immobiliser des fonds importants.

---

1. **Anbei finden Sie die Rechnung über 1 500 Mark. (Beiliegend finden Sie den Rechnungsbetrag in Höhe von 1 500 Mark.)**
2. **Zum Ausgleich (Zur Begleichung / Bezahlung) Ihrer Rechnung haben wir unsere Bank beauftragt, ...**
3. **... den Betrag (die Summe) in Höhe von 1 000 DM auf Ihr Postscheckkonto zu überweisen.**
4. **Auf diesen Betrag (diese Summe) gewähren wir Ihnen bei Barzahlung den üblichen (das übliche) Skonto.**
5. **Wir bitten Sie um eine Gutschriftanzeige.**
6. **Wir danken Ihnen (herzlich) für die prompte Begleichung (schnelle Bezahlung) der Rechnung vom 5. d.M.**
7. **Ich gestatte mir, einen Kredit über 30 000 DM (in Worten dreißigtausend D-Mark) zu beantragen.**
8. **Die Bank hat ihm ein Darlehen von 150 000 Mark (in Worten (ein)hundertfünfzigtausend Mark) mit einer Laufzeit von 5 Jahren gewährt.**
9. **Die Zinsen belaufen sich für dieses Darlehen auf 4,5 % (betragen 4,5 %).**
10. **Als Kreditsicherheit dient eine Hypothek auf das (Waren)-lager.**
11. **Zurzeit (Momentan) hat er finanzielle Schwierigkeiten.**
12. **Die Modernisierung meines Geschäfts hat mich dazu gebracht (geführt), bedeutende Geldmittel aufzubringen.**

e Rechnung, en : facture, note.
eine ~ aus/stellen : établir une facture.
eine ~ begleichen, i, i (bezahlen) : régler une facture.
eine ~ vor/legen : présenter une facture.
eine hohe/unbezahlte (offene) ~ : facture élevée / non réglée.
eine ~ über (in Höhe von) 1 000 Mark : une facture d'un montant de 1 000 marks.
e ~ beläuft sich auf (beträgt / macht) 500 DM : la facture s'élève à 500 DM.
e Rechnungsausstellung, en : établissement de facture, facturation.

•

e Zahlung, en : paiement, règlement.
eine ~ leisten : effectuer un paiement.
eine ~ ein/stellen : suspendre un paiement.
um ~ bitten, a, e : demander le règlement.
eine ~ verweigern : refuser le paiement.
einen Scheck zur ~ vor/legen : présenter un chèque au paiement.
prompte (sofortige) ~ : paiement immédiat.
bargeldlose ~ : paiment par virement.
gegen ~ : moyennant paiement, contre versement.

•

s Konto, s ou **-ten** : compte.
einem ~ einen Betrag von ...

gut/schreiben, ie, ie : créditer un compte d'un montant de.
ein ~ mit einer Summe von ... belasten : débiter un compte d'une somme de ...
Geld auf ein ~ überweisen, ie, ie : virer de l'argent à un compte.
einen Betrag auf ein ~ ein/zahlen : verser une somme sur un compte.

•

die Gutschrift, en : avoir, crédit.
die Gutschriftanzeige, n : avis de crédit.
die Lastschrift, en : écriture au débit.
die Lastschriftanzeige, n : avis de débit.

•

r Kredit, e : crédit, prêt.
einen ~ beantragen : solliciter un crédit.
einen ~ auf/nehmen, a, o, i : recourir à un crédit.
jdm einen ~ gewähren (billigen) : accorder un crédit.
einen ~ eröffnen : ouvrir un crédit.
einen ~ zurück/zahlen : rembourser un crédit.
r Kreditantrag, ¨e : demande (d'ouverture) de crédit.
e Krediteröffnung, en : ouverture de crédit.
e Kreditgewährung, en (~bewilligung) : octroi, attribution de crédit.

A ■ Complétez par le verbe et la préposition appropriés

1. Bitte ___ Sie uns den Rechnungsbetrag ___ unser Konto.
2. Wir ___ Sie ___ eine kurze Gutschriftanzeige.
3. Die monatlichen Rückzahlungen ___ sich ___ 500 DM.
4. Die Versandkosten haben wir nicht ___ Rechnung ___.
5. Wir bitten Sie, die Urkunde unterschrieben ___ uns ___.

B ■ Découpez le monstre (en phrases, majuscules, ponctuation)

1. vielendankfürihrepromptebegleichungderrechnungvomzweitendieses monats.
2. inerwartungerneutergeschäftsverbindungenverbleibenwirmit freundlichengrüßen.
3. wirhabenihrenkreditantragerhaltenundsindgernbereitihneneindarlehen vonhunderttausendmarkzugewähren.
4. wirhoffendaßunserelieferungihrenerwartungenentsprichtundverbleiben mitfreundlicherempfehlung.
5. sehrgeehrterherrschaurerwirdankenihnenfürihrelieferungvom7dmdie beiunsgesternwohlbehaltenperlkweingetroffenist.

C ■ Comment dit-on ?

1. en règlement de votre facture : ___
2. créditer un compte d'un montant de ... : ___
3. débiter un compte d'une somme de ... : ___
4. le paiement au comptant : ___
5. accorder un escompte de 2 % : ___

D ■ Quelle est la structure verbale équivalente ?

1. der Kreditantrag : ___
2. die Kreditgewährung / die Kreditbewilligung : ___
3. die Rechnungsausstellung : ___
4. die Begleichung einer Rechnung : ___
5. der Erhalt der Ware : ___

E ■ Traduisez

1. N'oubliez pas d'établir la facture pour la Maison Meyer.
2. Je ne peux pas demander ce prêt, les intérêts sont trop élevés.
3. Veuillez virer la somme de 666 marks à notre compte bancaire.
4. La facture d'un montant de 1 450 DM n'est pas encore réglée.
5. Pour la modernisation de notre magasin, il nous faut un crédit de 33 000 marks (en lettres : trente-trois mille marks).

11

Mahnschreiben

Lettres de rappel

■ Zahlungsverzug - *Retard de paiement*

Le règlement d'une facture peut tarder à rentrer. Le créancier enverra plusieurs lettres de rappel avant d'en venir aux mesures de contentieux. Le débiteur peut aussi demander à son créancier de lui accorder un sursis de paiement.

■ Lieferverzug - *Retard de livraison*

Le fournisseur s'efforce d'exécuter les commandes dans les délais convenus. Des événements indépendants de sa volonté peuvent toutefois entraîner un retard de livraison. Il prendra alors contact avec son client et lui exposera les causes de ce retard.

N'ayant pas reçu la marchandise, le client peut, de son côté, rappeler la commande au fournisseur. Des retards importants de livraison peuvent entraîner l'annulation de la commande ou même faire l'objet d'une action en dommages et intérêts.

Scénario

A la suite d'une lettre de rappel, un client explique à son fournisseur les raisons qui sont à l'origine du retard de paiement. Il se propose de payer une partie des dettes immédiatement et le solde en fin d'année.

Un client, très embarrassé par le retard de livraison, exige l'envoi immédiat de matériel d'ordinateur. Il menace d'annuler la commande en cas de non-livraison dans les délais convenus.

Plusieurs lettres de rappel sont restées sans effet. Le fournisseur fixe un ultime délai à son client pour régler la facture.

Sehr geehrter Herr Schmidthammer,

bei Abschluß [1] unserer Bücher haben wir festgestellt, daß unsere Rechnung vom 2.5.d.J. über 190 000 DM von Ihnen noch nicht beglichen worden ist.

Wie Sie aus unseren Zahlungsbedingungen ersehen, gewähren wir unseren Kunden ein Zahlungsziel von 90 Tagen, was seit 14 Tagen überfällig [2] ist.

Wir bitten Sie deshalb dringend [3], uns umgehend den ausstehenden Rechnungsbetrag zu überweisen.

Mit vorzüglicher Hochachtung [4]

Sehr geehrter Herr Tauber,

zu unserem großen Bedauern [5] war es uns bis heute nicht möglich, Ihre Rechnung vom 2.5. in Höhe von 190 000 DM zu begleichen. Täglich warten wir auf mehrere fällige Zahlungen unserer Kunden.

Wir bitten Sie deshalb, einen Scheck über die Hälfte des Rechungsbetrags als Abschlagszahlung [6] anzunehmen. Wir wären Ihnen außerdem sehr zu Dank verpflichtet, wenn Sie den Restbetrag [7] bis Ende des Jahres stunden [8] könnten.

Wir sind sicher, daß wir bis Ende des Jahres unseren Verbindlichkeiten nachkommen können, da in den nächsten Monaten mehrere Zahlungen großer Aufträge fällig werden.

Wir hoffen, daß Sie für unsere Lage Verständnis [9] aufbringen, und danken Ihnen für Ihr Entgegenkommen [10].

Hochachtungsvoll [4]

---

1. **Bücher ab/schließen, o, o** : *arrêter des comptes, vérifier des écritures.*
2. **fällig sein (werden)** : *être exigible, arriver à échéance* ; e Fälligkeit, en : *échéance* ; überfällig sein : *être en souffrance, en retard.*
3. **dringend = schnellstens, sofort.**
4. Cette formule terminative, la plus formelle de nos jours, n'est employée que très rarement ; **Hochachtungsvoll**, quoique moins formelle, est d'un emploi plus fréquent mais **Mit freundlichem Gruß** et **Mit freundlichen Grüßen** constituent aujourd'hui les formes les plus usitées.

Monsieur,

Après vérification de nos écritures, nous avons constaté que notre facture du 2 mai courant d'un montant de 190 000 DM n'est toujours pas soldée.

Aux termes de nos conditions de paiement, nous accordons un délai de 90 jours à nos clients, mais il est dépassé depuis 15 jours.

En conséquence, nous vous prions instamment de virer la somme due par retour du courrier.

Veuillez agréer, Monsieur, l'expression de nos salutations distinguées.

Monsieur,

A notre grand regret, nous avons été, jusqu'à ce jour, dans l'impossibilité d'acquitter votre facture du 2 mai, d'un montant de 190 000 DM. Nous attendons chaque jour le règlement de plusieurs factures échues de nos clients.

Nous vous serions en conséquence très obligés de bien vouloir accepter un chèque de la moitié du montant de la facture, à titre d'acompte. Nous vous serions par ailleurs très reconnaissants de bien vouloir surseoir au paiement du solde jusqu'à la fin de l'année en cours.

Nous sommes certains de pouvoir honorer nos engagements d'ici la fin de l'année, plusieurs règlements de commandes importantes arrivant à échéance au cours des mois prochains.

Nous espérons que vous saurez vous montrer compréhensifs et vous remercions de votre obligeance.

Veuillez agréer, Monsieur, l'expression de nos sentiments très dévoués.

---

5. **zu unserem Bedauern** = **wir bedauern, daß**.
6. **e Abschlagszahlung, en** = **e Teilzahlung** : *paiement partiel, acompte.*
7. **r Restbetrag, ⁻e** = **e Restsumme, n** : *solde, restant dû.*
8. **stunden** : *ajourner, reporter, surseoir à, proroger* ; **eine Zahlung ~** : *différer un paiement* ; syn. **einen Zahlungsaufschub gewähren** : *accorder un délai de paiement.*
9. **Verständnis auf/bringen, a, a (zeigen) für + A** : *avoir de la compréhension pour, faire preuve de compréhension.*
10. **s Entgegenkommen** = **e Gefälligkeit** : *obligeance, prévenance.*

Sehr geehrter Herr Laufert,

die für den 15.10.19.. fest vereinbarte Lieferung von 1 200 Hochleistungsdruckern Typ XY 211 ist seit drei Tagen überfällig.

Wir benötigen die Geräte jedoch dringend für unser Weihnachtsgeschäft und bitten Sie, uns die Sendung umgehend zukommen [1] zu lassen.

Als letzte Nachlieferfrist [2] setzen wir Ihnen den 28.10.19.. Sollte diese Frist von Ihnen nicht eingehalten werden, so würden wir uns leider gezwungen sehen, den Auftrag zu stornieren [3] und Sie für alle uns daraus entstehenden Schäden haftbar [4] zu machen.

Hochachtungsvoll

Sehr geehrter Herr Neuling,

wir beziehen [5] uns auf Ihr Schreiben vom 18.10., in dem Sie uns eine Nachfrist [6] bis zum 28.10. gewähren.

Die Hochleistungsdrucker konnten leider nicht fristgerecht [7] fertiggestellt werden, da wir bestimmte Einzelteile [8] für den deutschen Markt von Zulieferern in Italien herstellen lassen. Diese Zubehörteile [8] wurden uns nicht termingemäß [7] geliefert. Dadurch sind wir mit der Erledigung [9] der Aufträge in Rückstand [10] geraten.

Wir bitten Sie, diesen Lieferverzug [11] zu entschuldigen und hoffen auf Ihr Verständnis. Wir setzen jetzt alles daran, die Lieferung in der von Ihnen gesetzten Frist vorzunehmen. Die Sendung geht [12] Ihnen in drei Tagen als Expreßgut frachtfrei zu.

In der Hoffnung, Ihnen mit dieser Verzögerung nicht allzu viele Unannehmlichkeiten bereitet zu haben, verbleiben wir mit freundlichem Gruß

---

1. **zukommen lassen** = **zu/senden** : *faire parvenir, envoyer*.
2. **jdm eine Frist setzen** : *fixer un délai à qqun* ; e Nachfrist = verspätete Lieferung : *délai supplémentaire (de livraison)*.
3. **einen Auftrag stornieren** = **eine Bestellung annullieren (rückgängig machen / widerrufen)**.
4. **jdn haftbar machen für + a** : *rendre qqun responsable de* ; e Haftung, en : *responsabilité (juridique)*.
5. **wir beziehen uns auf Ihr Schreiben** = **unter Bezugnahme auf Ihr Schreiben** : *nous référant à votre lettre, suite à votre courrier*.
6. **e Nachfrist, en** : *délai supplémentaire*.
7. **fristgerecht** = **fristgemäß, termingemäß** : *à temps, à la date prévue*.

Monsieur,

La livraison de 1 200 imprimantes hautement performantes fixée d'un commun accord pour le 15/10/19.. est exigible depuis 3 jours.

Nous avons un besoin urgent de ces appareils pour la période de Noël et vous prions de nous les faire immédiatement parvenir.

Nous vous fixons la date du 28/10/19.. comme dernier délai. Au cas où il ne serait pas respecté, nous nous verrions dans l'obligation d'annuler la commande et de vous tenir pour responsable de tous les dommages qui en résulteraient pour nous.

Veuillez agréer, Monsieur, l'expression de nos salutations distinguées.

Monsieur,

Nous nous référons à votre courrier du 18/10 par lequel vous nous accordez un délai supplémentaire, jusqu'au 28/10.

Les imprimantes de haute performance n'ont malheureusement pas pu être achevées à temps, du fait que nous faisons fabriquer en Italie certaines pièces détachées pour le marché allemand. Ces pièces ne nous ont pas été livrées à temps. De ce fait, nous avons pris du retard dans l'exécution de nos commandes.

Nous vous prions de bien vouloir excuser ce retard à la livraison et comptons sur votre compréhension. Nous mettons à présent tout en œuvre pour procéder à la livraison dans les délais que vous nous avez impartis. L'envoi vous parviendra dans les 3 jours par colis exprès, port payé.

Nous espérons que ce retard ne vous aura pas occasionné trop de désagréments et vous prions de croire, Monsieur, à l'expression de nos sentiments très dévoués.

---

8. **s Einzelteil, e** : *pièce (dépareillée, détachée)* ; **Teil** dans le domaine technique est toujours du neutre : **s Zubehörteil** = **Ersatzteil** : *pièce détachée.*
9. **e Erledigung der Aufträge** : *exécution des ordres* ; syn. **e Ausführung der Bestellungen.**
10. **in Rückstand geraten, ie, a, ä (ist)** : *prendre du retard* ; mit etw in Rückstand sein = Verspätung haben : *avoir du retard.*
11. **r Lieferverzug** : *retard de livraison* ; syn. **e Lieferungsverzögerung** ; **e Lieferverspätung** ; **r Lieferrückstand.**
12. **e Sendung geht Ihnen zu** = **e Sendung wird Ihnen zugeschickt.**

Messieurs,

Vous n'avez pas jugé nécessaire de répondre à nos lettres de rappel réitérées. Nous nous voyons donc dans l'obligation de vous fixer un ultime délai de huit jours pour régler notre facture d'un montant de 9 500 F.

Si, passé ce délai, la somme en question ne nous était pas parvenue, nous chargerions notre avocat de poursuivre en justice le recouvrement de la dette.

Veuillez agréer, Messieurs, l'expression de nos salutations distinguées.

Messieurs,

Nous accusons réception de votre courrier du ... et sommes désolés que vous ayez dû réclamer à plusieurs reprises le règlement de votre facture.

La faillite inattendue d'un de nos clients ainsi qu'un ralentissement passager des affaires nous ont causé un préjudice considérable.

Veuillez trouver ci-joint un chèque d'un montant de 9 500 F en règlement de votre facture.

Nous vous remercions de votre compréhension et vous prions de bien vouloir excuser le retard qui accompagne ce règlement.

Veuillez croire, Messieurs, à l'expression de nos salutations empressées.

Messieurs,

Il y a six semaines que nous avons commandé 300 logiciels « Word » pour notre PC 1512. Nous sommes très étonnés que les articles ne nous soient pas encore parvenus.

Veuillez nous informer par retour du courrier si nous pouvons compter sur une livraison avant la fin du mois. Au cas où vous seriez dans l'impossibilité d'effectuer la livraison d'ici le 31 mai, nous nous verrions contraints d'annuler la commande et d'intenter une action en dommages et intérêts.

Veuillez agréer, Messieurs, nos salutations distinguées.

---

1. **s Mahnschreiben** : *lettre de rappel* ; syn. r Mahnbrief, e Mahnung, (arch.) s Erinnerungsschreiben.
2. **e letzte Frist** : *délai ultime, dernier délai.*
3. Variante : **nach dieser Frist**.
4. Variante **eine Klage ein/reichen ; gerichtliche Schritte unternehmen ; gegen jdn gerichtlich vor / gehen**.

Sehr geehrte Herren,

Sie haben es nicht für nötig gehalten, auf unsere wiederholten Mahnschreiben[1] zu antworten. Wir sehen uns folglich gezwungen, Ihnen eine letzte Frist[2] von acht Tagen zur Begleichung unserer Rechnung über 9 500 F zu setzen.

Wenn wir nach Ablauf[3] dieser Frist den besagten Betrag nicht erhalten haben, werden wir unseren Anwalt beauftragen, Klage[4] zu erheben.

Mit vorzüglicher Hochachtung

Sehr geehrte Herren,

wir bestätigen den Empfang Ihres Schreibens vom ... und bedauern, daß Sie wiederholt[5] die Begleichung Ihrer Rechnung haben anfordern müssen.

Der unerwartete Konkurs[6] eines unserer Kunden sowie eine vorübergehende Geschäftsflaute haben uns beträchtliche Verluste verursacht.

Sie finden anbei einen Scheck über 9 500 F zum Ausgleich Ihrer Rechnung.

Wir danken Ihnen für Ihr Verständnis und bitten um Entschuldigung für diese verspätete Bezahlung.

Mit den besten Empfehlungen

Sehr geehrte Herren,

vor sechs Wochen haben wir bei Ihnen 300 Software[7]-Programme « Word » für unseren PC 1512 bestellt. Wir sind sehr erstaunt darüber, daß die Waren bei uns noch nicht eingetroffen sind.

Bitte teilen Sie uns postwendend mit, ob wir mit einer Lieferung vor Monatsende rechnen können. Falls[8] Sie die Lieferung bis zum 31. Mai nicht vornehmen können, sehen wir uns leider gezwungen, den Auftrag rückgängig[9] zu machen und Sie auf Schadenersatz zu verklagen.

Hochachtungsvoll

---

5. **wiederholt** = **zu wiederholten Malen, mehrmals**.
6. **der Konkurs, e** : *faillite* ; syn. r Bankrott, e ; (fam.) e Pleite, n.
7. **e Software** ['sɔftwɛr] : *logiciel* ; e Hardware ['haːdwɛr] : *matériel*.
8. Variante : **im Falle, daß Sie die Lieferung ...** ; **sollten Sie ... nicht liefern können**.
9. Variante : **stornieren, widerrufen, annullieren**.

1. Nous regrettons de ne pas pouvoir régler votre facture du ... d'un montant de ...
2. Nous vous saurions gré de bien vouloir nous fixer un nouveau délai.
3. Nous nous permettons de vous rappeler que notre facture n° ... est venue à échéance.
4. Nous aimerions attirer votre attention sur notre facture d'un montant de ..., exigible le ...
5. En raison de la faillite inattendue d'un de nos clients...
6. ... la livraison a été retardée.
7. Au cas où la livraison ne nous serait pas parvenue à la date prévue ...
8. ... nous nous verrions obligés d'annuler la commande.
9. Le retard de livraison nous met dans une situation difficile.
10. Nous regrettons de vous informer que l'exécution de votre commande sera retardée.
11. Vous n'avez pas donné suite à nos nombreuses lettres de rappel.
12. Nous nous voyons obligés de vous poursuivre en dommages et intérêts.

---

1. **Wir bedauern, Ihre Rechnung (Ihren Rechnungsbetrag) vom ... in Höhe von ... nicht begleichen zu können.**
2. **Wir wären Ihnen zu Dank verpflichtet (Wir wären Ihnen dankbar), wenn Sie uns eine neue Frist setzen könnten.**
3. **Wir erlauben uns, Sie daran zu erinnern (Wir möchten Sie daran erinnern), daß unsere Rechnung Nr. ... fällig ist.**
4. **Wir möchten Sie auf unsere am ... fällige Rechnung über ... aufmerksam machen.**
5. **Wegen (Aufgrund) des unerwarteten Konkurses (Bankrotts) eines unserer Kunden ...**
6. **... ist die Lieferung verzögert worden.**
7. **Falls uns die Lieferung nicht fristgerecht (fristgemäß / termingemäß) zugestellt (zugeschickt) würde, ...**
8. **... wären wir gezwungen, den Auftrag zu stornieren (rückgängig zu machen / zu annullieren / zu widerrufen).**
9. **Der Lieferverzug (Die Lieferungsverzögerung / Der Lieferrückstand) bringt uns in eine schwierige Lage.**
10. **Wir bedauern, Ihnen mitteilen zu müssen, daß die Ausführung (Erledigung) Ihres Auftrags verzögert wird.**
11. **Sie haben auf unsere zahlreichen Mahnschreiben (Mahnbriefe / Mahnungen) nicht geantwortet.**
12. **Wir sehen uns (leider) gezwungen, Sie auf Schadenersatz zu verklagen.**

r Verzug, ⌀ **(e Verzögerung, en ; e Verspätung, en ; r Rückstand, ̈e)** : retard.

in ~ geraten, ie, a, ä (ist) : être en retard, prendre du retard.

mit der Zahlung / Lieferung in Verzug geraten : avoir du retard dans le paiement / dans la livraison.

Zahlungs ~ : retard de paiement

•

stunden : ajourner, reporter, surseoir à, proroger.

e Stundung, en : sursis, ajournement.

Zahlungs ~ : délai (sursis) de paiement.

eine Zahlung auf / schieben, o, o (stunden) : différer un paiement.

jdm Zahlungsaufschub gewähren : accorder un délai (sursis) de paiement à qqun.

•

e Frist, en : délai.

jdm eine ~ setzen : fixer, imposer un délai à qqun.

eine ~ ein/halten, ie, a, ä : respecter un délai.

eine ~ gewähren (ein/räumen) : accorder un délai.

eine ~ überschreiten, i, i : dépasser un délai.

eine ~ verlängern : prolonger un délai.

vor ≠ nach Ablauf der ~ : avant ≠ après expiration du délai.

e Nachfrist : délai supplémentaire.

e letzte Frist : délai ultime, dernier délai.

•

e Klage, n : plainte, action (juridique).

~ erheben, o, o : intenter une action.

eine ~ ein/reichen : déposer une plainte.

eine ~ ab/weisen, ie, ie : rejeter une plainte.

~ auf Zahlung : plainte en paiement.

~ auf Schadenersatz : action en dommages et intérêts.

jdn auf Schadenersatz verklagen : poursuivre qqun en dommages et intérêts.

•

e Haftung, en : responsabilité (juridique).

die ~ für die Schäden übernehmen, a, o, i : assumer la responsabilité pour les dommages.

für den Lieferverzug haften : être responsable du retard de livraison.

jdn haftbar machen für + A : rendre qqun responsable de.

haften für + A : être responsable de, répondre de.

•

r Konkurs, e (r Bankrott, e ; [fam.] e Pleite, n) : faillite, banqueroute.

~ machen : faire faillite.

~ an/melden : déposer le bilan.

•

r Gläubiger, - : créancier.

r Schuldner, - : débiteur.

e Schuld, en : dette.

bei jdm ~en haben : avoir des dettes envers qqun.

seine ~en zurück/zahlen : rembourser ses dettes.

e Forderung, en : créance.

~en gegenüber dem Schuldner haben : avoir des créances à l'égard du débiteur.

A ■ Trouvez au moins deux synonymes

1. der Verzug : __
2. stornieren : __
3. dringend : __
4. fristgerecht : __
5. das Mahnschreiben : __

B ■ Questions à choix multiples. Cochez la bonne réponse

1. Eine Abschlagszahlung ist eine __.
  a) Teilzahlung   **b)** Rückzahlung   **c)** Vorauszahlung

2. Verbindlichkeit bedeutet __
  a) Unannehmlichkeit   **b)** Schuld   **c)** Rechnungsbetrag

3. Ein Expreßgut ist ein __.
  a) Postpaket   **b)** Drucksache   **c)** Eilsendung

4. Sofware und __ gehören zur Sprache der EDV.
  a) Hardware   **b)** Hardcover   **c)** Hardecore

5. Der Restbetrag ist __.
  a) die Gesamtsumme **b)** die Unsumme   **c)** der Saldo

C ■ Complétez les blancs

1. Wir haben fest__, daß unser__ Rechnung __ 1 000 DM noch nicht __ ist.
2. Wir wären __ zu Dank __, wenn Sie den Betrag bis Ende des Jahr__ __ könnten.
3. Wir sind sicher, daß wir unser__ Verpflichtungen __ können.
4. Wir bitten __, diesen Lieferverzug zu __ und hoffen auf Ihr __.
5. Wir sind darüber __, daß die Waren noch nicht __ sind.

D ■ A chacun sa moitié

1. post-   **a)** -fällig
2. über-   **b)** -frei
3. um-   **c)** -bar
4. fracht-   **d)** -wendend
5. haft-   **e)** -gehend

E ■ Traduisez

1. Nous ne sommes malheureusement pas en mesure de régler la facture du ...
2. Nous vous accordons un ultime délai de 8 jours.
3. Veuillez excuser ce retard de livraison imprévu.
4. Malgré les nombreuses lettres de rappel, les marchandises n'ont pas été livrées à la date prévue.
5. Notre avocat va vous poursuivre en dommages et intérêts.

12

Verpackung und Transport

Emballage et transport

L'emballage garantit la protection de la marchandise et la préserve durant son transport. Il permet de la mettre à l'abri des vols ou des dommages (détériorations dues à des chocs, exposition à la chaleur ou au froid, humidité, etc.).

L'acte unique qui crée un grand marché intérieur a incité de nombreuses entreprises à étendre leurs activités à l'ensemble des pays membres de la Communauté européenne.

Aussi les autorités ont-elles émis, entre autres, une réglementation extrêmement sévère pour le conditionnement, la désignation, le transport, le stockage et le traitement de produits dangereux, afin de protéger l'homme et l'environnement.

Scénario

En réponse à une demande de renseignements, une lettre précise les règles et les modalités du conditionnement maritime.

Le Marché unique européen exige une harmonisation des normes et des réglementations en matière d'emballage. Les produits à haut risque doivent faire l'objet d'une attention particulière.

Par ailleurs, on recourt à un commissionnaire de transports pour l'envoi de produits de la mer.

Betreff : Ihre Anfrage « Seemäßige Verpackung »

Sehr geehrter Herr Gohlke,

in Beantwortung Ihres Schreibens vom 8. d.M. bezüglich der Verpackung für Seetransporte [1] möchten wir Ihnen folgendes mitteilen :

Für die seemäßige Verpackung von Ausfuhrgütern gilt allgemein, daß erheblicher Materialaufwand [2] allein noch nicht die Güte und Dauerhaftigkeit der Verpackung ausmacht. Wesentlich ist vielmehr, daß Sie das Verpackungsmaterial von Fall zu Fall so wählen, daß es einerseits kostenmäßig im richtigen Verhältnis [3] zum Wert der Ware steht, ihr aber anderseits ausreichenden Schutz während der gesamten Reisedauer und anschließender Lagerung am Bestimmungsort gewährt.

Nach wie vor gilt die Regel, daß hochwertige Erzeugnisse wie etwa Maschinen und elektronische Geräte in guten, starken Holzkisten, die durch Bandeisen [4] gegen Beraubung gesichert sind, verpackt werden sollten.

Die von Ihnen für den Export nach Indonesien bestimmten Turbinen sollten des weiteren fest auf dem Kistenboden verankert sein und mit einem ausreichenden Feuchtigkeitsschutz versehen werden.

Für weitere detaillierte Informationen setzen Sie sich bitte mit unserem Tochterunternehmen CARGO PACK, Verpackungsgesellschaft für Industriegüter mbH [5], in Verbindung. Dieses Unternehmen — Adresse Ihrer örtlichen Vertretung siehe Anlage — ist ein Spezialbetrieb für seemäßige [6] Verpackung, der mit den modernsten Verpackungsmethoden vertraut ist und ständig neue Verpackungsmittel erprobt [7].

In der Hoffnung, Ihnen mit diesen Informationen gedient zu haben, verbleiben wir

mit freundlichen Grüßen

---

1. Par opposition à **Binnenschiffahrtstransport** : *transport fluvial.*
2. **r Aufwand,** ⌀ : *frais, dépenses* ; ~ **an** + D : *dépenses en/de.*
3. **im (richtigen) Verhältnis stehen zu** + D : *être en proportion de, être dans le (juste) rapport avec.*
4. **s Bandeisen, -** : *cerclage métallique* (autour des caisses).
5. **mbH : mit beschränkter Haftung** : *à responsabilité limitée* ; e GmbH : *SARL.*

Objet : votre demande concernant l'« emballage maritime »

Monsieur,

En réponse à votre courrier du 8 courant concernant l'emballage pour transport par mer, nous aimerions porter à votre connaissance ce qui suit :

En règle générale, on estime que, pour l'emballage maritime de produits destinés à l'exportation, d'importantes dépenses matérielles sont loin d'assurer à elles seules la qualité et la solidité d'un emballage. Il est bien plus important que vous choisissiez, suivant les cas, le matériel d'emballage de telle manière qu'il y ait un rapport réel entre le coût et la valeur de la marchandise d'une part, mais qu'il lui garantisse une protection suffisante pendant la durée globale de la traversée et durant le stockage qui s'ensuivra dans le port de destination, d'autre part.

Comme toujours, on considère que les produits de grande valeur comme des machines par exemple ou des appareils électroniques devraient être emballés dans de bonnes caisses solides cerclées de métal, qui les mettent à l'abri des vols.

Les turbines que vous destinez à l'exportation vers l'Indonésie devraient, en outre, être solidement arrimées au fond de la caisse et pourvues d'une protection suffisante contre l'humidité.

Pour de plus amples informations, veuillez vous mettre en rapport avec notre filiale CARGO PACK, société à responsabilité limitée spécialisée dans l'emballage de produits industriels. Cette entreprise, cf. le document ci-joint avec l'adresse de votre représentant local, est une entreprise spécialisée dans l'emballage outre-mer, très au fait des méthodes d'emballage les plus modernes et qui teste en permanence de nouveaux types d'emballage.

En espérant vous avoir rendu service avec ces informations, nous vous prions de croire en l'expression de nos sentiments très cordiaux.

---

6. **-mäßig** : est un suffixe qui permet de former des adj. avec les sens suivants : a) *à la manière de, propre à* : **geschäftsmäßig** : *propre aux affaires* ; b) *comme l'exige, conformément à* : **vorschriftsmäßig** : *conforme aux instructions* ; c) *du point de vue de, en ce qui concerne* : **arbeitsplatzmäßig** : *pour ce qui est de l'emploi*.
7. **erproben** : *tester, mettre à l'épreuve*.

Betreff : Rundschreiben

Sehr verehrter Kunde,

im Rahmen der « einheitlichen europäischen Akte »[1] haben wir uns entschlossen, unsere Geschäftsaktivitäten auf den gesamten europäischen Raum auszuweiten. In Zusammenarbeit mit anderen europäischen Partnern bieten wir Ihnen ab sofort u.a.[2] folgende Dienstleistungen für Europa, den außereuropäischen Raum und Übersee an :

internationaler Eisenbahngüterverkehr, Container[3]-Landverkehr, See-und Binnenschiffahrtstransporte, Lufttransporte, Umzüge usw.

In der Anlage übersenden wir Ihnen eine Broschüre mit den Allgemeinen Deutschen Spediteur-Bedingungen (ADSp), die neu überarbeitet wurde, so daß diese jetzt den europäischen Binnenmarktnormen[4] entsprechen. Ein Exemplar der von der internationalen Handelskammer Paris herausgegebenen INCOTERMS enthält die für den grenzüberschreitenden Verkehr gültigen Geschäftsbedingungen.

In der Hoffnung, Sie auch weiterhin zu unseren treuen Kunden zählen zu dürfen, verbleiben wir

mit freundlichen Grüßen

Betr. : Transport von Gefahrgut

Sehr geehrte Herren,

in Antwort auf Ihre Anfrage möchten wir Ihnen mitteilen, daß wir bereit sind, den Transport von radioaktiven Abfällen aus Ihrem Forschungslabor zu übernehmen, die für die Wiederaufbereitungsanlage in La Hague bestimmt sind.

Da dieser Transport strengen Regelungen unterworfen ist, möchten wir Sie jedoch bitten, uns die genaue Art der Abfälle mitzuteilen und sich dabei strikt an die gültigen Vorschriften zu halten.

Das gilt insbesondere für die Transportbestimmungen von Gefahrgut über See. Sie müssen außerdem die Art der Verpackung angeben und die international üblichen Kennzeichnungen für gefährliche Güter anbringen. Diese Unterlagen müssen von einer von den deutschen und französischen Behörden beglaubigten Konformitätsbescheinigung begleitet sein.

Wir stehen zu Ihrer vollen Verfügung, um diesen Transport zu übernehmen und verbleiben

mit besten Empfehlungen

---

1. *l'Acte unique* de 1993.
2. **u.a.** = **unter anderem** : *entre autres.*

Objet : lettre circulaire

Cher client,

Dans le cadre de l'Acte unique, nous avons décidé d'étendre nos activités commerciales à l'ensemble de l'espace européen. En collaboration avec d'autres partenaires européens, nous vous proposons les services suivants pour l'Europe, l'espace non européen et l'Outre-mer, avec entrée en vigueur immédiate :

transport international de marchandises par chemin de fer, trafic de conteneurs par voie de terre, transports maritimes et fluviaux, transports aériens, déménagements, etc.

Vous trouverez, ci-joint, une brochure avec les conditions générales des transporteurs allemands, revues de telle sorte qu'elles correspondent à présent aux normes du Marché unique européen. Un exemplaire des INCOTERMS publiés par la Chambre de commerce international à Paris renferme les conditions générales qui régissent le trafic international (transfrontalier).

En espérant vous compter comme par le passé parmi nos clients fidèles, nous vous prions d'agréer, cher client, l'expression de nos sentiments très dévoués.

Objet : transports de produits dangereux (à hauts risques)

Messieurs,

En réponse à votre demande, nous aimerions vous aviser que nous sommes disposés à assurer le transport des déchets radioactifs en provenance de votre laboratoire de recherches et qui sont destinés à l'usine de retraitement de La Hague.

Comme ce transport est soumis à une réglementation très stricte, nous vous prions de bien vouloir nous communiquer la nature exacte des déchets et de bien vouloir vous conformer strictement à la réglementation en vigueur.

Ceci vaut tout particulièrement pour les dispositions concernant le transport de produits dangereux par mer. Il vous faut, par ailleurs, indiquer la nature de l'emballage et y apposer les marquages internationaux d'usage pour les produits à hauts risques. Ces documents doivent être accompagnés d'un certificat de conformité authentifié par les autorités françaises et allemandes.

Nous sommes à votre disposition pour assurer ce transport et vous prions de croire à l'expression de nos sentiments dévoués.

---

3. **der Container, -** : *conteneur* ; syn. **der Behälter, -** : **containerisieren** : *conteneuriser*.
4. **der europäische Binnenmarkt** : *le Marché unique européen*.

Messieurs,

Nous aurons d'ici trois mois à faire effectuer, d'une manière régulière, des expéditions de produits de la mer du port de Concarneau à Fribourg en Brisgau.

Vous avez la réputation d'un commissionnaire de transports très versé dans le trafic international et nous aimerions savoir si ce chargement vous intéresse et quels sont vos tarifs forfaitaires.

S'agissant de denrées hautement périssables, nous vous signalons que le transport doit obligatoirement être effectué par camions isothermes.

Veuillez nous faire connaître le montant des frais de transport pour 400 caisses de 50 kilos en tenant compte du fait que nous utiliserons nos propres emballages. Ce sont des emballages perdus et il n'en résultera en conséquence pas de frais de retour.

Dans l'attente de votre réponse, nous vous prions d'agréer...

Madame, Monsieur,

Votre taux de fret étant intéressant, nous avons décidé de faire appel à vos services. Nous confirmons donc notre accord avec vos conditions et vous chargeons du transport de nos produits.

Selon votre offre, les frais de transport s'élèveront à ... par caisse de 50 kilos, le taux de fret pour le transport de Concarneau à Fribourg se monte à ... par kilo pour un chargement de 20 tonnes.

Comme convenu, notre maison procédera à l'emballage et au chargement de la marchandise.

Nous comptons sur une parfaite exécution de notre ordre et vous prions de croire à nos sentiments très cordiaux.

---

1. **Transporte vergeben, a, e, i** : *faire effectuer des transports (par)* ; syn. **befördern (transportieren) lassen**.
2. Variante : **Sie genießen einen guten Ruf ; Sie sind als versierter Spediteur bekannt**.
3. Variante : **... und welches Ihre Übernahmesätze sind**.
4. Variante : **und machen Sie darauf aufmerksam**.
5. syn. : **die Beförderung**.
6. syn. : **die Tatsache, daß**.
7. syn. : **(die) Verpackungen** (plur.).
8. syn. : **Es sind**.

Sehr geehrte Herren,

in drei Monaten haben wir regelmäßig Transporte[1] von frischen Meeresprodukten vom Hafen Concarneau nach Freiburg im Breisgau zu vergeben.

Im internationalen Verkehr haben Sie den Ruf[2] eines versierten Spediteurs. Wir möchten wissen, ob Sie an dieser Verfrachtung interessiert sind und zu welchen Übernahmesätzen[3].

Da es sich um leicht verderbliche Waren handelt, weisen[4] wir Sie darauf hin, daß der Transport[5] mit Isotherm-Fahrzeugen durchgeführt werden muß.

Geben Sie uns bitte die Höhe der Frachtkosten für 400 Kisten von 50 Kilo an und berücksichtigen Sie dabei[6], daß wir unsere eigenen Verpackungsmittel[7] verwenden. Es handelt[8] sich um Einwegbehälter, folglich entfallen[9] die Rückführungskosten.

In Erwartung Ihrer Antwort verbleiben wir

mit freundlichen Grüßen

Sehr geehrte Damen und Herren,

wegen des günstigen Frachtsatzes haben wir beschlossen, Ihre Dienste in Anspruch zu nehmen. Wir bestätigen folglich unser Einverständnis[10] mit Ihren Geschäftsbedingungen und beauftragen Sie mit dem Transport unserer Produkte[11].

Laut[12] Angebot betragen[13] die Frachtkosten für eine Kiste von 50 Kilo ..., der Frachtsatz für 400 Kisten von Concarneau nach Freiburg beläuft[14] sich auf ... pro Kilo für eine 20-Tonnen-Fracht[15].

Wie vereinbart wird (die) Verpackung und (die) Verladung der Ware von unserer Firma übernommen.

Wir rechnen mit einer sorgfältigen Ausführung[16] unseres Auftrags und verbleiben

mit besten Empfehlungen

---

9. Variante : **... gibt es keine ... Kosten ; ergeben sich keine ... Kosten ; fallen die ... Kosten weg.**

10. Variante : **wir bestätigen hiermit, daß wir mit ... einverstanden sind.**

11. syn. : **Erzeugnisse.**

12. syn. : **gemäß Ihrem Angebot ; Ihrem Angebot gemäß.**

13. syn. : **belaufen sich auf + A.**

14. syn. : **beträgt.**

15. syn. : **eine Fracht von 20 Tonnen.**

16. syn. : **die Durchführung, die Erledigung.**

1. Nous avons à faire transporter 100 tonnes de ..., de ... à ...
2. Veuillez nous faire savoir à quels tarifs forfaitaires vous pouvez vous charger de l'expédition.
3. A quelle date la marchandise parviendra-t-elle au destinataire ?
4. Elle a été achetée aux conditions fob, nous acquitterons tous les frais, assurance comprise.
5. En exécution de votre ordre, nous avons expédié la marchandise aux conditions convenues.
6. Veuillez nous indiquer le fret maritime à payer départ Concarneau caf pour l'expédition suivante.
7. Nous nous chargeons de l'embarquement fob de 400 caisses d'un poids total de 20 tonnes à destination de ...
8. Selon vos instructions, les caisses ont été marquées comme suit.
9. Le poids brut de chaque colis ainsi que son contenu sont mentionnés sur la facture commerciale.
10. Nous adressons un jeu complet des documents d'expédition à votre banque.
11. Veuillez mettre la marchandise en dépôt et l'assurer à mes frais.
12. Les frais d'emmagasinage (droits de magasinage) sont de ... par tonne.

---

1. **Wir haben 100 Tonnen ... von ... nach ... zur Beförderung zu vergeben (befördern zu lassen / zu transportieren).**
2. **Teilen Sie uns bitte mit, zu welchen Übernahmesätzen Sie die Sendung (den Versand) übernehmen.**
3. **Wann wird die Ware beim Empfänger eintreffen ?**
4. **Sie wurde fob gekauft, wir werden alle Kosten einschließlich Versicherung übernehmen.**
5. **In Erledigung Ihres Auftrags ist die Sendung zu den vereinbarten Geschäftsbedingungen an Ihre Anschrift (Adresse) abgegangen.**
6. **Teilen Sie uns bitte mit, welche Seefrachtkosten ab Concarneau cif für folgende Sendung entstehen.**
7. **Wir übernehmen die fob-Verschiffung für die Sendung von 400 Kisten im Gesamtgewicht von 20 t nach ...**
8. **Auftragsgemäß wurden die Kisten wie folgt beschriftet (markiert).**
9. **Das Bruttogewicht eines jeden Kollos und dessen Inhalt werden auf der Handelsrechnung angegeben.**
10. **Wir senden einen kompletten Satz der Begleitpapiere an Ihre Bank.**
11. **Nehmen Sie bitte die Ware auf Lager, und versichern Sie sie für mich kostenpflichtig (auf meine Kosten).**
12. **Die Einlagerkosten betragen ... je t. (Das Lagergeld beläuft sich auf ... pro Tonne.)**

verpacken : emballer, conditionner.

e Verpackung, en : emballage, conditionnement.

e Kiste, n : caisse.

s Kollo, s/-li : (grand) paquet.

r Karton, s : carton.

Einweg- : perdu, non consigné.

r Einwegbehälter, - : emballage perdu.

r Container, - (r Behälter, -) : conteneur.

containerisieren : conteneuriser.

•

transportieren (befördern) : transporter.

etw per Bahn / LKW / Schiff ~ : transporter qqch. par train / camion / bateau.

r Transport, e (e Beförderung, en) : transport.

e Fracht, en : fret, chargement.

e Frachtgebühr, en (~kosten) : frais de transport ; fret.

e Verfrachtung, en : frètement, chargement.

verfrachten : fréter, charger.

•

r Spediteur, e : commissionnaire de transport, transporteur.

e Spedition, en : expédition, commission de transport.

e Speditionsfirma, -men : entreprise de transport, messagerie.

•

e Geschäftsbedingung, en : conditions générales de vente.

s Versanddokument, e : document d'expédition.

e Handelsrechnung, en : facture commerciale.

r Frachtbrief, e : lettre de voiture.

s Konnossement, e : connaissement.

e Ursprungsbescheinigung, en : certificat d'origine.

r Übernahmesatz, ¨e : tarif forfaitaire.

s Lagergeld, er : droit d'emmagasinage, de stockage.

•

e Vorsichtsmarkierung, en : marque de précaution à prendre, pictogramme de sécurité.

zerbrechlich : fragile.

feuergefährlich : inflammable.

vor Hitze ≠ Nässe schützen : tenir à l'abri de la chaleur ≠ de l'humidité.

oben ≠ unten : haut ≠ bas.

hier öffnen : ouvrir ici.

kühl aufbewahren : entreposer au frais.

•

die INCOTERMS-Regeln : conventions INCOTERMS.

fob : fob, franco à bord.

cif : caf, coût, assurance, fret.

fas : fas, franco le long du navire.

ab Werk : départ usine.

ab Schiff : ex ship.

ab Kai : à quai.

frachtfrei : fret / port payé.

A ■ Vrai ou faux ?

1. Erheblicher Materialaufwand bedeutet beste Verpackung.
2. Maschinen werden in Holzkisten verpackt.
3. Bandeisen um Kisten schützen vor Feuchtigkeit.
4. mbH bedeutet « mit bestem Halt ».
5. Für Indonesien wird eine seemäßige Verpackung empfohlen. *

B ■ Choisissez le verbe adéquat

1. Wir wollen unsere Tätigkeit auf den europäischen Raum __.
2. Die neuen Bedingungen sollen den europäischen Normen __.
3. Wir hoffen, Sie zu unseren treuen Kunden zu __.
4. Wir sind bereit, Ihre radioaktiven Abfälle zu __.
5. Wir möchten Sie darauf __, daß diese Waren leicht verderblich sind.

entsprechen - hinweisen - übernehmen - ausweiten - zählen

C ■ Retrouvez les mots composés

1. die Konformitäts-	a) -sätze
2. der See-	b) -gewicht
3. der Binnen-	c) -kosten
4. das Verpackungs-	d) -bedingungen
5. die Fracht-	e) -markt
6. die Geschäfts-	f) -mittel
7. die Übernahme-	g) -bescheinigung
8. das Brutto-	h) -transport

D ■ Trouvez un synonyme pour les mots soulignés

1. laut Auftrag : __
2. der Frachtsatz beträgt : __
3. die Produkte : __
4. die Beförderung : __
5. die Ausführung unseres Auftrags : __

E ■ Traduisez

1. La marchandise a été livrée fob / cif / départ usine.
2. Le poids net est indiqué sur la facture commerciale.
3. Il faut choisir un bon matériel d'emballage.
4. Le trafic par conteneurs joue un rôle important à l'intérieur du Marché unique européen.
5. Les frais de transport s'élèvent à ... marks.

13

Zollformalitäten

Formalités douanières

L'exportation ou l'importation des marchandises entraîne un échange de correspondance entre les différentes personnes concernées : l'acheteur, le fournisseur, le transitaire, l'administration des douanes.

Le Marché unique européen simplifiera les formalités douanières entre les différents pays membres de la C.E. Il en résultera une législation identique à l'égard des pays non membres de la Communauté européenne.

Scénario

Un client réclame le remboursement d'un trop-perçu sur les droits de douane portant sur plus de mille magnétoscopes japonais. Les services de douane répondent à sa lettre de réclamation.

Une lettre circulaire rappelle les procédures douanières en matière de trafic international routier (TIR).

Les autorités douanières marocaines ont mis sous scellés des marchandises dont le conditionnement n'était pas conforme.

Betreff: Rückerstattung [1] zuviel gezahlter Zölle

Sehr geehrter Herr Zollinspektor,

unter Bezugnahme auf Ihr Schreiben vom 6. d.M. übersende ich Ihnen in der Anlage die gewünschten Belege.

Sie werden feststellen, daß dem örtlichen Zollamt bei der Gestellung [2] und der anschließenden Festsetzung der Einfuhrzölle für 1 200 Videogeräte (Marke VIDEO HOME) des japanischen Herstellers SONY ein Rechenfehler zu unseren Ungunsten [3] unterlaufen ist. Die Geräte sind nach ihrer Verzollung [4] an den Großhandel geliefert [5] worden.

Ich bitte Sie, die von uns zuviel gezahlte Summe von 35 000 DM nach Überprüfung des Sachverhalts [6] (siehe unsere genaue Abrechnung [7]) auf unser Konto bei der hiesigen Kreissparkasse zu überweisen.

In der Hoffnung, daß Sie unserer Eingabe entsprechen werden, verbleibe ich

mit freundlichen Grüßen

Sehr geehrter Herr Bach,

in Beantwortung Ihrer Reklamation vom 19.10. kann ich Ihnen mitteilen, daß Ihrer Eingabe nach Überprüfung stattgegeben [8] wurde. Ich bitte Sie, das Versehen [9] meiner Kollegen bei der Berechnung der Einfuhrzölle zu entschuldigen.

Ich habe veranlaßt [10], daß der zuviel gezahlte Betrag von 35 000 DM sofort auf Ihr Konto überwiesen wird.

Mit freundlichen Grüßen

Ihre Zollinspektion

gez [11]. Becker

---

1. **Rückerstattung, en** : *remboursement* ; syn. e (Zu)rückzahlung.
2. **e Gestellung, en** : *présentation (de la marchandise)* ; syn. e Vorführung, en.
3. **zu unseren Ungunsten** ≠ **zu unseren Gunsten** : *en notre défaveur* ≠ *faveur.*
4. **e Verzollung, en** : *dédouanement* ; eine Ware verzollen : *dédouaner une marchandise.*
5. **liefern an + A** : *livrer* ; syn. liefern + D.
6. **r Sachverhalt, e** (jur.) : *fait(s).*

Objet : remboursement de trop-perçu sur droits de douane

Monsieur l'Inspecteur,

Me référant à votre lettre du 6 courant, je vous adresse ci-joint les pièces justificatives demandées.

Vous constaterez qu'une erreur s'est glissée en notre défaveur au bureau de douane local lors de la présentation de notre marchandise et de l'établissement des droits d'importation qui s'est ensuivi concernant 1 200 magnétoscopes (marque VIDEO HOME) du fabricant japonais SONY. Une fois dédouanés, les appareils ont été livrés au commerce de gros.

Après vérification de notre décompte détaillé, je vous serais obligé de bien vouloir virer le trop versé, soit 35 000 DM, sur notre compte auprès de la Caisse d'épargne locale.

En espérant que vous donnerez suite à notre réclamation, je vous prie d'agréer, Monsieur l'Inspecteur, l'expression de mes salutations distinguées.

Monsieur,

En réponse à votre réclamation du 19 octobre, je suis en mesure de vous dire qu'il a été donné une suite favorable à votre demande écrite de vérification.

Je vous prie de bien vouloir excuser la méprise de mes collègues lors du calcul des droits d'importation.

J'ai fait le nécessaire pour que le trop-perçu de 35 000 DM soit immédiatement reversé sur votre compte.

Veuillez agréer, Monsieur, l'expression de mes sentiments dévoués.

Votre inspection des douanes

---

7. **e Abrechnung, en** : *comptes (détaillés), décompte.*
8. **einer Eingabe statt/geben, a, e, i** : *donner suite à une requête, demande écrite.*
9. **s Versehen, -** : *méprise, erreur* ; syn. **r Irrtum, ̈-er.**
10. **ich habe veranlaßt, daß** : *j'ai fait le nécessaire pour que* ; **eine Untersuchung veranlassen** : *ordonner une enquête.*
11. **gez. = gezeichnet** : *signé (souvent utilisé dans les lettres administratives).*

Rundschreiben an die gewerblichen [1] Transportunternehmen

Betr. : Carnet-TIR [2]-Verfahren

Presse, Funk und Fernsehen haben wiederholt Informationen verbreitet, die ein falsches Bild über das vereinfachte Zollverfahren im internationalen Straßengüterverkehr vermitteln.

Wir erlauben uns folglich, Sie darauf hinzuweisen, daß bis zur Einführung eines einheitlichen europäischen Binnenmarktes [3] am 1.1.1993 folgende Bestimmungen weiterhin maßgebend [4] sind :

1. Die Verwendung eines « Zollbegleitscheinheftes für den internationalen Straßengüterverkehr » (Carnet-TIR) bleibt weiterhin gültig [4].

2. Die Zollkaution beläuft sich für jedes einzelne Carnet-TIR-Heft auf ... Schw. [5] Franken.

3. Der Anhang 19 der Dienstanweisung [6] zum Zollgesetz bestimmt des weiteren, daß die Waren auf zollsicher eingerichteten LKWs, Hängern [7] oder in Containern [8] befördert werden müssen.

4. Die Fahrzeuge müssen vorne und hinten durch eine rechteckige Tafel, die die Aufschrift TIR trägt, gekennzeichnet sein.

5. Die Waren werden unverzollt [9] als Zollgut mit einem Versandpapier (Muster T1, T2, T3, Carnet-TIR) weiterbefördert [10] und an der Bestimmungszollstelle endgültig verzollt.

Für alle weiteren Auskünfte stehen wir zu Ihrer Verfügung [11].

Oberzollinspektor gez. Franke

---

1. **gewerblich** : *professionnel, lucratif, industriel, commercial.*
2. **TIR** = *transports internationaux routiers.*
3. **r europäische Binnenmarkt** : *le Marché unique européen.*
4. **maßgebend** : *valable* ; syn. gültig.
5. **Schw.** = **Schweizer**.
6. **e Dienstanweisung, en** : *instruction.*

Circulaire adressée aux professionnels du transport

Objet : le carnet TIR (Transports routiers internationaux)

La presse, la radio et la télévision ont diffusé de manière réitérée des informations donnant une image déformée de la procédure douanière simplifiée dans le trafic routier international.

Nous nous permettons d'attirer votre attention sur le fait que les dispositions suivantes prises jusqu'à la mise en place du Marché unique, au 1/1/1993, demeurent en vigueur.

1. L'utilisation d'un « carnet d'accompagnement douanier pour le trafic international routier » (Carnet TIR) continue d'avoir cours.

2. La caution douanière est de ... francs suisses par carnet TIR.

3. L'annexe 19 des instructions relatives à la législation en matière de douane précise par ailleurs que les marchandises doivent être transportées par camions et remorques ou dans des conteneurs conformes à la réglementation en matière de sécurité douanière.

4. Les véhicules doivent être signalés à l'avant et à l'arrière, par une plaque rectangulaire portant l'inscription TIR.

5. Les marchandises sont réexpédiées en douane due et accompagnées d'un bulletin d'expédition (Modèles T1, T2, T3, Carnet TIR) pour être finalement dédouanées au poste douanier du lieu de destination.

Nous restons à votre disposition pour tout renseignement complémentaire.

Inspecteur en Chef : Franke.

---

7. **r Hänger, -** : *remorque* ; syn. **r Anhänger,**
8. **r Container, -** : *conteneur* ; syn. **r Behälter.**
9. **unverzollt** : *non dédouané, douane due.*
10. **weiter-** : indique la continuation de qqch. : **weiter/befördern** : *réexpédier.*
11. **jdm zur Verfügung stehen, a, a** : *être à la disposition de qqun.*

Objet : emballage non conforme

Messieurs,

Selon vos instructions, notre compagnie d'armement maritime a expédié vos marchandises au Maroc. Cependant, nous venons d'apprendre que la réglementation relative aux emballages de marchandises importées a été modifiée depuis peu.

A l'arrivée de la cargaison au port de Rabat, les autorités douanières marocaines ont mis sous scellés les marchandises dont les caisses n'étaient pas conformes aux normes exigées.

Elles ne seront libérées que présentées dans des emballages conformes et après versement des droits de douane habituels.

Nous avons donc procédé à un emballage dans de nouvelles caisses et devons vous aviser que cette opération a entraîné des frais supplémentaires.

Veuillez agréer, Messieurs, ...

Objet : mise en entrepôt sous douane

Messieurs,

Nous avons bien reçu votre téléfax du 12 mars concernant votre ordre n° 9140. Comme nous avons déjà procédé à l'expédition des marchandises, nous avons demandé à notre transitaire de les mettre en entrepôt sous douane.

Bien entendu, nous avons aussitôt entrepris les démarches nécessaires pour obtenir une homologation conforme aux nouvelles normes de sécurité et de qualité en vigueur dans votre pays.

Il va de soi que nous prendrons les frais de manutention supplémentaires à notre charge. En ce qui concerne les frais d'entreposage, nous pensons que les termes du contrat devraient être renégociés en fonction de cette situation nouvelle et en conformité avec la clause 23.

Veuillez agréer, Messieurs, ...

---

1. syn. : **unangemessene, nicht konforme**.
2. syn. : **Ihren Anordnungen gemäß ; gemäß Ihren Anordnungen**.
3. syn. : **befördert, transportiert, verschickt, versandt**.
4. syn. : **nicht mit den ... Normen übereinstimmten**.
5. syn. : **daß ... Zusatzkosten verursacht hat**.
6. syn. : **e zollamtliche Lagerung ; e Lagerung unter Zollverschluß**.
7. syn. : **bezüglich + G**.

Betr. : nicht angemessene [1] Verpackung

Sehr geehrte Herren,

auftragsgemäß [2] hat unsere Reederei Ihre Waren nach Marokko verschifft [3]. Wir haben jedoch soeben erfahren, daß sich die Verpackungsbestimmungen für Waren seit kurzem geändert haben.

Bei der Ankunft der Fracht im Hafen von Rabat haben die marokkanischen Zollbehörden die Waren versiegelt, deren Kisten den gewünschten Normen nicht entsprachen [4].

Die Güter werden erst neuverpackt und nach Begleichung der üblichen Zollgebühren freigegeben.

Wir haben folglich eine Verpackung in sachgemäßen Kisten vorgenommen und müssen Ihnen mitteilen, daß dieser Vorgang mit zusätzlichen Kosten [5] verbunden war.

Mit besten Empfehlungen

Betreff : Zollagerung [6]

Sehr geehrte Herren,

wir haben Ihr Telefax vom 12.März hinsichtlich [7] Ihres Auftrags Nr. 9140 erhalten. Da wir die Waren schon versandt haben, haben wir unseren Transitspediteur [8] gebeten, sie zollamtlich zu lagern [9].

Selbstverständlich haben wir sogleich die nötigen Schritte unternommen, um eine offizielle Anerkennung [10] gemäß den in Ihrem Land gültigen Sicherheits- und Qualitätsnormen zu erhalten.

Natürlich werden wir die zusätzlichen Verladekosten übernehmen [11]. Was die Lagerkosten betrifft, so meinen wir, daß der Vertragstext [12] entsprechend dieser neuen Lage und gemäß der Klausel 23 neu ausgehandelt [13] werden müßte.

Hochachtungsvoll

---

8. syn. : **r Transporthändler, -**.
9. syn. : **unter Zollverschluß (ein)lagern**.
10. syn. : **e (offizielle) Beglaubigung**.
11. syn. : **für die ... Kosten aufkommen**.
12. syn. : **r Vertragsinhalt, r Vertragswortlaut**.
13. syn. : **ausgearbeitet**.

1. Tout paquet envoyé à l'étranger doit comporter une déclaration de douane.
2. La langue internationale de la poste étant le français, vous pouvez indiquer le contenu détaillé en français.
3. La valeur du contenu peut être indiquée dans la monnaie de votre choix.
4. La direction des douanes vous informe des dispositions douanières qui entrent en vigueur à compter du ...
5. J'exige le remboursement des sommes indûment payées.
6. Nous prenons les frais d'entreposage à notre charge.
7. Grâce au Marché unique européen, les formalités douanières vont être supprimées.
8. Les conteneurs doivent être scellés par les services des douanes.
9. Le transitaire se charge de toutes les formalités douanières.
10. Pour toute importation, vous devez présenter un certificat d'origine.
11. Avez-vous quelque chose à déclarer ?
12. Des difficultés lors du dédouanement ont retardé la livraison.

---

1. Jedes für das Ausland bestimmte Paket muß mit einer Zollinhaltserklärung versehen sein (eine ... enthalten).
2. Da die internationale Sprache der Post französisch ist, können Sie den genauen Inhalt auf französisch angeben.
3. Die Wertangabe (Der Wert) des Inhalts kann in der Währung Ihrer Wahl gemacht (vorgenommen) werden.
4. Die Zolldirektion informiert Sie über die Zollverordnungen (...bestimmungen), die ab ... in Kraft treten.
5. Ich verlange die (Zu)rückzahlung der zu Unrecht gezahlten Summen. (Ich fordere die Rückerstattung ...)
6. Wir übernehmen die Lagerkosten (Wir kommen für die ... auf).
7. Dank dem europäischen Binnenmarkt (Dank des ... Binnenmarktes) entfallen die Zollformalitäten.
8. Die Container (Die Behälter) müssen zollamtlich (von den Zollbehörden) versiegelt werden.
9. Der Transithändler kümmert sich um alle Zollformalitäten. (Der Transitspediteur nimmt sich aller Zollformalitäten an.)
10. Für alle Einfuhren (Importe) müssen Sie ein Ursprungszeugnis vorlegen.
11. Haben Sie etwas zu verzollen ?
12. Schwierigkeiten bei der Verzollung haben die Lieferung verzögert (verspätet).

e Ausfuhr, en (r Export, e) : exportation.

aus/führen (exportieren) : exporter.

r Exporteur, e (r Exporthändler, -) : exportateur.

e Einfuhr, en (r Import, e) : importation.

einführen (importieren) : importer.

r Importeur, e (r Importhändler, -) : importateur.

•

r Zoll, ¨e : 1. douane ; 2. droit de douane.

etw verzollen : déclarer qqch.

unverzollt : non dédouané, en franchise de douane, en douane due.

e Zollanmeldung, en : déclaration.

e Gestellung, en : présentation.

e Wertangabe, n : déclaration de valeur.

eine ~ machen : déclarer la valeur.

e Zölle senken (ab/schaffen) : abaisser, supprimer les droits de douane.

ein hoher Zoll liegt auf + D : il y a des droits élevés sur.

•

e Zolldienststelle, n (s Zollamt, ¨er) : bureau de douane, poste douanier.

e Zollabfertigung, en : procédures douanières, dédouanement.

Zollbeamte (r) (adj.) (r Zöllner, -) : douanier.

zollamtlich : par la douane, douanier.

s Zollbegleitscheinheft, e (s Carnet-TIR) : carnet TIR.

e Zollbürgschaft, en : caution douanière.

•

e Zoll(inhalts)erklärung, en : déclaration en douane.

e Zollgebühr, en (r Zoll, ¨e) : droits de douane.

zollpflichtig ≠ zollfrei : soumis à la douane ≠ exonéré de droits de douane.

e Zollkontrolle, n : contrôle douanier.

r Zollort, e (e ~ grenzstelle, n ; r ~ übergang, ¨e) : passage de douane.

r Zollverschluß, ¨sse : plombage, scellement douanier.

r Zollzettel, - : papillon de déclaration douanière.

e Zollquittung, en : quittance de douane.

•

e Zollformalität, en : formalité douanière.

e Zollverwaltung, en (e ~ behörde) : administration des douanes.

s Zollvergehen, - : infraction douanière.

e Zollgesetzgebung, en : législation douanière.

r Zollfahnder, - : inspecteur, enquêteur des douanes.

e Zollfahndung, en : police des douanes, inspection des fraudes.

Waren herein-, heraus/schmuggeln : faire entrer, sortir des marchandises en fraude.

r Schmuggler, - : contrebandier.

schmuggeln : faire de la contrebande.

•

e einheitliche europäische Akte : l'Acte unique européen.

r europäische Binnenmarkt : le Marché unique européen.

r freie Verkehr von Personen, Gütern, Dienstleistungen, Kapital : libre circulation de marchandises, de biens, de services, de capital.

e Harmonisierung der Zölle, der Steuern, der Normen : harmonisation des droits de douane, des impôts, des normes.

A ■ Indiquez des synonymes

1. die Rückerstattung : __
2. zusätzliche Kosten : __
3. der Transitspediteur : __
4. auftragsgemäß : __
5. die Zollverordnungen : __

B ■ Trouvez les formes verbales appropriées

1. Diese Waren werden zollamtlich __.
2. Die Zollkaution __ 200 000 Schw. Franken.
3. Dem Zollamt ist ein Rechenfehler __.
4. An der Bestimmungszollstelle werden die Waren __.
5. Nach Begleichung der Zollgebühren werden die Güter __.

C ■ A chacun sa moitié

1. die Einfuhr-   a) -gebühren
2. das Zoll-   b) -behörde
3. der Straßen-   c) -zölle
4. das Zoll-   d) -güterverkehr
5. die Zoll-   e) -amt
6. die Verlade-   f) -inspektion
7. die Zoll-   g) -gut
8. die Zoll-   h) -kosten

D ■ Trouvez la préposition manquante

1. In Bezugnahme __ Ihr Schreiben __ 6. d.M.
2. Die Geräte sind __ ihrer Verzollung __ den Großhandel geliefert worden.
3. Überweisen Sie bitte die Summe __ 35 000 DM __ unser Konto __ der Kreissparkasse.
4. Wir weisen Sie darauf hin, daß __ __ Einführung eines einheitlichen europäischen Binnenmarktes __ 1.1.1993 folgende Bestimmungen maßgebend sind.
5. Die Waren werden __ LKWs, Hängern oder __ Containern befördert.

E ■ Traduisez

1. Nous vous informons que la caution s'élève à 100 000 Mark.
2. A la frontière, il faut présenter le Carnet-TIR.
3. Les marchandises sont réexpédiées en douane due.
4. Les autorités douanières ont mis une partie des marchandises sous scellés.
5. Le transitaire a mis les magnétoscopes sous douane.

14

Beanstandungen
(Beschwerden - Reklamationen - Mängelrügen)

Réclamations

Le client adresse au fournisseur une réclamation si la marchandise livrée n'est pas conforme, arrive endommagée ou s'il y a erreur sur la quantité livrée.

Le fournisseur vérifie le bien-fondé de la réclamation. Si elle est justifiée, il présente ses excuses et essaie de parvenir à un règlement, soit en reprenant la marchandise, soit en accordant une réduction de prix.

Dans d'autres cas (pertes ou avaries intervenues lors du transport), c'est au transporteur ou à l'assurance d'assumer leur responsabilité.

Client et fournisseur essaient, dans des cas litigieux, de s'arranger à l'amiable. S'ils n'y parviennent pas, ils demandent l'arbitrage d'un expert ou font appel à un tribunal de commerce.

Scénario

Un client demande une réduction de prix sur des livres endommagés à la suite d'un emballage inadéquat.

Une livraison insuffisante de lampes de bureau est constatée par le client. Il en avise le fournisseur.

Un logiciel défectueux entraîne une entreprise à engager des frais supplémentaires. Le fournisseur réagit immédiatement et favorablement à cette réclamation.

Un fabricant de jouets décline toute responsabilité quant à une expédition endommagée et invite son client à se mettre en rapport avec le commissionnaire de transport.

Betreff : Beschädigte [1] Sendung

Sehr geehrte Damen und Herren,

soeben erhielt ich Ihre Büchersendung mit den von mir am 1. November 19.. bestellten Titeln. Leider mußte ich beim Auspacken [2] feststellen, daß ein Großteil der Bücher durch unsachgemäße [3] Verpackung stark beschädigt [1] wurde.

Durch diese Beschädigung entsteht eine Wertminderung [4], die ich auf 30 % ansetze [5]. Um Ihnen die durch den Rückversand entstehenden Kosten zu ersparen, möchte ich Ihnen vorschlagen, mir auf die ausgestellte Rechnung einen entsprechenden Preisnachlaß [6] zu gewähren.

Sollten Sie mit meinem Vorschlag einverstanden sein, so möchte ich Sie bitten, mir eine neue Rechnung auszustellen. In Erwartung Ihrer Antwort verbleibe ich

mit freundlichem Gruß

Betr. : Minderlieferung [7]

Sehr geehrte Herren,

am 1.10.19.. hatten wir bei Ihnen 150 Bürolampen vom Typ LUMEN bestellt. Am 15. d.M. sind uns lediglich 100 Lampen zugestellt worden.

Anscheinend ist Ihnen bei der Rechnungsausstellung ein Irrtum [8] unterlaufen. Sie haben uns nämlich 150 und nicht 100 Lampen berechnet. Wir ließen uns die Minderlieferung [7] von 50 Lampen von Ihrem Spediteur bestätigen. Eine Kopie seiner Bestätigung legen wir bei.

Wir haben folglich Ihre Rechnung um den Wert der fehlenden Lampen gekürzt und senden Ihnen für den Restbetrag [9] einen Scheck über ... zu.

Mit freundlichen Grüßen

---

1. **beschädigen** : *endommager* ; e Beschädigung, en : *endommagement, dégât.*
2. **beim Auspacken der Ware** : *lors du déballage de la marchandise* ; eine Ware aus/packen ≠ ein/packen : *déballer ≠ emballer une marchandise.*
3. **unsachgemäße Verpackung** : *emballage incorrect* ; contr. **sachgemäße Verpackung** : *emballage adéquat, correct.*
4. **e Wertminderung, en** : *diminution de la valeur, dévalorisation, moins-value.*
5. **ich setze ... auf 30 % an** : *j'évalue (j'estime) à 30 %* ; syn. ich schätze auf ... 30 %.

Objet : livraison endommagée

Messieurs,

Je viens de recevoir l'envoi des livres que je vous avais commandés le 1er novembre dernier. En les déballant, j'ai malheureusement dû constater qu'une grande partie des ouvrages avait été sérieusement endommagée par suite d'un emballage inadéquat.

Il en résulte pour moi une moins-value que j'estime à 30 %. Pour vous éviter les frais qu'occasionnerait un retour, je vous propose de m'accorder une remise équivalente sur le montant de la facture que vous avez établie.

Au cas où cette proposition vous agréerait, je vous prierais de bien vouloir m'établir une nouvelle facture.

Dans l'attente de votre réponse, je vous prie de croire, Messieurs, à l'expression de mes salutations distinguées.

Objet : livraison insuffisante

Messieurs,

Nous vous avions passé commande, le 1er octobre dernier, de 150 lampes de bureau de type LUMEN. Au 15 de ce mois, 100 lampes seulement nous ont été livrées.

Il semblerait qu'une erreur se soit glissée chez vous dans l'établissement de la facture. Vous nous avez en effet facturé 150 lampes, et non pas 100. Nous avons fait confirmer la non-livraison de 50 lampes par votre commissionnaire de transport. Nous vous adressons ci-joint copie du constat.

En conséquence, nous avons défalqué la valeur des lampes manquantes du montant de la facture et vous adressons un chèque de ... représentant le solde.

Veuillez agréer, Messieurs, l'expression de nos cordiales salutations.

---

6. **r Preisnachlaß, ⁼sse** : *remise, réduction* ; syn. e Preisermäßi-gung, en ; r Rabatt, e.
7. **e Minderlieferung, en** : *livraison insuffisante* ; retenez d'autres composés avec Minder- : r Minderbetrag : *déficit* ; s Mindergewicht : *manque de poids, poids insuffisant.*
8. **Ihnen ist (es ist Ihnen) ein Irrtum unterlaufen** = Sie haben einen Irrtum begangen : *vous avez commis une erreur.*
9. **r Restbetrag, ⁼e** : *somme restante, solde.*

Betreff : fehlerhaftes [1] EDV-Programm

Sehr geehrter Herr Friedrich,

wir hatten Ihre Firma damit beauftragt, ein leistungsstärkeres EDV-Programm für unsere Betriebsbuchhaltung [2] auszuarbeiten.

Das von Ihnen erstellte Programm [3] enthielt jedoch zahlreiche Fehlerquellen. So wurden u.a. [4] ausstehende Rechnungen nicht wie vorgesehen angemahnt [5], sondern von unserem Geschäftskonto abgebucht [6].

Wir sahen uns folglich gezwungen, alle Geschäftsvorgänge [7] der Betriebsbuchführung [2] in herkömmlicher Weise abzuwickeln. Dadurch sind uns zusätzliche Kosten [8] in Höhe von ... entstanden. Wir möchten Sie bitten, umgehend die Fehler in dem Programm zu beheben [9], damit wir die Lohn- und Gehaltsabrechnungen zum Ende des Monats mit unserer EDV-Anlage durchführen können.

In Erwartung Ihrer Antwort verbleiben wir

mit freundlichen Grüßen

Betr. : Ihre Beanstandung [10] vom 23.10.19..

Sehr geehrter Herr Röhmer,

es tut uns außerordentlich leid, daß unser EDV-Programm zu Beanstandungen Anlaß [11] gegeben hat. Ein Ersatzprogramm wird Ihnen sofort zugestellt werden.

Für die entstandenen Mehrkosten [8] wird unsere Versicherung aufkommen [12].

Wir hoffen, die Angelegenheit [13] zu Ihrer vollen Zufriedenheit erledigt zu haben, und bitten Sie, uns auch in Zukunft wieder Ihr Vertrauen zu schenken.

Mit besten Empfehlungen

---

1. **fehlerhaft** : *défectueux* ; syn. **defekt**.
2. **e Buchhaltung, en = e Buchführung, en** : *comptabilité, services comptables* ; **r Buchhalter, - = r Buchführer, -** : *comptable*.
3. **ein Programm erstellen = ein Programm aus/arbeiten** : *élaborer, concevoir un programme.*
4. **u.a. (unter anderem / unter anderen)** : *entre autres.*
5. **an/mahnen** : *rappeler, réclamer.*
6. **(eine Summe) von einem Konto ab/buchen** : *débiter une somme d'un compte.*
7. **Geschäftsvorgänge ab/wickeln** : (ici) *effectuer des opérations, transactions.*

Objet : logiciel défectueux

Monsieur,

Nous avons chargé votre maison d'élaborer un logiciel plus performant à l'intention de nos services comptables.

Le programme que vous avez conçu pour nous comportait cependant de nombreuses sources d'erreurs. Ainsi, les factures non payées n'ont-elles pas fait l'objet d'un rappel, comme cela était prévu, mais ont été débitées de notre compte.

Nous nous sommes vus contraints d'effectuer toutes les opérations comptables en recourant aux techniques traditionnelles. Il en a résulté pour nous des frais supplémentaires d'un montant de ... Nous vous prions de bien vouloir remédier aux défauts de votre programme dans les plus brefs délais afin que nous puissions établir les traitements et salaires avec notre système informatique.

Dans l'attente de votre réponse, nous vous prions d'agréer...

Objet : votre réclamation du 23/10/19..

Monsieur,

Nous sommes extrêmement désolés que notre logiciel ait donné lieu à réclamation. Nous vous faisons parvenir sur-le-champ un programme de remplacement.

Notre assurance prendra à sa charge les frais supplémentaires qui en ont résulté pour vous.

Nous espérons avoir réglé cette affaire à votre entière satisfaction et vous prions de continuer, à l'avenir, de nous honorer de votre confiance.

Veuillez agréer, Monsieur, l'expression de nos sentiments très dévoués.

---

8. **zusätzliche Kosten = Mehrkosten / Zusatzkosten** : *coûts supplémentaires, frais en plus.*
9. **einen Fehler beheben, o, o** : *réparer une faute.*
10. **e Beanstandung, en** : *réclamation* ; syn. **e Beschwerde** ; **e Reklamation** ; **e Mängelrüge**.
11. **Anlaß geben, a, e, i zu + D** : *donner lieu à.*
12. **auf/kommen, a, o (ist) für (Mehrkosten / Schäden / Schulden)** : *prendre en charge, payer, répondre de (coûts supplémentaires, dommages, dettes).*
13. **eine Angelegenheit erledigen** : *régler une affaire, un cas, un problème.*

Objet : votre bon de livraison n° 45/92

Messieurs,

Nous avons reçu, ce jour, les marchandises commandées le 25/08/19.. Nous sommes malheureusement obligés de constater qu'une erreur a été commise de votre part : nous avions commandé 1 000 tiroirs de référence AB 300 et nous avons reçu des tiroirs portant la référence de commande AB 400.

Nous vous prions donc de bien vouloir nous adresser, dès réception de ce courrier, et par exprès, les articles que nous avions commandés. Nous tenons les colis de tiroirs non conformes à votre disposition ; ils pourront être remis au transporteur qui effectuera la prochaine livraison.

Comptant sur une prompte exécution de notre commande, nous vous prions de croire, Messieurs, à l'expression...

Objet : votre réclamation du 25/11/19..

Messieurs,

En réponse à votre lettre du 25 novembre, nous nous permettons de vous rappeler que notre livraison de jouets a été effectuée dans un emballage irréprochable.

Nous déclinons de ce fait toute responsabilité pour les dégâts que vous nous signalez. Nous vous conseillons de vous adresser au commissionnaire de transport qui vous dédommagera sans aucun doute.

Dans le cas contraire, vous pouvez demander une expertise et porter l'affaire devant le tribunal compétent.

Dans l'espoir que ce fâcheux incident ne portera pas préjudice à nos relations commerciales, nous vous assurons, Messieurs, de nos sentiments très dévoués.

---

1. Variante : **Die am 15.08.19.. georderten Waren sind uns heute zugestellt worden**.
2. Variante : **daß Sie einen Irrtum begangen haben**.
3. Variante : **sofort, unmittelbar, unverzüglich**.
4. Variante : **als Expreßgut**.
5. Variante : **stehen Ihnen zur Verfügung** ; *mettre qqch. à la disposition de qqun* ; jdm etw zur Verfügung stellen.
6. **r Spediteur, e** : *transporteur* ; syn. e Speditionsfirma, -men.
7. Variante : **möchten wir Sie darauf aufmerksam machen, daß**.

Betr. : Ihr Lieferschein Nr. 45/92

Sehr geehrte Herren,

wir haben heute die am 15.08.19.. bestellten Waren erhalten [1]. Wir müssen leider feststellen, daß Ihnen ein Irrtum [2] unterlaufen ist : wir hatten 1 000 Schubläden mit der Bestellnummer AB 300 geordert und erhalten Schubläden mit der Bestellnummer AB 400.

Wir möchten Sie deshalb bitten, uns umgehend [3] die von uns bestellten Artikel als Eilgut [4] zuzuschicken. Die Pakete mit den nicht entsprechenden Schubläden stehen zu Ihrer Verfügung [5] und können dem Spediteur [6] übergeben werden, der die nächste Lieferung ausführen wird.

Wir rechnen mit schneller Ausführung unserer Bestellung und verbleiben

mit freundlichem Gruß

Betreff : Ihre Reklamation vom 25/11/19..

Sehr geehrte Herren,

in Beantwortung Ihres Schreibens vom 25. November erlauben wir uns, Sie daran zu erinnern [7], daß der Versand unserer Spielwaren in einwandfreier [8] Verpackung ausgeführt wurde. Deshalb können wir nicht die Verantwortung für die von Ihnen erwähnten Schäden übernehmen [9]. Wir raten Ihnen, sich an den Spediteur zu wenden, der Sie sicherlich entschädigen wird. Im entgegengesetzten Fall können Sie ein Gutachten [10] anfordern und die Sache dem zuständigen [11] Gericht übergeben.

In der Hoffnung, daß dieser leidige Zwischenfall unsere Geschäftsverbindungen nicht beeinträchtigen [12] wird, verbleiben wir

hochachtungsvoll

---

8. Variante : **in sachgemäßer Verpackung**.

9. Variante : **Folglich können wir für die von Ihnen angegebenen Schäden nicht haften**.

10. **s Gutachten, -** : *expertise* ; syn. e Expertise, n.

11. **zuständig (für + A)** *compétent (pour, en matière de)* ; e Zuständigkeit, en : *compétence*.

12. Variante : **negativ beeinflussen + A, sich nachhaltig aus/ wirken auf + A**.

1. La cliente a retourné les marchandises endommagées à la maison de vente par correspondance.
2. L'envoi n'est malheureusement pas conforme à notre commande.
3. Une partie de la marchandise a été endommagée en raison d'un emballage insuffisant.
4. Nous vous demandons de remplacer gratuitement les articles défectueux.
5. Votre réclamation n'est pas justifiée ; nous la rejetons.
6. Nous sommes disposés à conserver les pièces endommagées...
7. ... si vous nous accordez une remise de 30 %.
8. Veuillez retourner les marchandises à nos frais.
9. Nous regrettons de ne pas pouvoir reprendre la marchandise.
10. Dans le cas présent, nous déclinons toute responsabilité pour le sinistre.
11. Cet article ne sera ni repris ni échangé.
12. Vous pouvez demander une expertise.

---

1. **Die Kundin hat die beschädigten Waren an das Versandhaus (Versandgeschäft) zurückgeschickt.**
2. **Leider entspricht die Sendung nicht unserer Bestellung (unserem Auftrag).**
3. **Ein Teil der Waren wurde wegen (aufgrund) mangelhafter (ungenügender) Verpackung beschädigt.**
4. **Wir bitten Sie um kostenlosen Ersatz der defekten Artikel (der fehlerhaften Waren).**
5. **Ihre Beschwerde (Beanstandung / Mängelrüge / Reklamation) ist unberechtigt ; wir weisen sie zurück.**
6. **Wir sind bereit, die beschädigten Stücke zu behalten, ...**
7. **... wenn Sie uns eine 30 %ige Preisermäßigung (einen Preisnachlaß / Rabatt von 30 %) gewähren.**
8. **Bitte senden (schicken) Sie die Waren auf unsere Kosten zurück.**
9. **Wir bedauern, die Ware nicht zurücknehmen zu können (daß wir ... nicht zurücknehmen können).**
10. **In diesem Fall übernehmen wir nicht die Verantwortung (Haftung) für den Schaden.**
11. **Dieser Artikel ist vom Umtausch ausgeschlossen.**
12. **Sie können ein Gutachten anfordern (eine Expertise verlangen).**

e Beschwerde, n (e Beanstandung, en ; e Mängelrüge, n ; e Reklamation) : réclamation, plainte.

e ~ ist berechtigt ≠ unberechtigt : la réclamation est justifiée ≠ non justifiée.

sich bei jdm beschweren : se plaindre auprès de qqun.

beanstanden : faire une réclamation, contester.

•

r Mangel, ¨ (r Fehler, -) : défaut, vice.

technische ~¨ : défauts techniques.

~¨ beheben, o, o : réparer des défauts, remédier à des défauts.

mangelhaft sein : être défectueux.

r Schaden, ¨ : dégât, dommage, sinistre.

finanzieller ~ : dommage financier.

materieller ~ : dommage matériel.

~¨ verursachen : causer des dégâts.

e Beschädigung, en : endommagement, dégât.

beschädigen : endommager.

beschädigt sein : être endommagé.

•

e Preisermäßigung, en (r Preisnachlaß, ¨sse ; r Rabatt, e) : réduction, remise.

eine ~ gewähren : accorder une remise, une réduction.

•

e Verpackung, en : emballage, conditionnement.

mangelhafte (ungenügende) ~ : emballage insuffisant.

sachgemäße ≠ unsachgemäße ~ : emballage correct ≠ incorrect.

verpacken : emballer, conditionner.

vorschriftsmäßig ~ : faire un emballage réglementaire.

•

r Ersatz, ∅ : remplacement, substitution.

um ~ bitten, a, e : demander le remplacement.

Waren ersetzen, um/tauschen : remplacer, échanger des marchandises.

r Umtausch, ∅ : échange.

vom ~ ausgeschlossen : ni repris ni échangé.

einen Artikel um/tauschen : échanger un article.

e Zurücknahme, n : reprise.

~ von fehlerhaften (defekten) Waren : reprise des marchandises défectueuses.

einen Artikel zurück/nehmen, a, o, i : reprendre un article.

fehlerfreie (einwandfreie) Waren liefern : livrer des marchandises sans défaut (impeccables).

•

e Mehrkosten (Zusatzkosten, zusätzliche Kosten) : coûts supplémentaires, frais en plus.

~ verursachen : entraîner des coûts supplémentaires.

•

r Irrtum, ¨er : erreur.

hier liegt ein ~ vor : il s'agit d'une erreur.

wir haben einen ~ begangen (uns ist ein ~ unterlaufen) : nous avons commis une erreur.

Exercices

A ■ Trouvez des synonymes

1. Beanstandung : __
2. der Preisnachlaß : __
3. die zusätzlichen Kosten : __
4. die Buchhaltung : __
5. als Eilgut : __

B ■ Trouvez des antonymes pour les mots soulignés

1. fehlerfreies Programm : __
2. sachgemäße Verpackung : __
3. Waren auspacken : __
4. leistungsstarkes EDV-Programm : __
5. einen Fehler verursachen : __

C ■ Comblez les blancs

1. Leider mußte ich __, daß ein Groß__ der Buch__ stark __ wurde.
2. Durch dies__ Beschädigung __ eine Wert__ von 30 %.
3. Anscheinend __ Ihnen bei der Rechnungs__ ein Irrtum __.
4. Wir ließen uns die __lieferung von __ Spediteur __.
5. Ich sah mich __, alle Geschäfts__ in __ Weise __.

D ■ Définissez les termes suivants

1. die Wertminderung : __
2. die Mindestlieferung : __
3. der Spediteur : __
4. das Versandhaus : __
5. die Buchhaltung : __

E ■ Traduisez

1. Nous sommes convaincus que notre réclamation est justifiée.
2. Nous vous prions de remédier, sans tarder, à ces défauts techniques.
3. Un emballage insuffisant a entraîné des dégâts importants.
4. Nous ne pouvons malheureusement pas reprendre ces articles.
5. Nous vous demandons de remplacer gratuitement les articles défectueux.

15

Versicherung und Garantie

Assurances et garantie

Moyennant une prime, les compagnies d'assurances couvrent les risques (pertes, dommages, sinistres, etc.). La police est un document qui fixe les conditions générales d'un contrat d'assurance. Il précise les obligations des assureurs et les droits des assurés.

La garantie est l'engagement pris par le fabricant ou le vendeur de prendre à sa charge les frais de réparation résultant d'un vice de fabrication.

Scénario

Une compagnie d'assurance propose de nouveaux services à sa clientèle. L'assurance responsabilité civile des fabricants est devenue obligatoire et entraîne des risques accrus pouvant occasionner des frais importants au producteur.

Un assureur relance l'un de ses assurés en raison d'un retard intervenu dans le paiement de ses primes.

A la suite d'un sinistre, un expert se rendra sur place pour inspecter les dégâts.

Un fabricant de stylos haut de gamme se montre généreux vis-à-vis d'un client dans l'interprétation de la garantie, une façon comme une autre de soigner son image de marque.

Betreff : Herstellerhaftpflichtversicherung [1]

Sehr geehrter Herr Kolz,

die GERLING-Versicherungsgesellschaft [2] gestattet sich, Sie als mittelständischen Betrieb auf ein neues Angebot hinzuweisen, das wir Ihnen in diesem Schreiben kurz erläutern möchten :

Nach dem Herstellerhaftpflichtgesetz [3] kann der Verbraucher gegenüber allen produzierenden Unternehmen und Vertragshändlern im Schadensfall [4] seine Ansprüche [5] geltend machen.

Daraus ergeben sich für Sie als Hersteller erhöhte Risiken, die wir in unserem Versicherungsangebot abdecken. Die Prämien [6] sind individuell auf die verschiedenen Unternehmen zugeschnitten und werden von uns je nach Höhe des Deckungsgrads berechnet.

Sollten Sie am Abschluß einer Generalpolice [7] interessiert sein, so werden wir Ihnen umgehend ein Antragsformular zukommen lassen.

Bitte setzen Sie sich mit unserem örtlichen Vertreter, Herrn A. Sekuranz, der Sie schon seit Jahren betreut, in Verbindung. Er wird Sie unverbindlich beraten.

In der Hoffnung, Ihnen mit diesen Hinweisen gedient zu haben, verbleiben wir

mit freundlichen Grüßen

Sehr geehrter Herr Sekuranz,

wir haben Ihr Versicherungsangebot dankend erhalten und möchten Sie bitten, uns umgehend Ihre Prämientarife zuzusenden. Sollten Sie unseren Erwartungen entsprechen, so würden wir gern mit Ihnen zusammenarbeiten.

Teilen Sie uns auch bitte mit, ob Sie Transportversicherungen übernehmen. Welches sind beispielsweise Ihre Prämiensätze für Sendungen ab Werk nach Frankreich ?

Am Abschluß einer Generalpolice sind wir natürlich interessiert und danken Ihnen im voraus für die Zusendung der gewünschten Prämienunterlagen [8].

Mit freundlichem Gruß

---

1. **e Haftpflicht** : *responsabilité civile* (obligation de réparer les dommages que l'on a causés à autrui).
2. syn. **r Versicherungsträger, der Versicherungsgeber.**
3. Loi en vigueur depuis 1988.
4. **r Schadensfall, ¨e** : *sinistre, dommage* ; syn. r Schaden, ¨.
5. **seine Ansprüche geltend machen** : *faire valoir ses droits.*

Objet : assurance responsabilité civile des fabricants

Monsieur,

La compagnie d'assurance GERLING se permet d'attirer l'attention de la moyenne entreprise que vous êtes sur notre offre nouvelle que nous souhaiterions vous commenter brièvement dans ce courrier.

Aux termes de la loi sur la responsabilité civile des fabricants, le consommateur peut faire valoir ses droits en cas de dommage.

Il en résulte pour vous, fabricant, des risques accrus que nous couvrons dans notre nouvelle proposition de contrat. Les primes sont établies individuellement, à la mesure de chaque entreprise et calculés par nos soins en fonction de la couverture souscrite.

Au cas où vous désireriez souscrire une police générale, nous vous adresserons un formulaire d'inscription par retour du courrier.

Nous vous prions de vous mettre en rapport avec notre représentant local, M. A. Sekuranz, qui s'occupe déjà de vos intérêts depuis des années. Il vous renseignera sans aucun engagement de votre part.

En espérant que ces indications vous auront été utiles, nous vous prions d'agréer, Monsieur, l'expression de nos sentiments très dévoués.

Monsieur,

Nous avons bien reçu votre proposition d'assurance et vous en remercions. Veuillez nous adresser vos tarifs de primes dans les plus brefs délais. S'ils correspondaient à notre attente, nous nous ferions un plaisir de collaborer avec vous.

Faites-nous également savoir si vous vous chargez d'assurance-transport. Quels sont, à titre d'exemple, vos taux de primes pour des expéditions départ usine à destination de la France ?

La signature d'une police générale nous intéresse et nous vous remercions à l'avance de l'envoi de la documentation souhaitée.

Veuillez agréer, ...

---

6. **e Prämie, n** : *prime* (somme que l'assuré doit verser à sa compagnie d'assurance).
7. **e Police, n** : *police* (document fixant les conditions générales d'un contrat d'assurance).
8. **die Unterlagen** (surtout plur.) : *documents, documentation, pièces justificatives.*

Aachener-Münchener Lebensversicherung AG

Betreff : Verzug bei der Überweisung Ihrer letzten Jahresprämie

Sehr geehrter Kunde,

es war uns nicht leicht, Ihre Überweisung richtig weiterzuleiten. Entnehmen [1] Sie bitte dem angekreuzten Text, worauf dies zurückzuführen war.

Sie hatten leider

☐ keine Versicherungsnummer [2].

☐ eine falsche Versicherungsnummer.

☐ eine unvollständige Versicherungsnummer angegeben.

Bitte geben Sie künftig die vollständige Versicherungsnummer an.

Ihre Überweisung

☒ ging an unsere Filialdirektion ; wir erhielten sie deshalb erst auf Umwegen.

☐ wurde einem unserer Konten gutgeschrieben [3], das nicht für Prämienüberweisungen bestimmt ist.

Bitte überweisen Sie uns künftig die Prämien nur auf eines unserer unten angegebenen Konten für Ihre Prämienüberweisung. Falls ein Dauerauftrag [4] besteht, lassen Sie ihn bitte auf eines dieser Konten ändern.

Sicherlich sind Sie ebenso wie wir daran interessiert, daß Ihre Zahlungen unverzüglich Ihrem Prämienkonto gutgeschrieben werden. Wir bitten deshalb um Ihre Unterstützung.

Mit freundlichen Grüßen

Anlage : Einzugsermächtigung

Betr. Ihr Schadensfall vom 13.03.19.. Nr. 1940

wir haben uns Ihren Schadensfall vom 13.03.19.. notiert und ihn an unsere Direktion weitergeleitet. Sie wird sich direkt mit Ihnen in Verbindung setzen.

Unser Sachverständiger [5] wird sich an Ort und Stelle begeben, um die Schäden zu inspizieren und zu ermitteln, wer dafür die mögliche Verantwortung zu tragen hat.

Senden Sie uns bitte beiliegende Versicherungsformulare zurück, nachdem Sie die angekreuzten Fragen beantwortet haben.

Geben Sie bitte bei jedem Schreiben obige Nummer an.

Hochachtungsvoll

---

1. (m. à m.) Vous déduirez de ce texte marqué d'une croix, à quoi cela est dû.

2. **e Versicherungsnummer, -** : *numéro d'assurance* ; attention au **s** intercalaire dans tous les mots composés de **Versicherung** : e Versicherungsgesellschaft : *compagnie d'assurance* ; r Versicherungsnehmer, - : *assuré.*

Assurance-vie Aix-la-Chapelle, Munich, S.A.

Objet : retard de paiement de votre dernière prime annuelle

Cher client,

Il nous a été difficile d'acheminer correctement votre virement. Le texte ci-contre marqué d'une croix vous en indiquera la raison.

☐ Vous n'aviez malheureusement pas de numéro d'assurance.
☐ Votre numéro était inexact.
☐ Vous avez indiqué un numéro incomplet.

Veuillez à l'avenir nous indiquer votre numéro complet.

Votre virement
☒ est parvenu à la direction de notre filiale ; de ce fait, il ne nous est parvenu qu'après maints détours :
☐ a été crédité sur un compte non destiné à encaisser des primes.

Pour le virement de vos primes, veuillez ne virer les prochaines que sur l'un de nos comptes mentionnés ci-dessous ; en cas de prélèvement automatique, faites-le modifier au profit de l'un de ces comptes.

Il est de votre intérêt comme du nôtre que les versements soient immédiatement crédités à votre compte de primes ; c'est la raison pour laquelle nous sollicitons votre soutien.

Veuillez agréer l'expression de nos sentiments dévoués.

Pièce jointe : une autorisation de prélèvement automatique (un T.U.P.)

Objet : votre sinistre du 13/03/19..   N° 1940

Nous avons enregistré votre sinistre du 13/03/19.. et l'avons transmis à notre direction. Elle se mettra directement en rapport avec vous.

Notre expert se rendra sur place pour inspecter les dégâts et établir les responsabilités éventuelles.

Veuillez nous retourner les formulaires ci-joints après avoir répondu aux questions marquées d'une croix.

N'oubliez pas de rappeler vos références ci-dessus dans toute correspondance.

Avec nos sentiments dévoués.

---

3. **gut/schreiben, ie, ie + D** : *créditer* ; eine Überweisung einem Konto ~ : *créditer un compte d'un virement* ; contr. **von einem Konto ab/buchen** : *un Konto belasten.*
4. **r Dauerauftrag, ¨e** : *prélèvement automatique, d'office* ; **einen ~ erteilen** : *donner un ordre de prélèvement automatique.*
5. **Sachverständige(r)** (adj.) : *expert.*

Objet : réparation de votre stylo

Cher Monsieur Laurent,

En réponse à votre lettre du 15 courant, nous nous permettons de vous rappeler les conditions générales de garantie qui sont les mêmes pour tous les articles sortant de nos usines.

1. Les stylographes ELITE sont fabriqués avec le plus grand soin et assemblés à la main. Ils sont soumis à un contrôle permanent à tous les stades de fabrication et nous attachons la plus grande importance à leur finition. De ce fait, qualité et fiabilité sont garanties.

2. Chaque plume de stylo ELITE est polie et finie à la main. La durée de garantie couvrant des défauts éventuels de fabrication est d'un an, à compter de la date d'achat, pièces et main-d'œuvre comprises.

En ce qui concerne le retour de votre stylo, nous sommes au regret de vous informer que le délai de garantie est expiré depuis 3 mois. Par ailleurs, nos techniciens ont examiné la plume et constaté qu'elle avait été endommagée à la suite d'une erreur de manipulation de votre part.

Pour vous être agréable, nous vous proposons toutefois de prendre les frais de réparation à notre charge, le remplacement de la plume or demeurant à la vôtre, à savoir 320 F TTC.

Nous vous serions reconnaissants de nous faire savoir par retour du courrier si ces conditions vous agréent.

Dans l'attente de vous lire, nous vous prions d'agréer, cher Monsieur Laurent, nos sentiments très dévoués.

La direction

Madame, Monsieur,

En réponse à votre courrier du 27/2/19.., je vous fais part de mon accord avec votre proposition.

Je vous retourne ci-joint le devis dûment signé et accepté et vous remercie encore de la qualité de votre service.

Veuillez agréer, Madame, Monsieur, l'expression...

---

1. syn. : **r Füllfederhalter, -**.
2. syn. (ici) : **e Schreibgeräte** (plur.).
3. syn. : **sie unterliegen einer strengen Kontrolle**.
4. syn. : **e Garantiefrist, en**.
5. syn. : **vom Kaufdatum an (ab)**.
6. syn. : **angeht**.
7. syn. : **nicht mehr gültig ist**.

Betr. : Reparatur eines Füllers [1]

Sehr geehrter Herr Laurent,

in Antwort auf Ihr Schreiben vom 15. d.M. erlauben wir uns, Sie an die allgemeinen Garantiebedingungen zu erinnern, die für alle Artikel [2] aus unserem Werk gleich sind.

1. Die Schreibgeräte ELITE werden mit größter Sorgfalt hergestellt und von Hand zusammengesetzt. Sie werden auf allen Fabrikationsstufen einer strengen Kontrolle unterworfen [3], und wir legen den größten Wert auf ihre Verarbeitung. Dadurch werden Qualität und Zuverlässigkeit garantiert.

2. Jeder ELITE-Füllfederhalter ist handpoliert und handverarbeitet. Die Garantiezeit [4] bei eventuellen Materialfehlern beträgt ein Jahr ab [5] Kaufdatum, Material- und Arbeitskosten inbegriffen.

Was die Rücksendung Ihres Füllers betrifft [6], müssen wir Ihnen leider mitteilen, daß die Garantie seit drei Monaten abgelaufen [7] ist. Außerdem haben unsere Techniker die Feder untersucht und festgestellt, daß [8] Sie sie infolge unsachgemäßer Behandlung beschädigt haben.

Um Ihnen entgegenzukommen, schlagen wir Ihnen jedoch vor, die Reparaturkosten zu übernehmen, das Ersetzen der Goldfeder geht zu Ihren Lasten, d.h. 320 F, Steuern und Abgaben inbegriffen [9].

Wir wären Ihnen dankbar [10], wenn Sie uns postwendend Ihr Einverständnis mit diesen Bedingungen geben würden.

In der Erwartung [11], von Ihnen bald zu hören, verbleiben wir mit besten Empfehlungen

Sehr geehrte Damen und Herren,

in Beantwortung Ihres Schreibens vom 27.02.19.. erkläre ich mich mit Ihrem Vorschlag einverstanden [12].

Beiliegend sende ich Ihnen den unterzeichneten Kostenvoranschlag zurück und danke Ihnen herzlichst für die Qualität Ihres Service [13].

Hochachtungsvoll

8. syn. : **daß sie infolge ... beschädigt worden ist**.
9. syn. : **inklusive aller Steuern und Abgaben**.
10. syn. : **wir wären Ihnen zu Dank verpflichtet, wenn ...**
11. syn. : **In der Hoffnung, ...**
12. syn. : **... gebe ich mein Einverständnis zu Ihrem Vorschlag**.
13. syn. : **der Kundendienst, r Dienst am Kunden**.

1. Avez-vous déjà déclaré le sinistre à l'assurance ?
2. J'ai assuré ma voiture tous risques / au tiers.
3. Etes-vous également assuré contre le vol et l'incendie ?
4. Notre assurance expire le 31 août : nous devons la faire prolonger rapidement.
5. La somme assurée couvre 70 % du sinistre.
6. La prime annuelle viendra à échéance le 1er janvier.
7. Aux termes du contrat, je dois verser les primes avec ponctualité.
8. Quel est le rôle de la responsabilité civile ?
9. Nous avons souscrit une assurance-vie.
10. N'oubliez pas de résilier votre contrat à temps.
11. Nous garantissons cet appareil, pendant trois ans, contre tout défaut de fabrication.
12. Conservez le bon d'achat, il vous servira de garantie.

---

1. **Haben Sie schon der Versicherung den Schaden (Schadensfall) gemeldet ?**
2. **Ich habe meinen Wagen Vollkasko/Teilkasko versichert.**
3. **Sind Sie auch gegen Feuer und Diebstahl versichert ?**
4. **Am 31. August ist unsere Versicherung abgelaufen ; wir müssen sie schnell erneuern.**
5. **Die Versicherungssumme deckt den Schaden (Schadensfall) zu 70 %.**
6. **Die Jahresprämie ist am 1. Januar fällig.**
7. **Laut Vertrag (Vertragsgemäß) muß ich die Prämien pünktlich zahlen.**
8. **Welche Rolle spielt die Haftpflichtversicherung ?**
9. **Wir haben eine Lebensversicherung abgeschlossen.**
10. **Vergessen Sie nicht, Ihren Vertrag rechtzeitig zu kündigen.**
11. **Wir garantieren dieses Gerät (diesen Apparat) drei Jahre lang gegen jeden (jeglichen) Fabrikationsfehler.**
12. **Heben Sie den Kassenzettel (den Kassenbon, den Beleg) auf, er dient Ihnen als Garantie.**

e Versicherung, en : assurance.
eine ~ ab/schließen, o, o : souscrire une assurance.
e Versicherungspolice, n : police d'assurance.
r Versicherungsgeber, - (r ~träger ; e ~gesellschaft) : compagnie d'assurances.
r Versicherungsnehmer ; Versicherte(r) (adj.) : assuré.
s Versicherungswesen, ∅ : les assurances.

•

s Risiko, -ken : risque.
sich gegen ein Risiko ab/decken : se couvrir (se prémunir) contre un risque.
sich gegen einen Schaden versichern : s'assurer contre un dommage.
der Schaden, ¨ : sinistre, dommage.
r Schadensfall, ¨e : sinistre.
einen ~ melden : déclarer un sinistre.
gegen etw abgedeckt sein : être couvert.
e Deckung, en : couverture.

•

e Arbeitslosen-, Diebstahl-, Feuer-, Rechtsschutz-, Unfallversicherung : assurance chômage, contre le vol, incendie, recours, accident.
e Lebensversicherung : assurance-vie.
e Haftpflichtversicherung : responsabilité civile.
e Kraftfahrzeugversicherung : assurance automobile.
e Voll-, Teilkaskoversicherung : assurance tous risques, au tiers.

•

r Versicherungswert, e : valeur assurée.

e Zusatzgarantie : garantie complémentaire.
einen Versicherungsanspruch geltend machen : faire valoir ses droits (relevant d'un contrat).
r Versicherungsvertrag, ¨e : contrat d'assurances.
e Police, n : police.

•

e Prämie, n : prime.
e ~ ist fällig : la prime arrive à échéance.
e ~n erhöhen : relever les primes.
e Sozialversicherung : la Sécurité sociale.
r Sozialversicherungsbeitrag, ¨e : les cotisations à la Sécu.

•

haften für + A : avoir la responsabilité de, répondre de.
e Haftung, en : responsabilité (juridique).
keine ~ übernehmen, a, o, i : décliner toute responsabilité.

•

e Garantie, n : garantie.
eine ~ übernehmen : garantir.
die ~ auf (für) das Gerät ist abgelaufen : la garantie de l'appareil est expirée.
die Garantiezeit für diese Uhr beträgt ein Jahr : la montre est garantie pendant 1 an.
die Reparatur fällt noch unter die ~ : la réparation est couverte par la garantie.
r Garantieanspruch, ¨e : droit de garantie.
r Garantieschein, e : bon de garantie.
e Garantiezeit, en (e Garantiefrist, en) : délai de garantie.
garantieren : garantir.

A ■ Trouvez la préposition adéquate

1. Wir möchten Sie __ mittelständischen Betrieb __ ein neues Angebot hinweisen.
2. __ dem Herstellerhaftpflichtgesetz kann der Verbraucher __ allen Unternehmen __ Schadensfall seine Ansprüche geltend machen.
3. Bitte setzen Sie sich __ unserem Vertreter __ Verbindung.
4. Welches sind Ihre Prämiensätze __ Sendungen __ Werk __ Frankreich ?
5. Ihre Überweisung ging __ unsere Filialdirektion ; wir erhielten sie erst __ Umwegen.

B ■ Formez des substantifs en indiquant genre, pluriel et traduction

1. gutschreiben : __
2. beraten : __
3. berechnen : __
4. überweisen : __
5. fällig sein / werden : __

C ■ Mettez de l'ordre dans le puzzle

1. Fabrikationsfehler, drei Jahre, gegen, lang, jeden, Gerät, wir, dieses, garantieren.
2. zu, Schadensfall, die, Prozent, deckt, Versicherungssumme, 70, den.
3. übernehmen, Reparaturkosten, wir, die, zu, Ihnen, vorschlagen.
4. Garantiebedingungen, erlauben, an, uns, die, wir, erinnern, allgemeinen, Sie.
5. mitteilen, wir, leider, daß, drei, seit, abgelaufen, Garantie, müssen, Ihnen, Monaten, die, ist.

D ■ Vrai ou faux ?

1. Der Konsumerismus ist eine Bewegung, die in den USA entstand.
   ☐ Richtig   ☐ Falsch
2. Die Versicherungsgesellschaften sind in der BRD verstaatlicht worden.
   ☐ Richtig   ☐ Falsch
3. Alle Unternehmen sind gezwungen, für Ihre Produkte eine dreijährige Garantie zu übernehmen.
   ☐ Richtig   ☐ Falsch
4. Der Kostenvoranschlag verpflichtet einen Betrieb eine Reparatur zu einem ausgemachten Preis auszuführen.
   ☐ Richtig   ☐ Falsch
5. Wenn Sie eine Rechtsschutzversicherung abgeschlossen haben, so übernimmt die Versicherung in einem Rechtsstreit auch die Anwaltskosten.   ☐ Richtig   ☐ Falsch

E ■ Traduisez

1. Depuis le 1er janvier, il a contracté une assurance-vie.
2. Notre garantie de deux ans comprend pièces et main-d'œuvre.
3. Conservez votre bon d'achat, il vous servira de garantie.
4. L'assuré est tenu de déclarer le sinistre dans les trois jours.
5. La police fixe les conditions générales d'un contrat d'assurance.

16

Rundschreiben

Lettres circulaires

Des lettres circulaires sont envoyées à la clientèle pour annoncer des modifications de structure ou de politique de la firme, un changement d'adresse, la nomination d'un nouveau représentant, une opération portes ouvertes, etc. Certaines lettres publicitaires se présentent sous forme de circulaires.

Scénario

Dans une circulaire, un fabricant informe ses clients de sa participation au salon international d'électronique grand public.

Un libraire offre des prix promotionnels intéressants à sa clientèle.

Un magasin de vente par correspondance informe ses clients des avantages de la commande par minitel.

Une maison de commerce change d'adresse. Une visite des nouveaux locaux est proposée à la clientèle à l'occasion d'une journée portes ouvertes.

Par ailleurs, un fabricant de chaussures vante les mérites de ses modèles.

Betr. : Internationale Funkausstellung

Sehr geehrte Kunden,

wir möchten Ihnen mitteilen, daß wir uns an der « Internationalen Funkausstellung »[1], die vom 28.8. bis zum 6.9. in Berlin stattfindet, mit einem Stand[2] beteiligen[3] werden. Aus diesem Anlaß werden wir der breiten Öffentlichkeit den neuen Digitalcassettenrecorder DATCORDER vorstellen.

Dieses Gerät wird rechtzeitig von uns zum Weihnachtsgeschäft[4] auf den Markt gebracht. Wir sind sicher, daß es bei der Kundschaft großen Anklang[5] finden wird. Der EVP[6] dürfte bei 1 600 DM liegen, so daß der Apparat auch im internationalen Preisvergleich als äußerst preiswert[7] angesehen werden kann.

In der Erwartung, Sie auf unserem Stand begrüßen zu dürfen, verbleiben wir

mit freundlichen Grüßen

    Ihre RADIOTECK

Anlage : 1 Einladung zur Funkausstellung

Betreff : Bücher zum Verschenken

Verehrte Kundschaft,

in einer Zeit, wo alle alles haben, ist es nicht immer leicht, das passende Weihnachtsgeschenk zu finden. Das richtige Buch zum richtigen Augenblick kann Freunden und Angehörigen viel Freude bereiten.

Kommen Sie bei uns vorbei und überzeugen Sie sich von unserem reichhaltigen Büchersortiment[8]. Wir würden uns über Ihren Besuch freuen und Sie außerdem fachmännisch beraten.

Zum einmaligen Sonderpreis[9] von nur DM 290.- (Bestell-Nummer 5018) bieten wir Ihnen die Gesamtausgabe der Werke von Jules VERNE in 100 Bänden an. Über 22 000 Seiten Abenteuer, Spannung und Science-Fiction warten auf Sie.

Mit freundlichen Grüßen

Ihre[10] Buchhandlung KIEPERT

---

1. **e Ausstellung, en** : *exposition* ; e Messe, n : *foire* ; r Salon, s : *salon* ; Internationale Grüne Woche (Berlin) : *salon de l'agriculture* ; Frankfurter Buchmesse : *foire du livre de Francfort*.
2. **r Stand, ¨e** : *stand* (foire, exposition) ; mit einem ~ vertreten sein : *être représenté à une foire/exposition*.
3. **sich beteiligen an + D** : *participer à* ; syn. teil/nehmen, a, o, i, an + D.

Objet : Salon international de la radio et de la télévision

Chers clients,

Nous aimerions porter à votre connaissance que nous participerons, avec un stand, au prochain Salon international de la radio et de la télévision qui se tiendra à Berlin du 28/8 au 6/9/19.. Nous présenterons à cette occasion le nouveau magnétophone digital au grand public.

Nous lancerons l'appareil à temps sur le marché pour la période des fêtes de Noël et sommes persuadés qu'il rencontrera le meilleur accueil auprès de notre clientèle. Le prix public devrait se situer aux alentours de 1 600 DM. De ce fait, l'appareil peut être considéré comme extrêmement bon marché, même en comparaison des prix de la concurrence internationale.

En attendant le plaisir de vous accueillir à notre stand, nous vous prions de croire à l'expression de nos sentiments très dévoués.

Votre RADIOTECK

Pièces jointes : une invitation au Salon de la radio et de la télévision.

Objet : livres à offrir

Chers clients,

A une époque où tout le monde a déjà tout, il n'est pas toujours aisé de trouver le cadeau qui convient. Le livre adéquat au moment adéquat peut faire grand plaisir aux amis et aux proches.

Passez donc nous voir et assurez-vous par vous-mêmes de la richesse de notre choix d'ouvrages. Votre visite nous ferait grand plaisir et vous bénéficieriez, en outre, des conseils de spécialistes.

Au prix promotionnel et exceptionnel de 290 DM seulement, nous vous proposons les œuvres complètes de Jules Verne en 100 volumes. Plus de 22 000 pages d'aventures, de suspense et de science-fiction vous attendent.

Veuillez agréer l'expression de nos sentiments les plus dévoués.

Votre librairie KIEPERT

---

4. **s Weihnachtsgeschäft, e** : *affaires traitées durant la période précédant Noël.*
5. **großen Anklang finden, a, u bei + D** : *trouver un écho favorable auprès de.*
6. **r EVP (Endverbraucherpreis)** : *prix public.*
7. **preiswert** : *bon marché* ; syn. billig, preisgünstig, preiswürdig.
8. **s Sortiment, e** : *choix* ; syn. e Auswahl, en.
9. **zum Sonderpreis von** : *au prix promotionnel/de lancement de.*
10. **Ihre Buchhandlung** : notez ici le pron. personnel destiné à personnaliser la relation client-vendeur.

Betreff : Bestellung über Btx [1]

Lieber Herr Müller / Meyer / Schmitt [2],

sicherlich haben Sie bemerkt, daß sich unser Versandgeschäft [3] in den letzten Jahren stark entwickelt hat und die EDV [4] in allen Abteilungen zügig ausgebaut wurde. Schnelligkeit, Leistung und guter Service [5] stehen bei uns nämlich an erster Stelle.

Künftig können Sie über Btx bei uns alles bestellen [6]. Wir stehen Ihnen Tag und Nacht elektronisch [7] zur Verfügung.

Sie fragen sich, wie das gemacht wird, Herr Müller / Meyer / Schmitt [2]. Ganz einfach, Sie brauchen nur den « Code 3615 QUELLE » und die Bestellnummer aus dem Katalog einzutippen. Das ist alles — ein Kinderspiel !

Vergessen Sie bitte nicht, Ihre Bankkontonummer anzugeben. Die Rechnungssumme wird dann automatisch abgebucht [8].

Mit besten Grüßen

Ihr Versandgeschäft QUELLE

Betreff : Geschäftseröffnung [9]

Sehr geehrte Damen und Herren,

wir versprechen Ihnen « Urlaubsbräune das ganze Jahr ». Am 1. Oktober wird in der Hohenzollernstraße 150 ein Bräunungsstudio der weltbekannten Kette TROPEN eröffnet.

Unser Studio ist die ganze Woche über, auch sonntags, von 7 bis 23 Uhr geöffnet, Gesichts- oder Ganzkörperbräune ganz nach Wunsch, preisgünstig durch Abonnementkarte [10].

Besuchen Sie uns und überzeugen Sie sich selbst von der Qualität unserer UV-Hochdruckbräunungsgeräte.

Mit freundlichen Grüßen

Ihr Bräunungsstudio TROPEN

---

1. **über Btx (Bildschirmtext)** : *par minitel, par voie télématique.*
2. **Lieber Herr Müller / Meyer / Schmitt** : l'informatique a permis de personnaliser, dans les deux langues, les lettres circulaires et publicitaires ; le nom apparaît dans la formule initiale et souvent aussi plus loin dans le corps de la lettre.
3. **s Versandgeschäft, e** : *magasin de vente par correspondance* ; **r Versandhandel, ø** : *vente par correspondance.*
4. **e EDV (elektronische Datenverarbeitung)** : *informatique, traitement électronique des données.*
5. **r** ou **s Service** ['sə:vis] : *service après-vente, service client* ; syn. **r Kundendienst** ; **r Dienst am Kunden.**

Objet : commande par minitel

Cher Monsieur Müller / Meyer / Schmitt,

Vous n'avez pas été sans remarquer que nos ventes par correspondance se sont considérablement développées au cours des dernières années et que l'ensemble de nos services a été rapidement informatisé. Célérité, rendement et service après-vente de qualité jouent, à vrai dire, un rôle de premier plan dans notre maison.

A l'avenir, vous pourrez tout nous commander par minitel. Grâce à l'électronique, nous sommes à votre disposition jour et nuit.

Vous nous demandez quelle est la marche à suivre, cher Monsieur Müller / Meyer / Schmitt ; c'est très simple. Il vous suffit de taper « 3615 suivi du code QUELLE » et du numéro de commande figurant sur le catalogue. C'est aussi simple que ça, un jeu d'enfant !

N'omettez pas d'indiquer votre numéro de compte bancaire. La somme facturée sera automatiquement débitée de votre compte.

Soyez assuré, Monsieur Müller, ... de nos sentiments très dévoués.

Votre magasin par correspondance QUELLE

Objet : ouverture d'un commerce

Madame, Monsieur,

Nous vous promettons le « bronzage de vacances toute l'année ». Le 1er octobre, ouvrira au 150 de la rue Hohenzollern, un studio de bronzage de la chaîne mondialement célèbre TROPIQUES.

Notre studio est ouvert toute la semaine, dimanche compris, de 7 à 23 heures, bronzage facial ou intégral à souhait, à un prix avantageux, par carte d'abonnement.

Rendez-nous visite et assurez-vous par vous-mêmes de la qualité de nos appareils à bronzer à haute pression.

Veuillez accepter l'assurance de nos sentiments très dévoués.

Votre studio de bronzage TROPIQUES

---

6. **bei jdm etw bestellen** : *passer une commande à qqun* ; syn. bei jdm eine Bestellung auf/geben, à, e, i.

7. **elektronisch** : *électronique* ; e Mikroelektronik : *micro-électronique*.

8. **ab/buchen** : *débiter* ; (eine Summe) von einem Konto ~ : *débiter (une somme d')un compte*.

9. **ein Geschäft eröffnen** : *ouvrir un magasin* ; contr. ein Geschäft schließen, o, o.

10. **s Abonnement, s** [abɔn(ə)'mã] : *abonnement* ; eine Zeitung abonnieren : *s'abonner à un journal*.

Objet : changement d'adresse

Madame, Monsieur,

Comme vous pouvez le constater d'après notre en-tête, nous avons emménagé dans nos nouveaux locaux. Mieux situés, plus spacieux et fonctionnels, ils nous permettront d'améliorer encore la qualité de nos services.

Vous apprécierez tout particulièrement le fait que nos entrepôts et nos bureaux soient à la même adresse. Nous espérons avoir le plaisir de votre visite à l'occasion de la « Journée portes ouvertes » que nous organiserons le 20 juin prochain et au cours de laquelle nos clients auront la possibilité de visiter nos nouvelles installations.

Nous vous assurons de nos sentiments très dévoués.

Objet : lettre publicitaire

Chère cliente, cher client,

Vous venez d'acquérir une paire de SALAMANDER. Permettez-moi de vous féliciter de votre choix. Leader incontesté de la chaussure de loisirs de qualité, SALAMANDER a prouvé depuis de nombreuses années qu'il était le numéro un européen dans son domaine.

Si nous sommes les meilleurs, ce n'est pas le fait du hasard ; nous disposons de moyens exceptionnels qui nous permettent de vous proposer une technologie de pointe et de demeurer ainsi uniques dans la conception de nos produits.

L'achat de votre paire de SALAMANDER prouve que vous appréciez et recherchez la qualité.

Nous vous remercions de votre confiance et ferons l'impossible pour que vous trouviez toujours, chez nous, chaussure à votre pied.

SALAMANDER
Le leader européen de la chaussure

---

1. De nos jours, la double forme masculine / féminine s'emploie le plus souvent ; de même **lieber Kunde / liebe Kundin**.
2. Variante : **Wie Sie dem Briefkopf entnehmen können**.
3. **funktionsgerecht** : *fonctionnel* ; syn. funktionell.
4. Variante : **Sie werden ganz besonders die Tatsache schätzen**.
5. **s Lager, -** : *entrepôts* ; syn. r Lagerraum, ¨e.
6. **e Anschrift, en** : *adresse* ; syn. e Adresse, n.
7. **r Tag der offenen Tür** : *la journée portes ouvertes* ; attention au sing. allemand.
8. Variante : **Erlauben Sie mir, ...**

Betreff : Adressenänderung

Sehr geehrte Damen und Herren [1],

wie Sie aus dem Briefkopf ersehen [2], sind wir jetzt in unsere neuen Büroräume gezogen. Sie haben eine bessere Lage, sind geräumiger, funktionsgerechter [3] und werden uns ermöglichen, die Qualität unserer Dienstleistungen noch zu verbessern.

Sie werden ganz besonders die Tatsache zu schätzen wissen [4], daß unsere Lager [5] und unsere Büros dieselbe Anschrift [6] haben. Auf Ihren Besuch anläßlich des « Tags der offenen Tür » [7], den wir am 20. Juni organisieren, würden wir uns sehr freuen. Im Laufe dieses Tags haben unsere Kunden die Möglichkeit, unsere neuen Anlagen zu besichtigen.

Mit freundlichen Grüßen

Betr. : Werbebrief

Lieber Kunde, liebe Kundin [1],

soeben haben Sie ein Paar SALAMANDER-Schuhe erworben. Gestatten [8] Sie mir, Sie zu dieser Wahl zu beglückwünschen. SALAMANDER, unbestrittener Marktführer [9] von Freizeitschuhen, hat seit mehreren Jahren bewiesen, daß er auf diesem Gebiet [10] die Nummer 1 in Europa ist.

Daß wir die Besten sind, ist kein Zufall [11] ; wir verfügen über außergewöhnliche Mittel, die es uns erlauben, Ihnen eine Spitzentechnologie anzubieten und deshalb in der Ausarbeitung unserer Erzeugnisse einsame Spitze zu bleiben [12].

Der Kauf von einem Paar SALAMANDER-Schuhen beweist, daß Sie Qualität suchen und schätzen [13].

Wir danken Ihnen für Ihr Vertrauen und werden alles tun [14], damit Sie bei uns immer zu den passenden Schuhen kommen.

SALAMANDER
Der europäische Marktführer für Schuhe

9. **r Marktführer, -** : *leader.*
10. Variante : **in diesem Bereich**.
11. Variante : **Nicht zufällig sind wir die Besten. Die Tatsache, daß wir die Besten sind, ist kein Zufall.**
12. Variante : **und deshalb in der Konzeption unserer Produkte einzigartig sind.**
13. Variante : **Der Kauf von ein Paar SALAMANDER-Schuhen ist ein Beweis dafür, daß Sie qualitätsbewußt sind.**
14. Variante : **und setzen alles dran, damit ...**

1. A partir du 1er janvier, la gestion de nos entrepôts sera entièrement informatisée.
2. Pour satisfaire nos clients, nous recourons à une technologie de pointe.
3. Nous informons notre aimable clientèle que nos magasins ont été transférés à ...
4. Les nouveaux locaux se trouvent maintenant à proximité de la Bourse, rue Vivienne.
5. Cher(e) client(e), nous vous invitons à visiter notre nouveau centre commercial ...
6. ... lors de la « journée portes ouvertes » du 15 mai prochain.
7. Nous vous remercions de votre confiance.
8. Cette entreprise est le leader incontesté de la chaussure de loisirs.
9. La somme sera automatiquement débitée de votre compte.
10. Prenez une carte d'abonnement, c'est bien plus avantageux.
11. Nous sommes convaincus que notre dernier modèle trouvera un accueil favorable auprès du public.
12. Achetez des livres de cuisine à vos amis et vos proches. Profitez de nos prix promotionnels.

---

1. **Ab 1. Januar (vom ersten Januar an / ab) wird die Lagerverwaltung ganz (vollständig) computerisiert.**
2. **Um unsere Kunden zufriedenzustellen, setzen (benutzen) wir Spitzentechnologie ein.**
3. **Wir teilen unserer verehrten Kundschaft (unseren lieben Kunden) mit, daß unser Geschäft nach ... verlegt wurde.**
4. **Die neuen (Büro)räume befinden sich jetzt in der Nähe (nicht weit von) der Börse, in der Vivienne-Straße.**
5. **Lieber Kunde / Liebe Kundin, wir laden Sie zu einem Besuch unseres neuen Einkaufszentrums ein ...**
6. **am 15. Mai anläßlich des « Tags der offenen Tür ».**
7. **Wir danken Ihnen für Ihr Vertrauen (für das in uns gesetzte Vertrauen).**
8. **Diese Firma (dieses Unternehmen) ist der unbestrittene Marktführer von Freizeitschuhen.**
9. **Diese Summe (dieser Betrag) wird automatisch von Ihrem Konto abgebucht.**
10. **Nehmen Sie eine Abonnementkarte, das ist (doch) viel preisgünstiger (preiswerter, billiger).**
11. **Wir sind sicher, daß unser neu(e)stes Modell bei den Verbrauchern (beim Publikum) großen Anklang findet.**
12. **Kaufen Sie Ihren Freunden und Angehörigen Kochbücher. Profitieren Sie von unseren Sonderpreisen.**

s Rundschreiben, - (r Rundbrief, e) : lettre circulaire, circulaire.

seinen Kunden ein ~ schikken (an seine Kunden ein ~ schicken) : envoyer une circulaire à ses clients.

ein ~ verfassen : rédiger une circulaire.

~ vervielfältigen (hektographieren) : ronéotyper des circulaires.

•

r Werbebrief, e : lettre publicitaire.

e Adressenänderung, en : changement d'adresse.

r Tag der offenen Tür : journée portes ouvertes.

s Geschäft, e : magasin, fonds de commerce.

ein ~ eröffnen ≠ schließen, o, o : ouvrir ≠ fermer un magasin.

ein ~ erweitern / verlegen : agrandir / transférer un magasin.

e Geschäftseröffnung, en : ouverture d'un magasin.

•

r Preis, e : prix, tarif.

den ~ erhöhen ≠ senken : augmenter ≠ baisser les prix..

den Preis fest/setzen : fixer le prix.

Endverbraucher~ (EVP) : prix public.

Fabrik~ : prix usine.

Höchst~ : prix plafond.

Markt~ : prix sur le marché.

Mindest~ : prix minimum.

Netto~ : prix net.

Pauschal~ : prix forfaitaire.

Phantasie~ : prix arbitraire.

Schleuder~ : prix promotionnel/ de lancement.

preiswert / preisgünstig / preiswürdig : bon marché.

•

e Ausstellung, en : exposition.

sich an einer ~ beteiligen : participer à une exposition.

e Messe, n : foire.

eine ~ veranstalten : organiser une foire.

auf einer ~ vertreten sein : être représenté à une foire.

r Salon, s : salon.

e Schau, en : revue, présentation.

e Mode(n)schau : présentation de modes.

•

e EDV (elektronische Datenverarbeitung) : informatique, traitement électronique des données.

r Computer, - : ordinateur.

Mikro-, Mini-Computer : micro-, mini-ordinateur.

computerisieren : informatiser.

e Informatik, ∅ : informatique (science).

r Informatiker, - : informaticien.

über Btx (Bildschirmtext) : par minitel.

e Telematik, ∅ : télématique.

e Mikroelektronik, ∅ : micro-électronique.

e Daten (plur.) : données.

~ speichern : stocker des informations.

~ verarbeiten : traiter des informations.

~ ein/geben ≠ ab/rufen : saisir ≠ appeler des données.

A ■ Complétez par le verbe manquant

1. Wir möchten Ihnen __, daß
2. Die Funkausstellung ... in Berlin __.
3. Sie können über Btx bei uns __.
4. Vergessen Sie nicht, Ihre Bankkontonummer __.
5. Die Rechnungssumme wird automatisch __.

B ■ Comment dit-on ?

1. La journée portes ouvertes : __
2. La vente par correspondance : __
3. La circulaire : __
4. Le service après-vente : __
5. L'informatique : __

C ■ Donnez une brève définition

1. der Endverbraucherpreis : __
2. der Pauschalpreis : __
3. der Sonderpreis : __
4. der Schleuderpreis : __
5. der Marktpreis : __

D ■ Complétez les blancs

1. __ Gerät findet bei __ __ großen __.
2. __ Apparat ist äußerst __.
3. Überzeugen Sie sich __ unserem reichhaltigen Bücher__.
4. Leistung und guter __ stehen bei uns an erster __.
5. Wir __ Ihnen Tag und Nacht __ __.

E ■ Traduisez

1. N'oublie pas de rédiger la lettre circulaire et de l'envoyer à nos clients.
2. L'informatique permet de personnaliser les circulaires et les lettres publicitaires.
3. Pour être utilisables, toutes ces informations doivent être stockées.
4. Tu n'as qu'à consulter le minitel pour obtenir son adresse.
5. Comme l'indique l'en-tête de cette lettre.

17

Vertretungsangebote und Vertretungsgesuche

Offres et demandes de représentation commerciale

Des entreprises cherchent des VRP (voyageur-représentant-placier) pour leurs produits, des représentants dynamiques qui souhaitent étendre leur champ d'action.
L'annonce est, entre autres, un moyen efficace de faire se rencontrer l'offre et la demande.

Scénario

Une PME en pleine expansion cherche des représentants dynamiques. Un VRP répond à l'annonce publiée par la FAZ.

Par voie d'annonce, un représentant expérimenté propose ses services pour un travail dans les pays francophones. Une entreprise intéressée lui envoie un télégramme.

Un négociant en vins annonce la visite prochaine d'un nouveau représentant.

Enfin, un VRP en accessoires automobiles prépare soigneusement la visite qu'il compte faire chez ses clients.

Anzeige : Vertreterangebot

Wir sind ein gesundes, mittelständisches [1] Unternehmen der papier-
verarbeitenden Industrie. Wir fertigen flexible Verpackungen für
Industrie und Handel. Zur Verstärkung unseres Außendienstes [2]
suchen wir dynamische und selbständige

HANDELSVERTRETER

mit guten Kontakten im Papiergroßhandel, Großhandel [3] für Bäcker-
und Metzgerbedarf, Blumengroßhandel sowie Schreib- und Geschenk-
warengroßhandel für die PLZ [4]-Gebiete 1, 2, 3, 4, 5.
Wir bieten Ihnen ein exklusives [5] Verkaufsrecht unserer Produkte,
ein äußerst leistungsfähiges Sortiment und letztlich eine attraktive
Provisionsregelung.
Wir erbitten Ihre schriftliche Bewerbung mit den üblichen Unterlagen
unter CHIFFRE 8976 an die FAZ, Postfach 100808
6000 FRANKFURT 2

Betreff : Ihre Anzeige in der FAZ

Sehr geehrte Damen und Herren,

Ihrer Anzeige in der FAZ vom 6.d.M. entnehme ich, daß Sie
augenblicklich für den norddeutschen Raum keine feste
Vertretung haben. Ich biete Ihnen an, mir diese Vertretung
zu übertragen [6].

Seit 15 Jahren besuche ich als Handelsvertreter mit zwei Unter-
vertretern regelmäßig Kunden des Papiergroßhandels, bei
denen ich im Auftrag der Heinz Holzer Papiermühlen KG deren
gesamte Herstellungspalette [7] vertreibe [8]. Durch langjährige
Vertretung dieses Unternehmens bin ich bei Kunden, die für
Ihre Erzeugnisse in Frage kommen, bestens eingeführt.

Dank meiner Tätigkeit konnte das Unternehmen, für das ich
gegenwärtig tätig bin, seinen Umsatz [9] in den letzten Jahren
kontinuierlich steigern.

Sollten Sie mir das Exklusivrecht zur Vertretung Ihrer Waren
anvertrauen, so versteht sich von selbst, daß ich meine bisherige
Tätigkeit kündigen würde.

In Erwartung Ihrer Antwort verbleibe ich

mit freundlichen Grüßen
Karl Hoffnung, Handelsvertreter

---

1. **der Mittelstand,** ⌀ : *les PME* ; syn. e Klein- und Mittelbetriebe
(plur.).
2. **r Außendienst, e** : *force de vente, l'ensemble des représentants,
service prospection* ; syn. **r** Vertreterstab.
3. **r Großhandel,** ⌀ : *commerce de gros* ; cf. **r** Einzelhandel: *commerce de détail.*

Annonce : offre de représentation

Nous sommes une PME de papeterie en pleine santé. Nous fabriquons des emballages souples pour le commerce et l'industrie. Afin d'accroître notre force de vente, nous recherchons pour les secteurs 1, 2, 3, 4, 5,

DES REPRÉSENTANTS DE COMMERCE

dynamiques et indépendants, disposant de bons contacts dans le commerce du papier de gros, celui du matériel de boulangerie et de boucherie, ainsi que les articles de papeterie et les cadeaux en gros.

Nous vous proposons la représentation exclusive de nos produits, un assortiment extrêmement performant et enfin, une commission fort attrayante.

Nous vous demandons d'envoyer votre candidature avec les documents d'usage sous le numéro 8976 à la FAZ, boîte postale 100808
6000 FRANCFORT 2

Objet : votre annonce dans la FAZ

Madame, Monsieur,

Il résulte de votre annonce du 6 de ce mois que vous n'avez actuellement pas de représentation permanente pour la région Nord. Je vous propose de me la confier.

Il y a 15 ans que je démarche régulièrement, au titre de représentant général, assisté de deux adjoints, des clients en papeterie de gros, auxquels je distribue, sur son ordre, la gamme complète des produits de la société en commandite Heinz Holzer. Grâce à mon ancienneté de représentation pour cette entreprise, je suis parfaitement introduit auprès des clients concernés par vos articles.

Mon activité a permis à l'entreprise pour laquelle je travaille actuellement d'augmenter régulièrement son chiffre d'affaires au cours des précédentes années.

Si vous deviez me confier la représentation exclusive de vos produits il va de soi que je résilierais mes activités présentes.

Dans l'attente de votre réponse, je vous prie d'agréer...

---

4. **e PLZ-Gebiete (Postleitzahl-Gebiete)** : 1 = Berlin ; 2 = Hamburg ; 3 = Norddeutschland ; 4 = Rheinland-Westfalen.
5. syn. **alleiniges, Allein-, Exklusiv-**.
6. syn. **jdm eine Vertretung anvertrauen**.
7. syn. **e Warenpalette, n (Produktpalette)** : *gamme de produits*.
8. **vertreiben, ie, ie** : *distribuer* ; r Vertrieb, e : *distribution*.
9. **den Umsatz steigern (erhöhen)** : *augmenter le chiffre d'affaires* ; e Umsatzsteigerung, en (~erhöhung) : *augmentation du chiffre d'affaires*.

Vertretergesuch

Frankreich und frankophone Länder in Afrika

Sie suchen einen berufserfahrenen Vertreter ? Deutscher, 47 Jahre, technischer Kaufmann, absolute Vertrauensperson, verhandlungsgewandt auf allen Ebenen. Komme aus der Maschinenbranche, mit Erfahrung [1] im EDV-Bereich. Bin seit 15 Jahren in Frankreich, Belgien, Afrika und Kanada tätig, mit Wohnsitz im Pariser Raum. Suche neuen Wirkungskreis [2].

Zuschriften erbeten unter 78654 an die Frankfurter Allgemeine.

Telegramm

Betreff : Anzeige FAZ Chiffre 78654. Mit der Bitte um umgehende Kontaktaufnahme [3] zwecks [4] Vorstellungsgesprächs unter Rufnummer 05541/320001. Gez [5]. Handke, Personalabteilung.

Betr. : Bekanntgabe unseres neuen Vertreters

Verehrte Kundschaft,

wir freuen uns, Ihnen mitteilen zu können, daß wir ab 21.07.19.. Herrn Rolf Schubert die Vertretung unserer Rhein- und Moselweine anvertraut [6] haben. Herr Schubert verfügt über große Berufserfahrung und ist seit mehreren Jahren in dieser Branche [7] tätig.

Sie können sich vertrauensvoll [8] an ihn wenden, er wird Ihnen jederzeit mit Rat und Tat zur Seite stehen [9].

Demnächst wird er Ihnen einen Besuch abstatten und Ihnen unser neues Weinsortiment vorstellen.

In der Hoffnung, daß Sie unserem neuen Mitarbeiter eine freundliche Aufnahme bereiten und mit dem Wunsch für weitere gute Zusammenarbeit, verbleiben wir

mit freundlichen Grüßen

---

1. syn. **mit Berufserfahrung**.
2. syn. **s Arbeitsfeld**.
3. **mit jdm Kontakt auf/nehmen, a, o, i** : *prendre contact avec qqun.* ; syn. **jdn kontaktieren**.
4. **zwecks + G** : *pour, dans le but de, afin de.*

Annonce : demande de représentation
France et pays d'Afrique francophones

Vous êtes à la recherche d'un représentant possédant une grande expérience professionnelle. Allemand, 47 ans, ingénieur technico-commercial, de toute confiance, habile négociateur dans tous les domaines, venant du secteur de la construction mécanique, grande expérience en informatique, ayant travaillé depuis 15 ans en France, en Belgique, en Afrique et au Canada, domicilié en région parisienne. Recherche un nouveau secteur d'activités.

Prière d'adresser vos offres à la FAZ sous n° 78654

Télégramme

Objet : annonce parue dans la FAZ, n° 78654.

Prière de prendre immédiatement contact pour entretien de présentation. Téléphoner au 05541/320001.

Signé : Handke, Service du personnel

Objet : présentation d'un nouveau représentant

Chers clients,

Nous avons le plaisir de vous aviser que nous avons confié la représentation de nos vins du Rhin et de la Moselle à Monsieur Rolf Schubert à partir du 21/07/19.. M. Schubert travaille depuis plusieurs années dans cette branche et possède une grande expérience professionnelle.

Vous pouvez vous adresser à lui pour toutes vos questions, il vous assistera à tout moment en paroles et en actes.

Il se propose de vous rendre prochainement visite pour vous présenter notre nouvelle gamme de vins.

Nous espérons que vous ferez bon accueil à notre nouveau collaborateur et souhaitons pour l'avenir la poursuite de cette fructueuse collaboration. Je vous prie d'agréer, ...

---

5. **gez.** = **gezeichnet** : *signé*.
6. **jdm die Vertretung an/vertrauen** : *confier la représentation à qqun.*
7. **e Branche, n** [ˈbrã̄ʃə/ˈbraŋʃə] : *branche* ; **r Zweig** ; **r Sektor**.
8. syn. **voll Vertrauen**.
9. Variante : **er wird Sie jederzeit beraten und unterstützen**.

Société de distribution d'accessoires automobiles

Objet : annonce de la visite de notre représentant

Monsieur,

Vous attendez très certainement avec impatience les derniers modèles que nous présenterons au prochain salon de l'Automobile qui se tiendra du 4 au 12 octobre à Paris. Notre maison, que je représente à Francfort, vous y invite très cordialement.

J'aimerais, dès aujourd'hui, vous présenter notre tout dernier modèle que nous sortirons lors de cette manifestation internationale.

Le SUPER-DATCORDER, mis au point par nos services de recherche, renoue avec la série légendaire de nos autoradios à cassette. Sa finition et sa musicalité ne peuvent guère être surclassées par les produits concurrents similaires.

J'espère que cet autoradio performant figurera dans votre programme commercial après son lancement sur le marché français, à partir du 1er novembre de cette année.

Veuillez me faire savoir, au moyen de la carte-réponse ci-jointe, à quelle date il me sera possible de vous rendre visite. Je vous joins un descriptif de l'appareil, en langue anglaise, la traduction allemande nous faisant encore défaut.

Je vous serais reconnaissant d'accorder la plus grande discrétion à cette lettre et aux documents joints.

En attendant le plaisir de vous voir, je vous prie de croire, Monsieur, à l'expression de mes sentiments très cordiaux.

Annonce : offre de représentation

Importante firme française, leader européen en accessoires auto-mobiles, recherche

AGENT COMMERCIAL

créatif, dynamique avec des qualités d'organisateur et grande expé-rience professionnelle.

Situation d'avenir dans une société en pleine expansion.

---

1. syn. **Autozubehörteile** (plur.).
2. syn. **e Neuheiten**.
3. Variante : **... die wir auf dem diesjährigen Pariser Autosalon vom 4. bis 12. Oktober vorstellen**.
4. Variante : **von anderen Erzeugnissen dieser Art**.
5. syn. **nach seinem Erscheinen**.

Vertriebsgesellschaft für Autozubehör [1]

Betr. : Besuchsanzeige

Sehr geehrter Herr Lafayette / Schmitt, etc.,

sicher warten Sie schon mit Ungeduld auf die neuesten Modelle [2], die wir auf der kommenden Automobilausstellung, die vom 4. bis 12. Oktober in Paris stattfindet [3], vorstellen werden. Unsere Firma, die ich in Frankfurt vertrete, lädt Sie herzlich ein.

Ich möchte Ihnen schon heute unsere Messeneuheit vorstellen, die wir auf dieser internationalen Veranstaltung zeigen werden.

Der von unserer Forschungsabteilung entwickelte SUPER-DATCORDER schließt an die legendäre Serie unserer Auto-kassettenradios an. Seine Verarbeitung und Klangqualität können von anderen ähnlichen Produkten [4] kaum übertroffen werden.

Ich hoffe, daß dieses leistungsstarke Autoradio auch in Ihrem Vertriebsprogramm nach seiner Einführung [5] auf dem französischen Markt ab 1. November dieses Jahres erscheinen wird.

Bitte teilen Sie mir in der beiliegenden [6] Antwortkarte mit, an welchem Tag ich Sie besuchen könnte. Ich füge Ihnen die Beschreibung des Geräts in englischer Sprache [7] bei, da uns die deutsche Übersetzung noch nicht vorliegt.

Ich wäre Ihnen dankbar, diesen Brief und die beigefügten Dokumente vertraulich zu behandeln.

In der Hoffnung, Ihnen bald einen Besuch abzustatten, verbleibe ich

mit freundlichen Grüßen

Anzeige : Vertretungsangebot

Bedeutende französische Firma, europäischer Marktführer für Autozubehör, sucht kreativen, dynamischen

HANDELSVERTRETER [8]

mit organisatorischen Fähigkeiten [9] und großer Berufser-fahrung [10].

Vielversprechende Stellung [11] in einem expandierenden Unternehmen.

---

6. syn. **beigefügten**.
7. syn. **auf englisch**.
8. syn. **r Handelsagent, en, en**.
9. syn. **mit Organisationstalent**.
10. syn. **berufserfahren**.
11. syn. **e Stelle, r Posten**.

1. VRP multicartes désire changer de situation.
2. Prière d'adresser vos offres au journal ... sous le numéro (la référence) ...
3. Les maisons que j'ai représentées vous fourniront tout renseignement me concernant.
4. J'aimerais obtenir une représentation dans les textiles.
5. Nous vous confions la représentation de notre maison aux conditions suivantes.
6. Vous vous engagez à rendre régulièrement visite à notre clientèle potentielle.
7. Nos prix ne peuvent être modifiés sans notre consentement.
8. Nous signerons le contrat de représentation après une période d'essai de trois mois.
9. Vous recevrez un fixe de ... plus une commission de 5 % sur toutes les commandes.
10. Vous ne représenterez pas d'autre entreprise sans notre consentement.
11. Le délai de préavis est de trois mois.
12. Toutes les dépenses doivent être justifiées.

---

1. **Mehrkarten-Handelsvertreter möchte sich verändern.**
2. **Bitte schicken Sie Ihre Angebote an die Zeitung ... unter der Kennziffer (Chiffre) ...**
3. **Die Firmen, die ich vertreten habe, werden über mich Auskunft geben.**
4. **Ich würde gern eine Vertretung in der Textilbranche übernehmen.**
5. **Wir übertragen Ihnen die Vertretung unserer Firma unter folgenden Bedingungen.**
6. **Sie verpflichten sich, unsere potentielle Kundschaft regelmäßig zu besuchen (aufzusuchen).**
7. **Unsere Preise können nicht ohne unsere Zustimmung geändert werden. (Unsere Preise dürfen nicht eigenmächtig geändert werden.)**
8. **Wir unterzeichnen (unterschreiben) den Vertretervertrag erst nach einer dreimonatigen Probezeit.**
9. **Sie erhalten ein Fixum von ... mit einer 5%igen Provision (von 5 Prozent) auf alle Bestellungen.**
10. **Sie vertreten kein anderes Unternehmen ohne unsere Zustimmung.**
11. **Die Kündigungsfrist beträgt (beläuft sich auf) drei Monate.**
12. **Alle Spesen müssen belegt werden. (Alle Kosten / Ausgaben abgerechnet werden.)**

r Vertreter, - (Handels ~ , r Handelsagent, en, en) : représentant de commerce, agent commercial, VRP.
General ~ : représentant général.
e Vertretung, en : représentation.
eine ~ übernehmen ≠ ab/geben : prendre ≠ abandonner une représentation.
General ~ : représentation générale.
Allein~ : représentation exclusive.
eine Firma vertreten, a, e, i : représenter une maison.

•

s Vertretungsangebot, e : offre de représentation.
eine Vertretung an/bieten, o, o : offrir une représentation.
s Vertretungsgesuch, e : demande de représentation.
eine Vertretung suchen : chercher une représentation.
s exklusive Vertretungsrecht, e (Exklusivrecht) gewähren : accorder la représentation exclusive.
Angebote unter Kennziffer (Chiffre) ... erbitten, a, e : envoyer vos offres sous le numéro ...

•

r Vertreterbesuch, ə : visite de représentant.
den ~ an/kündigen ≠ ab/sagen : annoncer ≠ décommander la visite d'un représentant.
e Besuchsanzeige, n : annonce de visite.

•

e Vergütung, en (s Entgelt, e) : rémunération.

e Provision, en : commission.
s Fixum, -xa : (traitement) fixe.
e Pauschale, n : forfait.
e Pauschalvergütung, en : rémunération forfaitaire.

•

e Spesen (Ausgaben, Kosten) : frais, dépenses.
e Spesenabrechnung, en : dépenses engagées.
r Beleg, e : pièce justificative.
etw belegen : justifier qqch.
Belege vor/legen : produire des justificatifs.
e Hotelabrechnung, en : note d'hôtel.
e Verpflegungskosten (plur.) : frais de restauration.
e Nebenkosten (plur.) : frais annexes.

•

Kunden werben, a, o, i : prospecter, démarcher des clients.
bei der Kundschaft gut eingeführt sein : être bien introduit auprès de la clientèle.
s Werbegeschenk, e : cadeau publicitaire.

•

r Umsatz, ⸚e : chiffres d'affaires.
einen ~ erzielen : réaliser un chiffre d'affaires.
den ~ steigern (erhöhen) : augmenter le chiffre d'affaires.
e Umsatzsteigerung, en (~erhöhung) : augmentation du chiffre d'affaires.

A ■ Complétez

1. Wir übertragen Ihnen die __ unserer __ unter folgenden __.
2. Sie suchen einen berufs__ __.
3. Zuschriften __ __ 78654 __ die FAZ.
4. Wir haben Herrn Schubert die __ unserer __ __.
5. Demnächst wird er Ihnen einen __ __.

B ■ Indiquez les synonymes

1. der Vertreter : __
2. den Umsatz steigern : __
3. die Stellung : __
4. unter der Kennziffer : __
5. die Kundschaft aufsuchen : __

C ■ Rendez-lui sa moitié

1. das Vertreter-	a) -frist
2. der Außen-	b) -vertretung
3. das Exklusiv-	c) -steigerung
4. der Vertreter-	d) -vergütung
5. die Pauschal-	e) -besuch
6. die General-	f) -dienst
7. die Umsatz-	g) -recht
8. die Kündigungs-	h) -gesuch

D ■ Trouvez les verbes correspondants (avec préposition, cas)

1. die Tätigkeit : __
2. die Vertretung : __
3. die Bewerbung : __
4. die Vorstellung : __
5. das Angebot : __

E ■ Traduisez

1. Notre maison cherche des VRP dynamiques pour la France et les pays francophones.
2. Je serais intéressé par une représentation dans les accessoires automobiles.
3. Votre commission est de 2 % sur le chiffre d'affaires.
4. Vous recevrez un fixe mensuel ainsi qu'une rémunération forfaitaire.
5. Je m'engage à respecter les clauses de ce contrat.

18

Bewerbungsschreiben
Lebenslauf - Auslandspraktikum

Lettre de candidature
Curriculum vitae (C.V.) - Stage à l'étranger

La lettre de candidature revêt une importance capitale dans la recherche d'un emploi. Il faut donc apporter un soin tout particulier à sa rédaction.

Elle comporte en général :
— la référence de l'annonce du poste vacant,
— un C.V. synoptique qui fait mention des renseignements suivants : état civil, études, formation professionnelle, emplois précédents du candidat, etc.,
— les références proprement dites (diplômes, certificats, lettres de recommandation, etc.).

Scénario

A la suite d'une annonce parue dans la FAZ, une secrétaire postule un poste de direction. Présélectionnée, elle est invitée à un entretien.

Un étudiant recherche un stage professionnel à l'étranger. Il décrit les activités qu'il pourrait exercer dans l'entreprise en mettant ses connaissances linguistiques en avant.

Une traductrice qui travaille dans une filiale allemande envoie sa candidature à une société française pour obtenir un poste de secrétaire bilingue.

Betr. : Ihre Anzeige in der FAZ vom 11.05.19..

Sehr geehrte Damen und Herren,

ich beziehe mich auf Ihre in der FAZ aufgegebene Anzeige [1] und erlaube mir, mich um die Stelle einer dreisprachigen Chefsekretärin zu bewerben [2].

Aus den beigefügten Ablichtungen [3] der von mir abgelegten Dolmetscherprüfungen im Französischen und Englischen ersehen Sie, daß ich die von Ihnen gewünschten Voraussetzungen mitbringe. Während meiner Studienzeit habe ich die Prüfungen [4] der « deutsch-französischen Handelskammer-CFACI » und der « British Chamber of Commerce » bestanden.

Neben guten Schreibmaschinen- und Stenographiekenntnissen besitze ich eine große Erfahrung im Bereiche der modernen Bürokommunikation [5] (Text [5]- und Dateiverarbeitung auf IBM-kompatiblen Maschinen [6]), die ich in meiner sechsjährigen Berufstätigkeit in der Exportabteilung eines multinational tätigen Unternehmens erworben habe.

In der Hoffnung, daß meine Bewerbung auf Ihr Interesse stößt, stehe ich Ihnen jederzeit zu einem Gespräch zur Verfügung und verbleibe

mit freundlichen Grüßen
Ingrid Berger

Anlagen : tabellarischer Lebenslauf [7]
Zeugniskopien

Sehr geehrte Frau Berger,

wir danken Ihnen für Ihr Schreiben vom 11. d.M. Sie sind mit Ihrer Bewerbung um eine Stelle als Chefsekretärin in die nähere Auswahl [8] gekommen. Auf ein Vorstellungsgespräch mit Ihnen würden wir uns freuen. Zwecks [9] Terminvereinbarung setzen Sie sich bitte umgehend mit uns in Verbindung.

Mit freundlicher Empfehlung

Die Personalabteilung

---

1. **eine Anzeige in einer Zeitung auf/geben, a, e, i** : *passer une annonce dans un journal.*
2. **sich um eine Stelle bewerben, a, o, i** : *poser sa candidature à un poste, postuler un emploi* ; e Bewerbung, en : *candidature* ; r Bewerber, - : *candidat.*
3. **e Ablichtung, en** = e Fotokopie, n / Photokopie.
4. **eine Prüfung bestehen, a, a** : *réussir à un examen.*
5. **e Bürokommunikation, en** : *bureautique* ; e Textverarbeitung, en : *traitement de texte* ; e Dateiverarbeitung, en : *traitement de fichier.*

Objet : votre annonce parue dans la FAZ du 11/05/19..

Mesdames, Messieurs,

Me référant à votre annonce parue dans la FAZ (Frankfurter Allgemeine Zeitung), je me permets de poser ma candidature au poste de secrétaire de direction trilingue.

Vous pourrez juger d'après les photocopies ci-jointes de mes diplômes d'interprète obtenus en langue française et anglaise que je possède les connaissances requises pour ce poste. Au cours de mes études, j'ai passé avec succès les examens de la « Chambre de commerce franco-allemande (CFACI) » et de la « Chambre de commerce britannique ».

En plus de solides connaissances en sténodactylo, j'ai une expérience approfondie de la bureautique (traitement de texte et de fichiers sur ordinateurs compatibles IBM), acquise lors de mes six années d'activité professionnelle dans le département-exportation d'une société multinationale.

Dans l'espoir que ma candidature retiendra votre attention, je reste à votre entière disposition pour tout entretien que vous jugeriez utile et vous prie de croire, Mesdames, Messieurs, ...

P.J. : Curriculum vitae synoptique
         photocopies de diplômes

Madame,

Nous vous remercions de votre courrier du 11 courant. Votre candidature au poste de secrétaire trilingue a été présélectionnée. Aussi, serions-nous heureux d'avoir un entretien avec vous. Veuillez nous contacter par retour du courrier afin que nous puissions convenir d'une date.

Veuillez agréer, Madame, l'expression de nos salutations distinguées.

Le service du personnel

---

6. **e IBM-kompatible Maschine** = r Computer, der IBM-kompatibel **ist**.
7. **r tabellarische Lebenslauf** : *C.V. synoptique* (il présente, sous forme succincte, les étapes biographiques les plus importantes).
8. **in die nähere Auswahl kommen, a, o (ist)** : *être présélectionné.*
9. **zwecks** : *en vue de, aux fins de* ; prép. **+ G** souvent sans article et sans marque de cas.

Lebenslauf [1] und Werdegang [2]

Name : VALIBUS
Vornamen : <u>Liliane</u> [4], Isabelle
geborene : Prior
geboren : 20.09.19.. in : Toulouse
Staatsangehörigkeit : französisch
Familienstand [5] : verheiratet, 1 Kind

┌─────────────┐
│ Lichtbild [3] │
└─────────────┘

Schulbildung

19.. - 19.. : Gymnasium Jean Racine in Paris
19.. : mathematisch-naturwissenschaftliches Abitur [6]
(Bac C, Note : Gut)
19.. - 19.. : staatliche Dolmetscherschule in Paris
19.. : staatliche Dolmetscherprüfung für Deutsch und Englisch
19.. : Examen der deutsch-französischen Handelskammer
19.. : Examen der britischen Handelskammer

Berufspraxis

Sommer 19.. : zweimonatiges Berufspraktikum als Übersetzerin
für Werbebroschüren bei dem Unternehmen « Interkontakt »
in Bremen.
19.. bis heute : Chefsekretärin (Exportabteilung) bei der Firma
« Mondiaphon » in Paris (in ungekündigter Stellung [7]).

Berufserfahrung

Gründliche Kenntnisse über die Abwicklung aller Exportauf-
träge ; Devisen- und Zahlungsverkehr, Zollvorschriften im internationalen Handelsverkehr, Marketing, Werbung und Verkauf.

Berufliche Weiterbildung [8]

EDV [9]-Kurs für IBM-kompatible Computer

Sprachkenntnisse

Französisch : Muttersprache ; Deutsch und Englisch : geläufig
in Wort und Schrift.

Führerschein : Klasse 3 für PKW

Steckenpferde : Reisen, Segeln und Reiten

---

1. **r Lebenslauf, ⸚e** : *C.V.* ; handgeschriebener ~ : *C.V. manuscrit.*
2. **r Werdegang, ⸚e = e berufliche Laufbahn.**
3. **s Lichtbild, er = s Foto (Photo), s**.
4. Le prénom usuel est souligné.
5. **r Familienstand, ⊘ = r Personenstand** : *état civil* ; ledig (unverheiratet) : *célibataire* ; **verheiratet** : *marié* ; **getrennt** : *séparé* ; **geschieden** : *divorcé* ; **verwitwet** : *veuf, veuve.*
6. **s Abitur,** ⊘ : *baccalauréat* ; syn. **e Reifeprüfung, en.**

Curriculum vitae et carrière professionnelle

Nom : VALIBUS
Prénoms : Liliane, Isabelle
nom de jeune fille : Prior
née le 20-09-19.. à Toulouse
nationalité : française
état civil : mariée, un enfant

Photo

Etudes

19.. - 19.. : Etudes au lycée Jean Racine, à Paris
19.. : Baccalauréat C (mention : Bien)
19.. - 19.. : ESIT, Paris (Ecole supérieure d'interprètes et traducteurs)
19.. : Diplôme reconnu par l'Etat d'interprète-traducteur
(anglais-allemand)
19.. : Examen de la Chambre de commerce franco-allemande
19.. : Examen de la Chambre de commerce britannique

Activité professionnelle

Eté 19.. : stage professionnel de 2 mois chez « Interkontakt » (Brême)
en tant que traductrice de brochures publicitaires.
Depuis 19.. : Secrétaire de direction (Service exportation) chez « Mondiaphon » à Paris (poste que j'occupe toujours à ce jour).

Expérience professionnelle

Des connaissances approfondies dans le domaine de la réalisation
de commandes à l'exportation ; opérations de devises et de paiement,
règlements douaniers du commerce international, marketing, publicité
et ventes.

Formation permanente

Stage d'informatique pour ordinateurs compatibles IBM.

Connaissances linguistiques

Langue maternelle : français ; allemand et anglais : courant, écrit et oral.

Permis de conduire : Permis B pour voitures de tourisme.

Violons d'Ingres : Voyages, voile et équitation.

---

7. **in ungekündigter Stellung** : *non licencié* (cette remarque indique
que le postulant est toujours en poste, mais désire améliorer sa
situation).
8. **e Weiterbildung, en = e Fortbildung, en** : *formation permanente, continue* ; **sich weiter/bilden = sich fort/bilden** : *suivre un
cycle en formation permanente, se recycler.*
9. **die EDV (elektronische Datenverarbeitung)** : *informatique* ; ce
sigle est très productif dans des mots composés : **r EDV-Kurs** : *cours
informatique* ; **r EDV-Fachmann** : *informaticien.*

Objet : stage à l'étranger

Madame, Monsieur,

Je suis étudiant à l'Ecole de commerce de ... où j'ai choisi l'option « Gestion et commerce international ». Au cours d'un cycle d'études de 3 ans, notre Institut forme des cadres et gestionnaires destinés à travailler dans des entreprises françaises ou européennes.

En plus des cours théoriques (management, marketing, informatique, comptabilité, droit international, etc.), tous les étudiants sont tenus d'effectuer, pendant les vacances d'été en fin de première année, un stage professionnel à l'étranger.

Je suis donc à la recherche d'un stage approprié et vous serais obligé de bien vouloir m'accueillir dans votre entreprise durant 4 à 6 semaines en tant que stagiaire.

Je pratique l'allemand depuis ... ans et j'ai effectué de nombreux séjours dans des pays germanophones dont je lis régulièrement journaux et revues.

Comme je m'intéresse beaucoup à ..., une activité dans ce domaine me conviendrait tout particulièrement. Je souhaiterais une rémunération qui me permette de couvrir mes dépenses de logement, de nourriture ainsi que mes frais de transport.

Dans l'espoir que vous voudrez bien donner une suite favorable à ma demande, je vous prie de croire, Madame, Monsieur, en l'expression de mes sentiments respectueux.

P.J. : Curriculum vitae

Objet : demande d'emploi

Monsieur le Directeur,

Votre annonce parue dans le MONDE du ... a retenu mon attention. Je me permets donc de poser ma candidature au poste de secrétaire bilingue dans votre société.

Agée de 28 ans, je travaille depuis 6 ans comme traductrice dans une filiale allemande à Paris. Mon expérience professionnelle et mes diplômes me donnent à penser que je corresponds au profil requis pour cette tâche. Je vous serais très reconnaissante de bien vouloir examiner ma candidature avec bienveillance.

Dans l'attente de votre réponse, je vous prie d'agréer, Monsieur le Directeur, l'expression de mes sentiments très dévoués.

---

1. **s Praktikum, -ka** : *stage* ; ein ~ im Ausland ab/legen : *faire un stage à l'étranger* ; r Praktikant, en, en : *stagiaire.*
2. **e Betriebswirtschaft, en = s Management, s** : *gestion* ; e Betriebswirtschaftslehre (BWL) : *enseignement de la gestion.*
3. **Leitende(r) Angestellte(r)** (adj.) : *cadre (supérieur).*

Betreff : Auslandspraktikum [1]

Sehr geehrte Damen und Herren,

als Student an der Fachhochschule von ... habe ich die Fachrichtung « Betriebswirtschaft [2] und internationaler Handel » gewählt. Unsere Institution bildet in einem dreijährigen Studienzyklus (6 Semester) leitende Angestellte [3] und Diplombetriebswirte [4] mit dem Ziel aus, in französischen und europäischen Betrieben tätig zu sein.

Neben dem theoretischen Unterricht (Management [2], Marketing, EDV, Buchführung, internationales Recht usw.) sind alle Studenten während der Sommerferien dazu verpflichtet, am Ende des ersten Studienjahres ein Berufspraktikum im Ausland abzulegen.

Ich bin folglich auf der Suche nach einem geeigneten Praktikum und möchte Sie bitten, mich als Praktikant [1] für 4 bis 6 Wochen in Ihrem Unternehmen aufzunehmen.

Ich spreche Deutsch seit ... Jahren und habe mehrere Aufenthalte in deutschsprachigen Ländern gemacht, deren Zeitungen und Zeitschriften ich regelmäßig lese.

Da ich mich besonders für... interessiere, würde mir eine Tätigkeit in diesem Bereich besonders zusagen. Ich wünsche mir eine Vergütung, die mir erlaubt, die Kosten wie Unterkunft, Verpflegung und Fahrkosten etc. zu decken.

In der Hoffnung, daß Sie meiner Bitte entsprechen können, verbleibe ich

mit freundlichen Grüßen

Anlagen : Lebenslauf

Betr. : Stellengesuch

Sehr geehrter Herr Direktor,

Ihre in der MONDE erschienene Anzeige vom ... hat mein Interesse geweckt. Ich erlaube mir folglich, mich um die Stelle als zweisprachige Sekretärin in Ihrem Unternehmen zu bewerben.

Ich bin 28 Jahre alt und arbeite seit 6 Jahren als Übersetzerin in einer deutschen Tochtergesellschaft in Paris. Aufgrund meiner Berufserfahrung und meiner Zeugnisse glaube ich, das gewünschte Profil für diese Aufgabe zu haben. Ich wäre Ihnen sehr dankbar, wenn Sie meine Bewerbung wohlwollend prüfen würden.

In Erwartung Ihrer Antwort verbleibe ich

hochachtungsvoll

---

4. **r Diplombetriebswirt, e** : *diplômé de gestion.* **r Diplomkaufmann** : *diplômé universitaire de gestion (8 semestres).*

1. J'ai lu dans le FIGARO de ce matin que vous cherchez une secrétaire de direction expérimentée.
2. Me référant à votre annonce parue dans l'EXPRESS du ...
3. ... je me permets de poser ma candidature à un poste de secrétaire bilingue.
4. Veuillez adresser votre (lettre de) candidature avec les documents d'usage au service du personnel.
5. Le C.V., les copies de vos diplômes ainsi qu'une photo sont indispensables à votre dossier de candidature.
6. Je serais heureux d'avoir un entretien avec vous.
7. Mes prétentions salariales s'élèvent à ...
8. Je pourrais commencer à travailler à partir du premier novembre.
9. En tant qu'étudiant en gestion, je serais intéressé par un stage à l'étranger.
10. La rémunération du stage devrait couvrir mes dépenses courantes.
11. Veuillez examiner ma candidature avec bienveillance.
12. Je possède le diplôme de la Chambre de commerce franco-allemande.

---

1. **Dem FIGARO von heute morgen entnehme ich, daß Sie eine erfahrene Chefsekretärin suchen.**
2. **Ich beziehe mich auf Ihre Stellenanzeige im EXPRESS (Unter Bezugnahme auf Ihr Stellenangebot ...) vom ...**
3. **... und erlaube mir (gestatte ich mir), mich um die Stelle als zweisprachige Sekretärin zu bewerben.**
4. **Schicken Sie bitte Ihre Bewerbung (Ihr Bewerbungsschreiben) mit den üblichen Unterlagen an die Personalabteilung.**
5. **Für Ihre Bewerbung (Bewerbungsunterlagen) sind der Lebenslauf, die Zeugniskopien sowie ein Lichtbild (Foto) erforderlich.**
6. **Ich würde mich auf ein Vorstellungsgespräch mit Ihnen freuen.**
7. **Meine Gehaltswünsche belaufen sich auf ... (Meine Gehaltsvorstellungen betragen ...).**
8. **Ich könnte ab (am / zum) 1. November (bei Ihnen) anfangen (mit meiner Arbeit / Tätigkeit beginnen).**
9. **Als Student der Betriebswirtschaft wäre ich an einem Praktikum im Ausland (Auslandspraktikum) interessiert.**
10. **Die Vergütung (Bezahlung) des Praktikums müßte die laufenden Kosten decken.**
11. **Ich bitte um eine wohlwollende Prüfung meiner Bewerbung.**
12. **Ich besitze das Diplom (das Zeugnis) der deutsch-französischen Handelskammer. (Ich habe die Prüfung ... mit Erfolg bestanden.)**

e Anzeige, n (e Annonce, n) : annonce.

Stellen~ : offre d'emploi.

eine ~ in einer Zeitung auf/geben, a, e, i : passer une annonce dans un journal.

•

e Bewerbung, en : candidature.

e ~ um eine Stelle : candidature à un poste.

s ~sschreiben, - : lettre de candidature.

e ~sunterlagen (plur.) : dossier de candidature.

sich um eine Stelle bewerben, a, o, i : poser sa candidature à un poste, solliciter un emploi.

r Bewerber, - : candidat, postulant.

•

e Stelle, n : poste, place.

e ~ wechseln : changer d'emploi.

s ~ngesuch, e : demande d'emploi.

s ~nangebot, e : offre d'emploi.

•

s Vorstellungsgespräch, e : entretien (d'embauche).

den Personalleiter um ein ~ bitten, a, e : demander un entretien au chef du personnel.

sich bei jdm vor/stellen : se présenter à (chez) qqun.

•

r Lebenslauf, ⁼e : curriculum vitae, C.V.

handgeschriebener, tabellarischer ~ : C.V. manuscrit, synoptique.

r Werdegang, ⁼e : carrière (professionnelle).

e Schulbildung, ∅ : études secondaires.

s Universitätsstudium, -ien : études supérieures.

r Familienstand, ∅ **(Personenstand)** : état civil.

e Berufsausbildung, en : formation professionnelle.

e Berufserfahrung, en : expérience professionnelle.

•

s Praktikum, -ka : stage.

Berufs~ : stage professionnel.

Auslands~ : stage à l'étranger.

ein ~ ab/legen (machen) : faire un stage.

r Praktikant, en, en : stagiaire.

•

e Weiterbildung, en (Fortbildung) : formation permanente, continue.

sich weiter/bilden (fort/bilden) : suivre des cours en F.P., se recycler.

r Weiter-, Fortbildungskurs, e : cours en F.P.

•

e Vergütung, en (e Bezahlung) : rémunération.

jdn vergüten (bezahlen) : rémunérer qqun.

s Gehalt, ⁼er : salaire, traitement.

r Lohn, ⁼e : paye, salaire.

e Gehaltswünsche (~ansprüche) (plur.) : prétentions salariales.

A ■ Indiquez un synonyme

1. die Anzeige : __
2. das Photo / Foto : __
3. die Ablichtung : __
4. die Reifeprüfung : __
5. der Personenstand : __

B ■ Complétez par la préposition qui convient

1. Er hat sich __ der Firma Meyer und Sohn __ eine Stelle __ EDV-Fachmann beworben.
2. Meine Gehaltswünsche belaufen sich __ 5 000 DM netto.
3. Ich beziehe mich __ Ihre Anzeige __ der FAZ.
4. Ich habe ein Berufspraktikum __ Übersetzerin __ Werbebroschüren abgelegt.
5. Ich bin __ der Suche __ einem geeigneten Auslandspraktikum.

C ■ Chassez l'intrus. Indiquez le terme qui n'a pas de rapport avec les autres

1. die Bewerbung, der Werdegang, die Kandidatur
2. ledig, unverheiratet, geboren
3. interpretieren, dolmetschen, übersetzen
4. die Fortbildung, der Familienstand, die Weiterbildung
5. die Gehaltserhöhung, die Gehaltswünsche, die Gehaltsansprüche

D ■ Reconstituez l'énoncé

1. wir, ein Vorstellungsgespräch, mit, sich freuen auf, sie.
2. ich, sich bewerben, sich erlauben, um, die Stelle, als, Sekretärin, zweisprachig, zu.
3. besitzen, eine Erfahrung, ich, die Bürokommunikation, groß, im Bereich.
4. stehen, zur Verfügung, jederzeit, ich, Sie, zu, ein persönliches Gespräch.
5. zwecks, sich in Verbindung setzen, Terminvereinbarung, mit, wir, umgehend, Sie.

E ■ Traduisez

1. Me référant à votre annonce du ...
2. ... je voudrais poser ma candidature au poste de secrétaire de direction.
3. Veuillez vous présenter au service du personnel.
4. Vous trouverez, en annexe, mon C.V. et la copie de mes diplômes.
5. Je serais intéressé par ce poste à l'étranger moyennant un salaire de ...

19

Arbeitsvertrag - Kündigung
Vergütung - Vollmacht

Contrat de travail - Résiliation
Rémunération - Procuration

Par un contrat de travail rédigé, une personne (le salarié) s'engage à fournir un travail déterminé pour le compte d'une autre personne (l'employeur) moyennant rémunération. Le contrat de travail peut être dissous : 1) par le décès du salarié ; 2) à expiration du contrat ; 3) par résiliation.

En cas de litige entre employé et employeur, les conseils de prud'hommes sont seuls compétents.

La procuration est un pouvoir qui autorise une personne déterminée à accomplir certains actes par délégation.

Scénario

Une société envoie un contrat de travail à son futur collaborateur et lui demande de bien vouloir le signer.

Un contrat de travail-type est adressé à une intérimaire française qui désire travailler en Allemagne pendant l'été.

Pour une représentation générale en République fédérale, une maison française élabore un contrat de travail détaillé.

De son côté, un comptable résilie son emploi pour prendre la direction d'un service-comptabilité dans une autre société.

Betreff : Arbeitsvertrag

Sehr geehrter Herr Meyer,

wir begrüßen Sie herzlichst als künftigen [1] Mitarbeiter unserer Firma. Anbei übersenden wir Ihnen zwei Exemplare des Arbeitsvertrags. Wir bitten Sie, uns ein Exemplar unterschrieben zurückzuschicken.

In der Hoffnung auf eine fruchtbare Zusammenarbeit verbleiben wir

mit freundlichen Grüßen

2 Anlagen

Zwischen der Firma Schönhaus und Herrn Meyer wird folgender [2] Vertrag [3] geschlossen :

1. Herr Meyer tritt am 1. September 19.. als Einkaufsleiter [4] in die Firma Schönhaus ein. Die Zeit vom 1.9. bis 11.11.19.. gilt als Probezeit.
2. Das Gehalt beläuft sich auf ... DM monatlich.
3. Das Arbeitsverhältnis kann zum Schluß eines Kalenderjahres [5] unter Einhaltung einer Kündigungsfrist [6] von ... Monaten aufgelöst werden.
4. Die Arbeitszeit beträgt wöchentlich ... Stunden.
5. Herr Meyer hat jedes Jahr Anrecht [7] auf bezahlten Urlaub von ... Wochen.
6. Im Krankheitsfall wird das Gehalt bis zur Dauer von ... Wochen fortgezahlt [8].
7. Jegliche [9] Vertragsänderung bedarf [10] der Schriftform.

Pforzheim, den 1. Juli 19..   Unterschriften

---

1. **künftig = zukünftig** : *futur.*
2. Remarquez l'absence d'article devant l'adj. **folgender.**
3. **einen Vertrag schließen, o, o** ou **ab/schließen** : *conclure, passer un contrat.*
4. **Leiter, - = r Chef, s** : Werbeleiter, Abteilungsleiter, Personalleiter.
5. **s Kalenderjahr** : *année civile* ; Schuljahr : *année scolaire* ; Dienstjahr : *année de service* ; Steuerjahr : *année fiscale.*
6. **e Kündigungsfrist, en** : *délai de préavis* ; kündigen a) einen

Objet : contrat de travail

Monsieur,

C'est avec le plus grand plaisir que nous saluons en vous le futur collaborateur de notre entreprise. Nous vous faisons parvenir ci-joint deux exemplaires du contrat de travail.

Nous vous prions de bien vouloir nous retourner un exemplaire dûment signé par vous.

Nous espérons que notre collaboration sera fructueuse et vous prions de croire en nos sentiments très cordiaux.

P.J. 2

Entre la Maison Schönhaus et M. Meyer est conclu le contrat suivant :

1. M. Meyer entre dans l'entreprise comme responsable des achats à compter du 1er septembre 19.. La période comprise entre le 1/9 et le 11/11/19.. vaudra comme période d'essai.
2. Le salaire est de ... DM par mois.
3. Le contrat de travail peut être dénoncé en fin d'année civile en observant un délai de préavis de ... mois.
4. La durée de travail est de ... heures par semaine.
5. M. Meyer pourra prétendre, chaque année, à ... semaines de congé payé.
6. En cas de maladie, le salaire continuera à être versé pendant ... semaines.
7. Toute modification fera l'objet d'un nouveau contrat.

Fait à Pforzheim, le 1er juillet 19..   Signatures

Arbeitsvertrag ~ : *résilier un contrat de travail* ; b) **jdm** ~ : *donner son congé à qqun, licencier qqun* ; **meinem Vater ist gekündigt worden** : *mon père a reçu son congé*.
7. **(ein) (An)recht haben auf + A** : *avoir droit à, pouvoir prétendre à*.
8. **fortgezahlt = weitergezahlt, weiterbezahlt**.
9. syn. **jede**.
10. **bedürfen + G** : *avoir besoin de, nécessiter* (surtout contexte juridique et administratif).

Arbeitsvertrag - Zeitbeschäftigung [1]

Fräulein Florence MERCIER, geboren am 17.3.19.. in Paris wird als Werkstudentin in der Firma Meinzinger & Co in Bruchsal (Baden-Württemberg) eingestellt.

Das Monatsgehalt beläuft sich auf DM ... brutto ; der Tag der Arbeitsaufnahme ist der 25.7.19..

Die Einstellung erfolgt [2] zu den unten aufgeführten Bedingungen :

Das Arbeitsverhältnis ist bis zum 25.8.19.. befristet [3]. Es endet an diesem Tag, ohne daß es einer Kündigung bedarf.

Für eine vorzeitige Beendigung der Zeitarbeit mit ordentlicher Kündigung gilt für beide Seiten eine Kündigungsfrist von 3 Tagen.

Alle Ansprüche [4] aus dieser befristeten Tätigkeit richten [5] sich nach den gesetzlichen Bestimmungen des gültigen Manteltarifvertrags [6] für die Angestellten der Metallindustrie Nordbaden.

Das Gehalt wird bar ausbezahlt.

Maschinenfabrik Meinzinger & Co
i.V. [7] Tuchert

Bruchsal, 24.7.19..
Einverstanden
Florence Mercier

Vollmacht [8]

Hiermit bevollmächtige [9] ich Herrn Udo FLEISCHER zu meiner Vertretung in allen meinen Angelegenheiten gegenüber Behörden und Privatpersonen, soweit das Gesetz eine Vertretung erlaubt.

München, den 1. Mai 19..   Peter URBAN

---

1. **e Zeitbeschäftigung, en** = **e Zeitarbeit, en** : *emploi, travail intérimaire* ; Zeitbeschäftigte(r) (adj.) = **r Zeitarbeiter, -** : *employé, travailleur intérimaire.*
2. **erfolgen (ist)** : *avoir lieu, être effectué, se faire.*
3. **bis August / bis zum 25. August befristet sein** : *être limité jusqu'en août / jusqu'au 25 août.*
4. **r Anspruch, ⁻e** = **s (An)recht, e** : *droit, prétention* ; **aus** (ici) : *résultant de.*
5. **sich richten nach + D** : *se conformer à, être déterminé par, suivre.*
6. **r Manteltarif** : est une *convention collective* qui règle les condi-

Contrat de travail - Emploi intérimaire

Mademoiselle Florence MERCIER, née à Paris le 19/3/19.. est engagée par l'entreprise Meinzinger & Co, à Bruchsal dans le Bade-Wurtemberg.

Le salaire mensuel brut est de ... ; date d'entrée en activité : 25/7/19..

Les conditions d'engagement sont celles énumérées ci-dessous :

Le contrat de travail est limité jusqu'au 25/9/19.. Il expirera à cette date sans préavis de notre part.

Pour toute cessation anticipée de ce travail intérimaire avec préavis en bonne et due forme, il sera exigé de l'une et l'autre partie un délai de préavis de 3 jours.

Tous les droits résultant de cette activité temporaire seront conformes aux dispositions légales des conventions collectives en vigueur pour les salariés de l'industrie métallurgique de la région du Nord-Bade.

Le salaire est payé au comptant.

Usines de machines Meinzinger & Co   Bruchsal, le 24/7/19..
par procuration Tuchert   Lu et approuvé
                                                                   Florence Mercier

---

Procuration

Je soussigné, Peter URBAN, domicilé à Munich, donne, par les présentes, procuration à M. Udo FLEISCHER pour me représenter dans toute affaire me concernant, vis-à-vis des autorités et des particuliers, dans la mesure où la loi permet la représentation.

Munich, le 1er mai 19..   Signature

---

tions de travail (durée, congés, embauche, etc.) *au sein d'une certaine branche.*
7. **i.V. = in Vollmacht** : *par procuration, par mandat* (il s'agit d'un pouvoir accordé aux employés, vendeurs, représentants ; cf. chapitre 1, paragraphe 9).
8. **e Vollmacht, en** : *procuration, pouvoir* ; jdm eine ~ geben (erteilen) : *donner procuration à qqun.* On distingue : a) Generalvollmacht : *procuration générale* (valable pour toutes les opérations) ; b) Gattungsvollmacht : *pouvoir partiel* ; c) Artvollmacht : *pouvoir particulier* ; d) Einzelvollmacht : *pouvoir individuel* ; e) Gesamtvollmacht : *pouvoir collectif* ; cf. aussi chapitre 1, paragraphe 9.
9. **Ich Unterzeichner (Ich Unterzeichneter)** sont, de nos jours, des formes achaïsantes.

Contrat de travail

Entre la maison ARBOIS et Monsieur MINDER est conclu le contrat de représentation ci-dessous :

1. M. Minder assumera à compter du 1/10/19.. la représentation générale des produits de l'entreprise ARBOIS pour l'ensemble du territoire de la République fédérale, Berlin-Ouest inclus.

2. Au titre de représentant général, il sera versé à M. Minder une commission proportionnelle au chiffre d'affaires réalisé.

3. En rémunération de son activité, M. Minder recevra un forfait mensuel d'un montant de ... couvrant ses dépenses courantes (téléphone, télex, etc.). Les frais de déplacement ne sont pas remboursés.

4. Le représentant général disposera d'un volant annuel unique de ... DM pour ses frais professionnels.

5. Le représentant général s'engage à ne pas représenter d'autres maisons concurrentes durant la durée de ce contrat.

6. Le contrat de représentation est conclu dans un premier temps pour une durée de trois ans. Passé ce délai, il pourra être résilié par l'une ou l'autre partie en observant un délai de préavis de 6 mois.

7. Toute modification du présent contrat devra faire l'objet d'un nouveau contrat.

En cas de litige, le tribunal de Gütersloh est seul compétent.

Résiliation de contrat

Messieurs,

Depuis que j'ai été engagé dans votre maison au poste de comptable, je me suis toujours efforcé d'élargir le champ de mes connaissances professionnelles.

Une entreprise réputée de Mulhouse me donne aujourd'hui l'occasion de prendre la direction de son service comptabilité à compter du 1/9/19..

J'ai donc l'honneur de résilier mon emploi chez vous à compter du 31/8 courant.

Je vous remercie du travail intéressant que nous avons effectué ensemble et vous serais reconnaissant de bien vouloir me délivrer un certificat attestant de mes activités et de ma conduite au sein de votre maison.

Veuillez agréer, Messieurs, l'expression de mes sentiments les meilleurs.

---

1. syn. **in der ganzen Bundesrepublik**.
2. Variante : **wird Herrn Minder ... (aus)gezahlt / erhält Herr Minder eine Provision, die sich nach dem erzielten Umsatz richtet**.
3. Comparez les différents temps : futur en français, présent en allemand.
4. syn. **Telex**.
5. syn. **e Fahr(t)kosten, e Fahr(t)spesen**.
6. syn. **ersetzt, zurückgezahlt**.

Arbeitsvertrag

Zwischen der Firma ARBOIS und Herrn MINDER wird folgender Vertretungsvertrag geschlossen :

1. Herr Minder übernimmt ab 1.10.19.. die Generalvertretung der Erzeugnisse für die Firma ARBOIS im ganzen Bundesgebiet [1], einschließlich West-Berlin.
2. Als Generalvertreter wird Herrn Minder eine Provision im Verhältnis zum erzielten Umsatz vergütet [2].
3. Als Vergütung für seine Tätigkeit erhält [3] Herr Minder eine monatliche Pauschale in Höhe von ... für die laufenden Ausgaben (Telefon, Fernschreiben [4] usw.). Die Reisespesen [5] werden nicht erstattet [6].
4. Für seine Werbungskosten [7] verfügt der Generalvertreter über eine jährliche Summe von ... DM.
5. Der Generalvertreter verpflichtet [8] sich, während der Vertragsdauer keine Konkurrenzfirmen zu vertreten.
6. Der Vertretungsvertrag wird zunächst für die Dauer von drei Jahren abgeschlossen. Nach Ablauf [9] dieser Zeit kann er von beiden Teilen unter Einhaltung [10] einer Frist von sechs Monaten gekündigt werden.
7. Jede Vertragsänderung bedarf der Schriftform.

Gerichtsstand ist Gütersloh.

Vertragskündigung

Sehr geehrte Herren,

seitdem [11] ich in Ihrem Betrieb als Buchhalter eingestellt wurde, habe ich mich immer bemüht, meine fachlichen Kenntnisse zu erweitern.

Eine bekannte Firma in Mühlhausen gibt mir heute die Gelegenheit, die Leitung der Buchhaltungsabteilung ab 1.9.19.. zu übernehmen.

Deshalb erlaube ich mir, meine Stelle bei Ihnen zum [12] 31.8.d.J. zu kündigen.

Ich danke Ihnen für die interessante Arbeit, die wir zusammen verrichtet haben und wäre Ihnen dankbar [13], wenn Sie mir ein Zeugnis über meine Tätigkeiten und Führung in Ihrer Firma ausstellen würden.

Hochachtungsvoll

---

7. Ne pas confondre **Werbungskosten** : *frais professionnels* et **Werbekosten** : *frais, dépenses publicitaires.*
8. syn. **ist gehalten**.
9. syn. **nach Ablauf der Frist, nach Fristablauf**.
10. syn. **unter Berücksichtigung**.
11. Variante : **seit meiner Einstellung als Buchführer**.
12. syn. **ab 31.8. / vom 31.8. ab (an)**.
13. Variante : **dankbar, mir ... auszustellen**.

1. Entre M. X et l'entreprise Y est passé le contrat suivant.
2. La durée de validité (de contrat) est limitée à 3 ans.
3. Le présent contrat est conclu pour une période d'essai de six mois.
4. Passé cette période d'essai, il sera tacitement prorogé pour trois ans.
5. L'entreprise se réserve le droit de résilier le contrat avec effet immédiat.
6. Le contrat est résiliable par l'une ou l'autre partie avec un délai de préavis de trois mois.
7. Il sera versé à M. X une commission de ... % sur le chiffre d'affaires réalisé.
8. En rémunération de son activité de ..., M. X percevra un fixe mensuel (traitement minimum, forfait) de ... F.
9. Pour des raisons de santé, je suis obligé de résilier mon emploi de ... à compter du ...
10. Je soussigné ... donne procuration à M. Y pour me représenter dans toutes les affaires me concernant.
11. Je soussigné ... certifie que Mlle X est employée chez nous.
12. En cas de maladie le salaire intégral continuera de lui être versé durant six mois.

---

1. **Zwischen Herrn X und der Firma Y wird folgender Vertrag (ab)geschlossen. (Die Firma Y und Herr X schließen folgenden Vertrag.)**
2. **Die Vertragsdauer wird auf drei Jahre beschränkt (begrenzt).**
3. **Vorliegender Vertrag wird für eine sechsmonatige Probezeit (ab)geschlossen.**
4. **Nach (Ablauf) dieser Probezeit (Am Ende der Probezeit) verlängert er sich stillschweigend um drei Jahre.**
5. **Die Firma behält sich vor, den Vertrag mit sofortiger Wirkung zu kündigen.**
6. **Vorliegender Vertrag ist von beiden Seiten mit dreimonatiger Frist kündbar (kann ... gekündigt werden).**
7. **Herrn X wird eine Provision von ... % des erzielten Umsatzes vergütet (gezahlt / ausgezahlt). (Herr X ... erhält eine Provision ...)**
8. **Für seine Tätigkeit erhält Herr X monatlich ein Fixum (ein Mindesteinkommen / eine Pauschale) von ... F.**
9. **Aus gesundheitlichen Gründen bin ich gezwungen, meine Tätigkeit als ... ab ... (vom ... an / ab) zu kündigen.**
10. **Hiermit erteile ich Herrn Y Vollmacht, mich in allen meinen Angelegenheiten zu vertreten.**
11. **Hiermit bescheinige ich, daß Fräulein X bei uns tätig (beschäftigt) ist.**
12. **Im Krankheitsfall wird ihm das volle Gehalt sechs Monate lang fortgezahlt (weiterbezahlt).**

r Arbeitsvertrag, ¨e : contrat de travail.
einen ~ (ab)/schließen, kündigen (auf/lösen) : conclure, résilier un contrat.
ein ~ auf 3 Jahre / auf unbestimmte Zeit : un contrat de 3 ans / d'une durée indéterminée.
jdn unter Vertrag nehmen, a, o, i : prendre qqun sous contrat.
unter Vertrag stehen, a, a : être sous contrat.

•

e Kündigung, en : résiliation, congé.
e Kündigungsfrist, en : délai de préavis.
jdm schriftlich kündigen : donner son congé par écrit à qqun.
zum 1.1.19.. kündigen : résilier au 1/1/19..
e Streitsache, n (r Streitfall, ¨e ; r Rechtsstreit) : litige.
s Arbeitsgericht, e : conseil de prud'hommes.

•

gültig : valable, en vigueur.
e Gültigkeit, ∅ : validité.
e stillschweigende Verlängerung : reconduction tacite.
e Vertragsdauer beträgt : la durée du contrat est de ...

•

e Probezeit, en : période d'essai.
nach Ablauf der Probezeit (am Ende der Probezeit) : passé (après) la période d'essai.
einen Vertrag verlängern ≠ verkürzen : proroger (prolonger) ≠ abréger un contrat.

•

sich etw vor/behalten ie, a, ä : se réserver le droit de faire qqch.
in Änderung des Vertrags : par modification des termes du contrat.

laut Vertrag : aux (selon les) termes du contrat.
der Schriftform bedürfen : devoir être fait par écrit ; devoir faire l'objet d'un nouveau contrat.
wie folgt abgeändert werden : être modifié comme suit.

•

e Vergütung, en : rémunération.
eine Provision gewähren, zahlen : accorder, payer une commission.
s Fixum : (salaire) fixe.
s Mindestgehalt, ¨er : traitement minimum.
ein Fixum in Höhe von ... erhalten, ie, a, ä : toucher un fixe de ...
jdm ... Prozent des erzielten Umsatzes gewähren : accorder à qqun ... % sur le chiffre d'affaires réalisé.

•

e Vollmacht, en : procuration, pouvoir.
i.V. = in Vollmacht : par procuration.
jdm die ~ geben (erteilen) (zu / für) : donner la procuration à qqun (pour qqch).
General ~ : procuration générale.
Gattungs ~ : pouvoir partiel.
Art ~ : pouvoir particulier.
Einzel ~ : pouvoir individuel.
Gesamt ~ : pouvoir collectif.
r Vollmachtgeber, - : mandant.
Bevollmächtigte(r) (adj.) : mandataire, fondé de pouvoir.
jdn bevollmächtigen : mandater qqun, donner pouvoir à qqun.
e Prokura, -ren : procuration, pouvoir (d'un fondé de pouvoir ; **Prokurist**).
ppa (pp / per procura) : par procuration (d'un fondé de pouvoir).

A ■ Complétez par le participe adéquat

1. Er hat den Arbeitsvertrag __.
2. Seit wann hat sie ihrem Chef __ ?
3. Sie haben die Kündigungsfrist nicht __.
4. Im Krankheitsfall wird das Gehalt __.
5. Schicken Sie uns ein __es Exemplar zurück.

gekündigt - unterschrieben - aufgelöst - eingehalten - fortgezahlt

B ■ Indiquez les expressions contraires

1. Einen Arbeitsvertrag abschließen : __
2. Eine unbefristete Tätigkeit : __
3. Sie wurde eingestellt : __
4. Mit Kündigungsfrist : __
5. Die Einzelvollmacht : __

C ■ Jeu des 10 prépositions : Trouvez-les !

1. Eine Summe __ Höhe von 110 DM.
2. Der Vertrag gilt __ 3 Jahre.
3. Sie müssen sich __ die gesetzlichen Bestimmungen halten.
4. In der Hoffnung __ eine fruchtbare Zusammenarbeit.
5. Das Gehalt beläuft sich __ 5 000 DM.
6. Der Lohn wird bis __ 1.1.19.. fortgezahlt.
7. Er hat Anrecht __ bezahlten Urlaub.
8. __ welchen Bedingungen ?
9. Der Tarifvertrag __ die Metaller.
10. __ gesundheitlichen Gründen.

D ■ Traduisez les énoncés en français

1. auf Probezeit
2. stillschweigend
3. eine Pauschale erhalten
4. die Kündigungsfrist
5. mit sofortiger Wirkung
6. unter Einhaltung + G
7. der Schriftform bedürfen
8. einverstanden
9. in Vollmacht
10. wohnhaft in

E ■ Traduisez

1. La période du ... au ... sera une période d'essai.
2. Vous avez droit à un congé payé de 3 semaines.
3. Je donne procuration à ma femme pour agir en mes lieu et place.
4. Votre contrat de travail expire dans une semaine.
5. Vous aurez un fixe mensuel de ... plus une commission sur le chiffre d'affaires (réalisé).

20

Private Korrespondenz

La correspondance privée

Les particuliers ont, eux aussi, des lettres d'affaires ou administratives à rédiger. La correspondance avec les services publics (poste, sécurité sociale, etc.) et privés (offices du tourisme, services d'abonnement, etc.) revêt donc également une très grande importance.

Le monde du travail (rapports avec les collègues, invitations, fêtes) donne lieu à des échanges de correspondance qui se situent à mi-chemin entre les relations privées et professionnelles.

Quant à la forme et au contenu, ces lettres privées s'apparentent à la correspondance commerciale et nécessitent à la fois une approche pragmatique et une grande clarté dans l'exposé.

Scénario

■ **Anforderung von Ferienprospekten**
   Demande de prospectus de vacances

■ **Reservierung eines Hotelzimmers**
   Réservation d'une chambre d'hôtel

■ **Nachschicken der Post**
   Réexpédition du courrier

■ **Zeitungsabonnement**
   Abonnement à un journal

■ **Glückwunschschreiben**
   Lettres de voeux

■ **Dankschreiben**
   Lettres de remerciements

■ **Telegramme**
   Télégrammes

■ Fremdenverkehrsamt

Betreff : Zusendung von Informationsmaterial [1]

Sehr geehrte Damen und Herren,

da ich beabsichtige, meinen nächsten Sommerurlaub mit meiner Familie in Ihrer Stadt/Ihrer Umgebung zu verbringen, wäre ich Ihnen dankbar, mir entsprechendes Info-Material [1] (Prospekte [2], Hotelverzeichnis [3], Familienpensionen, Verzeichnis [3] der Ferienhäuser und -wohnungen, Camping- [4] und Wohnwagenführer [5]) zuzuschicken.

Für Ihre Bemühungen möchte ich Ihnen herzlichst danken und verbleibe

mit freundlichen Grüßen

■ Hotel

Betr. : Zimmerreservierung [6]

Sehr geehrter Herr Bernardi,

auf Geschäftsreise [7] in Ihrer Stadt möchte ich in der Zeit vom 6.10. (Anreisetag [8]) bis zum 10.10.19.. (Abreisetag [8]) ein Einzelzimmer [9] mit Dusche/mit Bad reservieren [6].

Ich möchte Sie bitten, mir diese Buchung [6] telefonisch [10]/schriftlich/fernschriftlich [11] unter Angabe Ihrer Übernachtungspreise zu bestätigen. Besten Dank im voraus.

Mit freundlichem Gruß

■ Postamt

Betreff : Nachschicken [12] der Post

Sehr geehrte Damen und Herren,

vom 15. bis (zum) 30. Juni verbringe ich meinen Urlaub in Kiel und bitte Sie, alle an mich gerichteten Briefe und Postsendungen an meine dortige Anschrift [13]... nachzuschicken [12]. Mit bestem Dank im voraus.

Hochachtungsvoll

---

1. **s Informationsmaterial, -ien (Info-Material)** : *documentation, brochures d'information.*
2. **r** ou **s Prospekt, e** : *prospectus.*
3. **s Verzeichnis, se** = **e Liste, n.**
4. **s Camping, s** ['kɛmpiŋ/'kampiŋ] : *camping.*
5. **r Wohnwagenführer, -** : *guide du caravaning* ; **r Wohnwagen** = **r Caravan, s.**
6. **e Reservierung** = **e Buchung, en** : *réservation* ; **reservieren** = **buchen** : *réserver.*
7. **e Geschäftsreise, n** : *voyage d'affaires* ; **e Dienstreise** : *mission d'un fonctionnaire.*

■ Syndicat d'initiative

Objet : envoi de documentation

Mesdames, Messieurs,

Envisageant de passer mes prochaines vacances d'été en compagnie de ma famille dans votre ville / votre région, je vous serais reconnaissant de bien vouloir m'adresser de la documentation (prospectus, listes d'hôtels, de pensions de famille, liste des maisons et appartements de vacances, terrains de camping et caravaning).

Je vous remercie vivement du mal que vous allez vous donner et vous prie de croire en l'expression de mes sentiments les meilleurs.

■ Hôtel

Objet : réservation de chambre

Monsieur,

Effectuant un voyage d'affaires dans votre ville, je désirerais réserver une chambre individuelle avec douche / salle de bains pour la période du 6/10 (jour d'arrivée) au 10/10/19.. (jour de départ).

Je vous serais obligé de bien vouloir me confirmer la réservation par téléphone / par écrit / par télex, en m'indiquant le prix de la nuit.

Avec mes remerciements anticipés, je vous prie de croire, Monsieur, à l'expression de mes salutations distinguées.

■ Poste

Objet : réexpédition du courrier

Madame, Monsieur,

Je passerai mes vacances à Kiel, du 15 au 30 juin. Je vous prie donc de bien vouloir faire suivre le courrier et autres envois postaux à mon adresse de Kiel : ... Je vous en remercie à l'avance.

Veuillez agréer, Madame, Monsieur, l'expression de mes sentiments les meilleurs.

---

8. **r Anreisetag** = **r Ankunftstag** : *jour d'arrivée* ≠ **r Abreisetag** = **r Abfahrtstag** : *jour de départ.*

9. **s Einzelzimmer, -** : *chambre pour une personne* ; **s Doppelzimmer, -** : *chambre pour deux personnes.*

10. **telefonisch** = **fernmündlich** : *par téléphone.*

11. **fernschriftlich** = **per Telex** : *par télex.*

12. **s Nachschicken der Post** : *réexpédition du courrier* ; **die Post nach/schicken** : *faire suivre le courrier.*

13. **e Anschrift, en** = **e Adresse, n.**

■ Abonnement

Betr. : Abonnement [1]

Sehr geehrte Herren,

ich möchte Ihre Tageszeitung (Ihr Wochenblatt / Ihre Zeitschrift / Ihre Illustrierte / Ihr Magazin)... vom 1.Januar 19.. ab für die Dauer eines Jahres (Halbjahres / Vierteljahres) abonnieren [1].

Anbei ein Postscheck/Bankscheck über ... für das Jahresabonnement (Halbjahres-/Vierteljahresabonnement).

Mit freundlichem Gruß

■ Glückwünsche

• Zu Deinem Geburtstag gratulieren [2] wir Dir recht herzlich und wünschen [3] Dir für Deinen weiteren Lebensweg alles Gute.

• Wir wünschen Ihnen ein frohes (glückliches / gesegnetes) Weihnachtsfest und einen guten Rutsch [4] ins Neue Jahr. Mögen sich alle Ihre Wünsche im Neuen Jahr verwirklichen!

• Zum bestandenen Examen / zu Ihrer Beförderung möchte ich Ihnen meinen herzlichen Glückwunsch übermitteln [5] und wünsche Ihnen für Ihre weitere Laufbahn viel Glück und alles Gute.

• Zur Verlobung / Hochzeit möchte ich Ihnen meine herzlichsten Glückwünsche aussprechen [5].

■ Einladungen

• Ich möchte Sie zum Essen / zu meiner Party / zur Vermählung [6] am Samstag, den 3.2.19.., herzlichst einladen.

• Ich würde mich freuen, Sie als Gast am 25.Juli bei mir begrüßen zu können. Anläßlich meiner Beförderung zum Personalleiter veranstalte ich ein Fest, zu dem alle Mitarbeiter herzlichst eingeladen sind.

---

1. **s Abonnement, s** [abɔnə'mã] ; eine Zeitung abonnieren : *s'abonner à un journal* ; auf eine Zeitschrift abonniert sein : *être abonné à une revue.*
2. **jdm zum Geburtstag gratulieren** : *souhaiter bon anniversaire à qqun* ; jdm gratulieren zu + D : *féliciter qqun de.*
3. **jdm alles Gute wünschen** : *souhaiter bonne chance à qqun.*
4. Retenez l'expression idiomatique : **wir wünschen Ihnen einen**

■ Abonnement

Madame, Monsieur,

Je désire m'abonner à compter du 1er janvier 19.., et pour une durée d'un an (6 mois / 3 mois), à votre quotidien (hebdomadaire/ revue / magazine illustré).

Veuillez trouver ci-joint, un chèque postal / bancaire d'un montant de ..., représentant l'abonnement annuel (semestriel / trismestriel).

Veuillez agréer, Madame, Monsieur, l'expression de mes salutations distinguées.

■ Vœux

• Nous te souhaitons un heureux anniversaire et te disons bonne chance pour les années à venir.

• Nous vous souhaitons un joyeux Noël (d'heureuses, de saintes fêtes de Noël) et vous présentons nos vœux les meilleurs à l'occasion de la nouvelle année. Qu'elle voie se réaliser vos vœux les plus chers.

• Je vous félicite de votre succès à l'examen / de votre promotion et vous souhaite bonne chance pour votre future carrière.

• Permettez-moi de vous présenter mes félicitations à l'occasion de vos fiançailles / de votre mariage et de vous présenter mes vœux les plus chaleureux de bonheur.

■ Invitations

• J'aimerais vous inviter à déjeuner (dîner) / à une surprise partie/ à mon mariage, le samedi 3/2/19..

• Je serais ravi que vous soyez des nôtres (mon hôte) le 25 juillet prochain. A l'occasion de ma nomination au poste de chef du personnel, j'organise une fête à laquelle tous les collaborateurs sont cordialement invités.

---

guten Rutsch ins Neue Jahr : *nous vous souhaitons une bonne année* (m. à m. une bonne glissade sur la neige vers la nouvelle année).

5. **jdm herzliche (herzlichste) Glückwünsche übermitteln** = jdm herzlichen Glückwunsch aus/sprechen : *présenter ses vœux les plus chaleureux à qqun.*

6. **e Vermählung, en** (rare) = **e Hochzeit, en** : *mariage, noces.*

■ **Telegramme**

• Ankomme [1] 12.11. HH [2]-Flughafen 18 Uhr 30 LH [3] 347. Bitte
abholen. Bernd.

• Bestätige Zimmerreservierung vom 3.5. bis 7.6. Peter Urban.

■ **Dankschreiben**

Liebe Frau Kern,

unser Sohn Jean ist schon seit einigen Tagen wieder zu Hause.
Sein Aufenthalt in Wiesbaden im Kreis [4] Ihrer Familie ist für
ihn sehr angenehm gewesen, und er spricht immer [5] wieder
von seinen deutschen Freunden Heinz und Werner.

Wir möchten Ihnen für die freundliche Aufnahme, die Sie ihm
gewährt haben, herzlich danken. Die drei Wochen bei Ihnen
haben ihm erlaubt [6], seine Sprachkenntnisse zu verbessern und
auch die Bundesrepublik zu entdecken.

Wir wären glücklich, wenn wir Ihre beiden Söhne Heinz und
Werner in den nächsten Schulferien bei uns aufnehmen könnten [7]. Wir sprechen Ihnen unseren besten Dank [8] aus und hoffen, daß dieser erste Kontakt zu freundlichen und dauerhaften
Beziehungen führen wird.

Mit herzlichen Grüßen

Sehr geehrter Herr Brand,

nach meiner Rückkehr nach Frankreich möchte ich mich bei
Ihnen für die freundliche Aufnahme bedanken. Das sechs-
wöchige Praktikum bei der Firma ... hat mir erlaubt, mich
mit den Techniken [9] des Managements eines deutschen Unternehmens vertraut zu machen.

Ihre Mitarbeiter haben viel Geduld gezeigt und haben mir
immer bei der Erledigung der verschiedenen Aufgaben, die
Sie mir anvertraut hatten, beigestanden [10].

In der Anlage [11] übersende ich Ihnen meinen Praktikumsbericht [12] und hoffe, daß er die wesentlichen Aspekte [13] meiner Tätigkeit bei Ihnen enthält.

Mit besten Grüßen

---

1. Le tarif des télégrammes est calculé en fonction du nombre de
mots (maximum 10 lettres par mot). Souvent **ankomme** et non pas
komme an pour gagner un mot.
2. **HH = Hansestadt Hamburg** ; les abréviations pour les villes
correspondent aux nᵒˢ des plaques d'immatriculation des voitures :
B = Berlin ; F = Frankfurt ; M = München.
3. **LH = Lufthansa** ; **AF = Air France**.
4. Variante : **in Ihrer Familie**.
5. Variante : **dauernd, beständig, unablässig**.
6. Variante : **haben ihm ermöglicht**.

■ Télégrammes

• Arrive le 12/11 aéroport de Hambourg 18 h 30 par vol 347 de la Lufthansa. Prière venir me chercher. Bernd.

• Confirme réservation de chambre du 3/5 au 7/6. Peter Urban.

■ Lettres de remerciement

Chère Madame Kern,

Voici quelques jours déjà que notre fils Jean est de retour. Son séjour à Wiesbaden au sein de votre famille lui a été très agréable et il ne fait que parler de ses amis allemands Heinz et Werner.

Nous voudrions vous remercier vivement de l'accueil chaleureux que vous lui avez réservé. Les trois semaines auprès de vous lui ont permis de perfectionner ses connaissances linguistiques tout en découvrant l'Allemagne fédérale.

Nous serions heureux d'accueillir vos deux fils Heinz et Werner chez nous lors de leurs prochaines vacances scolaires. En vous assurant de notre gratitude, nous espérons que ce premier contact débouchera sur des relations amicales et durables.

Bien amicalement

Cher Monsieur Brand,

De retour en France, j'aimerais vous remercier de l'accueil amical que vous m'avez réservé dans votre entreprise. Les six semaines de stage chez ... m'ont permis de me familiariser avec les techniques de gestion d'une entreprise allemande.

Vos collaborateurs ont fait preuve de beaucoup de patience et m'ont toujours assisté dans l'exécution des différentes tâches que vous m'aviez confiées.

Je vous adresse, ci-joint, mon rapport de stage en espérant qu'il contiendra les éléments essentiels de mes activités chez vous.

Je vous prie de croire, ...

---

7. Variante : **wir würden uns glücklich schätzen, Ihre beiden Söhne während der nächsten Schulferien bei uns aufzunehmen (aufnehmen zu können)**.

8. Variante : **wir danken Ihnen (recht) herzlichst, wir möchten uns bei Ihnen herzlichst bedanken**.

9. Variante : **mit den Techniken der Unternehmensleitung einer deutschen Firma...**

10. **jdm bei/stehen, a, a** : *assister qqun, aider qqun* ; jdm mit Rat und Tat ~ : *assister qqun de ses conseils et en actes.*

11. **in der Anlage = anbei** : *ci-joint, en annexe.*

12. Variante : **r Praktikantenbericht, e**.

13. Variante : **e Hauptpunkte, die wichtigsten Elemente**.

1. Veuillez m'adresser de la documentation et des brochures d'information sur votre ville.
2. Je vous demande de bien vouloir me réserver une chambre pour deux personnes du 15 au 17 juin.
3. Nous avons l'intention de passer nos vacances dans votre région.
4. Tous nos vœux à l'occasion de votre anniversaire / de votre mariage.
5. Nous vous souhaitons (un) Joyeux Noël et (une) bonne année.
6. Nos vœux les plus cordiaux pour votre promotion au poste de chef du personnel.
7. Nous vous remercions d'avoir réservé un si bon accueil à notre fils.
8. Le stage m'a permis de me familiariser avec la gestion d'une entreprise.
9. Arrivée vol Air France, Roissy, mercredi 17 h 30.
10. Veuillez confirmer la réservation par télex.
11. Ci-joint un chèque représentant mon abonnement au quotidien/ à l'hebdomadaire / à la revue.
12. Veuillez me faire réexpédier le courrier à l'adresse suivante.

---

1. **Ich bitte Sie, mir Informationsmaterial (Info-Material) über Ihre Stadt zuzusenden.**
2. **Bitte reservieren (buchen) Sie mir ein Doppelzimmer vom 15. bis zum 17. Juni.**
3. **Wir beabsichtigen, unsere Ferien (unseren Urlaub) in Ihrer Gegend zu verbringen.**
4. **Wir möchten Ihnen zu Ihrem Geburtstag / zu Ihrer Hochzeit (Vermählung) gratulieren.**
5. **Wir wünschen Ihnen frohe Weihnachten und ein glückliches Neues Jahr (ein gesegnetes Weihnachtsfest und einen guten Rutsch ins Neue Jahr).**
6. **Herzliche Glückwünsche (Herzlichen Glückwunsch) zu Ihrer Beförderung zum Personalleiter.**
7. **Wir danken Ihnen (herzlichst) für die freundliche Aufnahme unseres Sohns.**
8. **Das Praktikum hat mir erlaubt, mich mit dem Management einer Firma (der Unternehmensleitung) vertraut zu machen.**
9. **Ankunft (Ankomme) Flug AF, (Flughafen) Roissy, Mittwoch 17 Uhr 30.**
10. **Bitte bestätigen Sie die Reservierung fernschriftlich (die Buchung per Telex).**
11. **Anbei einen Scheck für das Abonnement der Tageszeitung/ des Wochenblatts / der Zeitschrift.**
12. **Bitte schicken Sie mir meine Post an folgende Anschrift (Adresse) nach.**

e Korrespondenz, en (r Schrift-wechsel,- ; r Schriftverkehr, ∅**)** : correspondance.

private / geschäftliche / dienst-liche ~ : correspondance privée / d'affaires / administrative.

mit jdm eine ~ führen : entre-tenir une correspondance avec qqun.

•

s Informationsmaterial, -ien (Info-Material) : documentation, brochures d'information.

r ou s Prospekt, e : prospectus.

s Hotelverzeichnis, se : liste des hôtels.

e Familienpension, en : pension de famille.

s Camping, s ['kɛmpiŋ/'kam-piŋ] : camping.

r Campingführer, - : guide du camping.

r Wohnwagen, - (r Caravan, s) : caravane.

r Wohnwagen-, Caravanführer, - : guide du caravaning.

•

s Telegramm, e : télégramme.

ein ~ nach Deutschland schik-ken : envoyer un télégramme en Allemagne.

ein ~ auf/geben, a, e, i : expé-dier un télégramme.

jdn telegrafisch benachrichti-gen : informer qqun par télé-gramme

•

e Reservierung, en (e Buchung, en) : réservation.

e Zimmerreservierung, en : réservation de chambre.

e Buchung einer Reise / eines Flugs : réservation d'un voyage/ d'un vol.

mündliche / schriftliche / tele-fonische (fernmündliche) / fernschriftliche (per Telex) ~ : réservation orale / par écrit / télé-phonique / par télex.

reservieren (lassen) : faire réser-ver.

ein Zimmer ~ : (faire) réserver une chambre.

eine Reise / einen Flug buchen : réserver un voyage / retenir une place sur un vol.

•

s Abonnement, s [abɔnə'mã] : abonnement.

ein ~ erneuern : renouveler un abonnement.

r Abonnent, en, en : abonné.

eine Tageszeitung / ein Wochenblatt / eine Zeitschrift/ ein Magazin abonnieren : s'abonner à un quotidien / un hebdomadaire / une revue / un magazine.

er ist auf eine Illustrierte abon-niert : il est abonné à une revue illustrée.

•

r Glückwunsch, ¨e : vœu, sou-hait.

jdm herzliche ~¨e übermitteln : adresser des vœux amicaux à qqun.

jdm (einen) herzlichen Glück-wunsch aus / sprechen, a, o, i : présenter des vœux chaleu-reux à qqun.

jdm gratulieren zu + D : félici-ter qqun de.

Exercices

A ■ Comblez les blancs

1. Ich möchte mein__ Sommerurlaub __ Ihrer Stadt __.
2. Wir wären Ihnen __, uns __-Material __.
3. Er möchte __ 6.Juli __ zum 10.Juli ein __zimmer __.
4. Bitte __ Sie mir meine Post __ meine Ferien__ __.
5. Sie möchte dies__ Wochen__ __.

B ■ Trouvez la forme verbale appropriée

1. jdm zum Geburtstag __
2. herzliche Glückwünsche __
3. ein frohes Weihnachtsfest __
4. ein Telegramm __
5. jdn vom Flughafen __

C ■ Trouvez un ou plusieurs synonymes

1. fernmündlich : __
2. buchen : __
3. frohe Weihnachten : __
4. die Hochzeit : __
5. der Schriftwechsel : __

D ■ Trouvez le genre et la première partie du mot composé

1. d__ __zeitung
2. d__ __reservierung
3. d__ __führer
4. d__ __verzeichnis
5. d__ __schreiben

E ■ Traduisez

1. Veuillez me réserver une chambre pour deux personnes avec salle de bains.
2. N'oublie pas d'envoyer un télégramme au chef du personnel.
3. Il vaut mieux confirmer ta date d'arrivée par télex.
4. Je vous présente mes meilleurs vœux pour la nouvelle année.
5. Pour avoir les brochures de vacances, il faut s'adresser au syndicat d'initiative.

Annexes

1. Mit Lufpost - Par Avion*

Die Lufpost ist die schnellste Beförderungsart über weite Entfernungen und wird besonders für den außereuropäischen Raum verwendet. Über der Adressenangabe sollte der Vermerk « Mit Luftpost - Par Avion » stehen, der auch als Aufkleber bei allen Postämtern unentgeltlich vergeben wird. Aerogramme (Luftpostleichtbriefe) sind im Papierhandel erhältlich.

2. Einschreiben

Neben Briefen und Postkarten können auch Päckchen als Einschreiben versandt werden, die von der Post durch eine Bescheinigung als solche bestätigt werden. Der Empfänger muß den Empfang durch seine Unterschrift quittieren. Möchten Sie Wertobjekte versenden, so verwenden Sie dafür lieber Briefe mit entsprechender Wertangabe.

2.1. Der Rückschein

Wünscht der Absender für eine Wert- oder Einschreibesendung eine Empfangsbestätigung des Empfängers, so muß ein Rückschein ausgefüllt werden, der vom Empfänger unterschrieben an den Absender zurückgeht.

3. Wertangabe

Wenn Sie Wertgegenstände mit der Post versenden wollen, können diese als Brief oder Paket verschickt werden. Die Sendungen müssen sicher verpackt und ordnungsgemäß versiegelt werden. Die Wertangabe (Wert : ... DM) beschränkt sich auf 100 000 DM für den Normalversand und auf 10 000 DM für Sendungen mit Luftpost.

4. Eilzustellung - Exprès

Diese Sendungen werden mit gewöhnlicher Post befördert, aber am Bestimmungsort zwischen 6 Uhr und 22 Uhr von einem Eilboten ausgetragen.

5. Nachnahme

Auf dem Briefumschlag (Briefhülle) wird das amtliche Nachnahmezeichen « Nachnahme - Remboursement » aufgeklebt und der einzuziehende Betrag « Nachnahme 1 500 DM » angegeben (Höchstbetrag : 3 000 DM). Der Auftraggeber erhält nach Einzug durch die Post den entsprechenden Betrag, der um die Zahlkartengebühr gekürzt wird.

---

* Da die internationale Sprache der Post französisch ist, können alle Angaben im internationalen Verkehr in dieser Sprache verfaßt werden.

Différentes formes d'expédition

1. Poste aérienne - Par avion

La poste aérienne est le mode de transport à longue distance le plus rapide ; on l'utilise particulièrement pour les zones situées en dehors de l'Europe. La mention « *Par avion* » figurera au-dessus de l'indication d'adresse ; elle vous sera remise gratuitement dans tous les bureaux de poste sous forme d'autocollant. On peut se procurer des aérogrammes dans toutes les papeteries.

2. Recommandation

Outre les lettres et colis, on peut également envoyer de petits paquets en recommandé, qu'une attestation de la Poste confirmera en tant que tels. Le destinataire doit en accuser réception en signant de sa main. Si vous désirez expédier des objets de valeur, il vaudra mieux utiliser des lettres mentionnant la déclaration de valeur correspondante.

2.1. Accusé (Avis) de réception

Si l'expéditeur souhaite avoir un accusé de réception du destinataire pour un envoi avec valeur déclarée ou en recommandé, un accusé de réception devra être rempli qui, dûment signé par le destinataire, sera retourné à l'expéditeur.

3. Déclaration de valeur - Valeur déclarée

Si vous désirez expédier des objets de valeur par la poste, ces derniers peuvent l'être au titre de lettre ou de colis. Les envois se feront dans un emballage sûr et seront réglementairement cachetés. La valeur déclarée (valeur : ... DM) se limitera à 100 000 DM pour les envois ordinaires, à 10 000 DM pour les envois par avion.

4. Distribution par exprès - Exprès

Ces envois sont acheminés par courrier ordinaire, mais distribués par porteur spécial entre 6 h 00 et 22 h 00.

5. Remboursement

On apposera sur l'enveloppe l'étiquette officielle « *Remboursement* » et l'on indiquera le montant à percevoir « *Remboursement 1 500 DM* » (montant maximal : 3 000 DM). Le client recevra la somme correspondante après recouvrement par la Poste, diminuée des frais de mandat-carte.

6. Kursbrief

Es handelt sich um eine vereinbarte regelmäßige Beförderung eines Briefes mit festgelegter Verbindung, z.B. im Verkehr zwischen der Zentrale eines Unternehmens und einer Filiale. Diese Briefe werden in einem rotumrandeten Briefumschlag mit dem Vermerk « *Kursbrief* » verschickt.

7. Postlagernd

Sendungen mit dem Vermerk « *Postlagernd* » in der Anschrift hält das Postamt am Schalter 14 Werktage für Inlandssendungen und einen Monat für Auslandssendungen für den Empfänger bereit. Nachnahmesendungen gehen nach 7 Werktagen wieder an den Absender zurück.

8. Werbeantwort

Wenn Empfänger von Werbesendungen dem Absender portofrei antworten sollen, können sie das auf vorgedruckten Werbeantworten machen. Der Empfänger der Werbeantwort zahlt dann bei der Bundespost das Porto für die Rückantwort.

6. Courrier à acheminement fixe

Il s'agit là de l'expédition convenue et régulière d'une lettre à acheminement bien déterminé pour assurer la liaison entre la maison mère d'une entreprise et une filiale, par ex. Ces lettres sont expédiées sous enveloppe bordée de rouge portant la mention « *Kursbrief* ».

7. Poste restante

Le guichet de la Poste tient à la disposition du destinataire et ce, pour une durée de 15 jours ouvrables pour le régime intérieur, un mois pour le régime international, les envois portant la mention « *Poste restante* » dans l'adresse. Les envois contre remboursement sont retournés à leur expéditeur après 8 jours ouvrables.

8. Courrier-réponse publicitaire

Quand les destinataires d'envois publicitaires doivent répondre en franchise de port, ils peuvent le faire sur des cartes-réponse. Dans ce cas, c'est le destinataire de la réponse publicitaire qui acquittera les frais du port pour la réponse auprès de la Poste fédérale.

Versandarten

1. Brief

Es sind schriftliche Mitteilungen in offenem oder verschlossenem Briefumschlag (in offener oder verschlossener Briefhülle) (private Mitteilungen oder Geschäftsbriefe).

2. Drucksache

Es handelt sich um Vervielfältigungen auf Papier oder Karton, die den Vermerk « *Drucksache* » tragen und die in einer Mindestzahl von 20 Stück bei der Post eingeliefert werden müssen. Die Umhüllung muß unverschlossen oder zumindest leicht zu öffnen sein (z.B. Streifband, eingesteckte Klappe usw.)

3. Briefdrucksache

Es sind Drucksachen, bei denen bis zu zehn Wörter oder Buchstaben und beliebig viele Zahlen nachgetragen oder geändert werden dürfen. Sie tragen den Vermerk « *Briefdrucksache/Geb. gepr.* » (« *Gebühr geprüft* ») Beispiel : Rechnungsvordruck mit nachgetragenen Ziffern, Einladungen mit nachgetragenen Orts- und Zeitangaben usw.

4. Massendrucksache

Als solche können Drucksachen gleichen Inhalts in großen Mengen verschickt werden. Es empfiehlt sich, der Post vor Versand ein Exemplar des als Massendrucksache zu verschickenden Materials zur Prüfung vorzulegen.

5. Warensendung

Warenproben oder Muster können in offener Umhüllung verschickt werden. Sie dürfen dieser Sendung kennzeichnende Angaben zu dem Inhalt oder eine Rechnung beilegen.

6. Büchersendung

Sie dürfen neben Büchern auch Broschüren, Notenblätter, Landkarten u.ä. verschicken. Die Verpackung muß die Kennzeichnung « *Büchersendung* » enthalten. Das Porto ist niedriger als bei Drucksachen.

7. Postkarte

Die Postkarten haben ein amtlich festgelegtes Format und können bei der Bundespost mit einer aufgedruckten Freimarke gekauft werden. Im Papierhandel gibt es diese Postkarten wie auch Ansichtskarten ohne Briefmarke. Sie müssen diese vor Versand ordnungsgemäß frankieren.

Différents modes d'envois

1. Lettre

Il s'agit de communications écrites sous pli clos ou non clos (lettres privées ou lettres commerciales, par ex.).

2. Imprimés

Il s'agit de lettres ronéotypées sur papier ou bristol (carton) portant la mention « *Imprimés* » et qui doivent être déposées dans les bureaux de poste par 20 au minimum. L'enveloppe ne devra pas être fermée ou du moins facile à ouvrir (sous bande, rabat simplement rentré, par ex.).

3. Imprimés-lettres

Ce sont des imprimés sur lesquels on peut rajouter ou modifier jusqu'à 10 mots ou lettres et le nombre de chiffres voulu. Elles portent la mention « *Imprimé-lettre/port vérifié* ». A titre d'exemple : formulaire de facture avec chiffres rajoutés, cartons d'invitation avec indication du lieu et de l'heure, etc.

4. Imprimés en nombre

On peut envoyer en tant que tels et en grand nombre des imprimés de contenu identique. Il est recommandé de soumettre à un examen préalable de la Poste un exemplaire du matériel à envoyer en grand nombre.

5. Expédition de marchandises

Des échantillons de marchandises ou spécimens peuvent être expédiés sous emballage non clos. Vous êtes autorisés à joindre à cet envoi des indications spécifiques concernant le contenu ou bien une facture.

6. Envoi de livres

Vous pouvez expédier des livres mais également des brochures, des partitions musicales, des cartes géographiques, entre autres choses. L'emballage doit comporter la mention « *livres* ». Les frais de port sont moindres que pour les imprimés.

7. Carte postale

Les cartes postales ont un modèle fixé par l'administration et peuvent être obtenues dans les bureaux de poste, avec un timbre en impression. On trouve ces cartes postales ainsi que des cartes postales illustrées dans les librairies-papeteries, mais sans timbre. Avant de les expédier il vous faudra les affranchir convenablement.

8. Wurfsendung

Für Drucksachen oder Warensendungen ohne Anschrift (« An alle Haushalte »), die meist für Werbezwecke verwendet werden, kann man die Dienste der Bundespost in Anspruch nehmen. Für diese Sendungen gelten Sondertarife, die bei allen Postämtern erfragt werden können.

9. Hotelzimmerschlüsseldienst

Sollten Sie nach Verlassen Ihres Hotels vergessen haben, Ihren Zimmerschlüssel beim Empfang abzugeben, so ist das noch kein Beinbruch. Werfen Sie diesen mit dem Adreßanhänger des Hotels versehen in den Briefkasten. Die Bundespost kümmert sich um die Rücksendung.

10. Päckchen

Päckchen, die gegenüber Briefen und Paketen Gebührenvorteile genießen, werden hauptsächlich zum Warenversand benutzt. Sie dürfen nicht mehr als 2000 g wiegen und in der Anschrift die Bezeichnung « Päckchen » tragen.

11. Paket

Sie können in der Bundesrepublik Güter bis zu einem Höchstgewicht von 20 kg mit der Post verschicken. Der Postkunde wählt die für ihn am geeignetste Sendungsart und vermerkt diese auf dem amtlichen Klebezettel (« Schnellpaket, Eilzustellung, Nachnahme ... DM usw. »). Verpackungsmaterial, sogenannte « Pack-Sets » kann man an jedem Postschalter erstehen. Jedem Paket muß eine Paketkarte beigefügt sein. Diese Karte muß die gleichen Adreßangaben wie das Paket tragen.

Im internationalen Verkehr gelten besondere Versand-, Ausfuhr- und Einfuhrbestimmungen mit unterschiedlichen Gebühren, über die jedes Postamt Auskunft erteilt. Zu jedem Paket, das für den internationalen Verkehr bestimmt ist, gehört eine Auslandspaketkarte mit Angaben über den Leitweg, die Verzollung und Weiterleitung bei Unzustellbarkeit. Der Sendung ist für die Zollbehörde des Bestimmungslandes eine Zollinhaltserklärung auf französisch oder der jeweiligen offiziellen Landessprache beizufügen.

12. Blindensendung

Schriftstücke in Blindenschrift oder Tonträger (Tonbänder und Tonkassetten) im Austausch mit staatlich anerkannten Blindenanstalten können bis zu einem Höchstgewicht von 7 kg portofrei mit dem zusätzlichen Vermerk « Blindensendung » in offener Verpackung verschickt werden.

8. Envoi publicitaire collectif

On peut recourir aux services de la Poste fédérale pour des imprimés ou envois de marchandises sans adresse, du genre : «*A tous les ménages*», qui sont utilisés les trois quarts du temps à des fins publicitaires. Pour ce type d'envois, des tarifs spéciaux sont en vigueur qui peuvent être demandés dans tous les bureaux de poste.

9. Service « clé d'hôtel »

Si d'aventure vous deviez avoir oublié de remettre la clé de votre chambre à la réception après avoir quitté l'hôtel, c'est moins grave que de se casser une jambe. Jetez celle-ci dans la boîte aux lettres, munie d'une étiquette à l'adresse de l'hôtel. La Poste se chargera de la retourner.

10. Petits colis

Les petits colis postaux qui jouissent d'avantages de port par rapport à la lettre et au colis, sont principalement utilisés pour expédier des marchandises. Ils ne peuvent pas excéder 2 000 g et doivent comporter dans l'adresse la mention «*petit colis*».

11. Colis

Vous pouvez expédier des marchandises par la poste jusqu'à concurrence de 20 kg. Le client choisit le mode d'expédition qui lui semble le plus approprié et le mentionne sur l'étiquette autocollante officielle (*«colis exprès, paquet-poste urgent, remboursement»*, etc.). On peut obtenir des emballages postaux appelés «*pack-sets*» à tous les guichets de poste. Un bulletin d'expédition doit être joint à chaque colis. Ce bulletin doit être à la même adresse que le colis.

Pour le régime international, des réglementations d'expédition, d'exportation et d'importation particulières ainsi que des taxes différentes ont cours, sur lesquelles tous les bureaux de poste vous renseigneront. Pour tout colis destiné au régime international, un bulletin d'expédition international sera nécessaire indiquant la voie d'acheminement, le dédouanement ainsi que la manière de le faire suivre en cas de non-remise. A l'intention des autorités douanières du pays de destination, il faudra joindre une déclaration de douane à l'envoi, rédigée en français ou dans la langue officielle du pays en question.

12. Impressions à l'usage des aveugles

Des documents en braille ou enregistrés (sur bande ou cassette) échangés avec des institutions pour aveugles reconnues par l'Etat peuvent être expédiés en franchise de port jusqu'à concurrence de 7 kg, accompagnés de la mention supplémentaire «*Impressions pour aveugles*» et en emballage non clos.

13. Nachsendung

Für Nachsendung Ihrer Post an den Urlaubsort müssen Sie drei Werktage vor Ihrer Abreise einen entsprechenden Antrag bei Ihrem Zustellpostamt stellen. Zeitungen und Zeitschriften sind von dieser Nachsendung ausgenommen. Wenn Sie dennoch nicht auf Ihre Ferienlektüre verzichten möchten, müssen Sie sich direkt an den Zeitungsverlag wenden, der Ihnen dann die Zeitung an den Ferienort zusendet.

13. Réexpédition (Faire suivre)

Pour faire réexpédier votre courrier à votre adresse de vacances, vous devez en faire la demande (correspondante) auprès de votre bureau distributeur trois jours ouvrables avant votre départ. Journaux et périodiques sont exclus de la réexpédition. Et si, malgré tout, vous ne désirez pas renoncer à votre lecture de vacances, il faudra vous adresser directement à l'éditeur de votre journal qui vous l'expédiera alors à votre adresse de vacances.

Corrigés des exercices

Corrigé 1

A ■ 1. 1. Februar 19.. **2.** 2.12.19.. **3.** 14. Nov. 19.. **4.** Hamburg, den 25.Juni/Juli 19.. **5.** D-8000 MÜNCHEN. **B ■ 1.** Sehr geehrter Herr Nagel. **2.** V. **3.** Sehr geehrte Frau Dr. Müller. **4.** V. **5.** Sehr geehrter Herr Meyer. **C ■ 1.** freundlichen (besten). **2.** besten. **3.** vorzüglicher. **4.** ∅. **5.** freundlichem (bestem). **D ■ 1.** Spiegel-Verlag, Abonnement-Service, Postfach 110420, D-2000 Hamburg 11. **2.** VEB-Maschinen, Karl-Marx-Straße 7, DDR-7010 Leipzig. **3.** In Erwartung Ihrer Antwort verbleiben wir ... mit freundlichen Grüßen. **4.** Schönhaus-Möbel GmbH, zu Händen von Frau Dr. Monika Herz. **5.** Ihre Nachricht vom 1. April 19../Unsere Nachricht vom 15. April 19.. **E ■ 1.** Vergessen Sie nicht, Ihren Brief zu unterzeichnen (Ihr Schreiben zu unterzeichnen). **2.** Sehr geehrte Herren, ... Mit freundlichen Grüßen (verbleiben wir ... mit freundlichen Grüßen). **3.** Sehr geehrter Herr Straub,/Sehr geehrte Frau Boelcke, ... Hochachtungsvoll/Mit vorzüglicher Hochachtung (verbleiben wir ... hochachtungsvoll/mit vorzüglicher Hochachtung). **4.** Schönhaus GmbH (Gesellschaft mit beschränkter Haftung), Einkaufsabteilung, zu Händen von Herrn Manfred Schäfer. **5.** Betreff (Betr.) : Bewerbung, Bewerbungsschreiben ... Anlagen : Lebenslauf, Zeugnisse. **6.** Persönlich/vertraulich/ eilt. **7.** (mit) Luftpost/(durch) Eilboten/Drucksache. **8.** Einschreiben/ (gegen) Nachnahme/bitte nachsenden.

Corrigé 2

A ■ 1. der, französischen. **2.** auf der, neuen Partnern. **3.** innerhalb einer. **4.** Bei, zurückgeschickt. **5.** an unserem. **B ■ 1.** d) ; **2.** a) ; **3.** e) ; **4.** c) ; **5.** b). **C ■ 1.** dazu. **2.** Absender. **3.** Preisliste. **4.** allgemein. **5.** bestätigen. **D ■ 1.** Wir senden Ihnen anbei den Katalog mit der Preisliste. **2.** Wir haben die Absicht, ein neues Modell auf den Markt zu bringen. **3.** Unsere Preise verstehen sich frei Haus. **4.** Wir gewähren Ihnen bei sofortiger Zahlung einen Rabatt. **5.** Wir werden Ihren Auftrag mit größter Sorgfalt ausführen. **E ■ 1.** Wir haben die Absicht, ein neues Produkt auf den Markt zu bringen. **2.** Teilen Sie uns bitte umgehend mit, ob Sie von diesem Angebot Gebrauch machen wollen (ob sie an diesem Angebot interessiert sind.). **3.** Wir bitten Sie, Ihren Auftrag rechtzeitig zu erteilen. **4.** Wir gewähren 2 % Skonto bei sofortiger Lieferung. **5.** In Erwartung eines positiven Bescheids (einer positiven Antwort) verbleiben wir ...

Corrigé 3

A ■ **1.** führer. **2.** -fähig. **3.** auf-. **4.** an. **5.** Grüßen. **B** ■ **1.** Nous avons l'intention d'agrandir notre parc de machines. **2.** Veuillez nous fournir des indications sur vos conditions de maintenance. **3.** Nous vous prions de nous communiquer vos taux de remise pour des achats en grande quantité. **4.** Pour d'éventuels renseignements, veuillez vous adresser à Monsieur XYY. **5.** Nous attendons votre offre détaillée avec intérêt. **C** ■ **1.** anfertigen, produzieren, erzeugen. **2.** konkurrenzfähig. **3.** der Erwerb. **4.** unverzüglich, sofort. **5.** der Preisnachlaß, der Rabatt. **D** ■ **1.** gutes, ∅, dieser. **2.** die, nächsten Jahres, folgende. **3.** Küchenuhren, ∅. **4.** geschätzter, ∅. **5.** In der, auf eine baldige. **E** ■ **1.** Wir bitten Sie, uns umgehend Ihre Preisliste zuzusenden (zuzuschicken/zu schicken/ zu übersenden). **2.** Wir möchten mit Ihnen in Geschäftsverbindung treten. **3.** Die Handelskammer hat uns Ihre Adresse genannt (mitgeteilt). **4.** In Erwartung einer baldigen Antwort verbleiben wir. **5.** Hochachtungsvoll/Mit freundlichen Grüßen/Mit besten Empfehlungen.

Corrigé 4

A ■ **1.** Ihnen für, vom. **2.** Ihrem, nach. **3.** bis, bei. **4.** zu, Preisen, an. **5.** ob, Ihren Ansprüchen. **B** ■ **4. 2. 5. 1. 3. C** ■ **1.** supprimer « nicht ». **2.** Verbindlichen. **3.** einen positiven Bescheid. **4.** verbleiben. **5.** unsere Erzeugnisse Ihren Ansprüchen. **D** ■ **1.** Beiliegender Prospekt informiert Sie über die technischen Einzelheiten. **2.** Wir würden uns freuen, Ihren baldigen Auftrag zu erhalten. **3.** Ihre Anfrage liegt uns vor. Verbindlichen Dank. **4.** Wir haben Ihre Anfrage an einen Konkurrenten weitergeleitet. **5.** Mit der Bitte um Verständnis verbleiben wir ... mit besten Grüßen. **E** ■ **1.** Wir danken Ihnen für Ihr Interesse an unseren Erzeugnissen. **2.** Es würde uns freuen, wenn unser Angebot Anklang finden würde (Ihnen gefallen würde). **3.** Ihre Anfrage vom 25.d.M. haben wir dankend erhalten. **4.** Wir werden uns in Kürze mit Ihnen in Verbindung setzen. (Wir werden bald mit Ihnen Kontakt aufnehmen.) **5.** Es freut uns, Ihrem Anliegen nachkommen zu können (Ihrem Wunsch stattzugeben).

Corrigé 5

A ■ **1.** d) ; **2.** e) ; **3.** a) ; **4.** b) ; **5.** c). **B** ■ **1.** Auf. **2.** bei. **3.** auf, von. **4.** innerhalb, nach. **5.** ab, bei. **C** ■ **1.** die Anfrage. **2.** die Zahlung. **3.** die Verpackung. **4.** der Betrag. **5.** der Ausdruck. **6.** der Ersatz. **7.** das Interesse. **8.** das Angebot. **9.** die Lieferung. **10.** die Bestätigung. **D** ■ **1.** Hinweis, Angebot. **2.** Kunden, Vorauszahlung. **3.** inbegriffen. **4.** bis, aufrechterhalten. **5.** mit, Anspruch. **E** ■ **1.** Unsere Preise verstehen sich frei Haus einschließlich Verpakkung. **2.** Die Ware wird Ihnen innerhalb von 3 Monaten (binnen 3 Monaten) geliefert. **3.** Sie zahlen ein Drittel (1/3) bei Bestellung, zwei Drittel bei Lieferung. **4.** Die Rechnung wird bei Erhalt der Ware fällig (sein). **5.** Für die Garantieleistungen gelten folgende Bedingungen.

Corrigé 6

A ■ **1.** Wir beziehen uns auf. **2.** folgenden Auftrag. **3.** Blatt. **4.** daß Sie in der Lage sind. **5.** binnen (innerhalb von) 4 Wochen. **6.** geht auf Ihre Kosten. **7.** unsere Bank beauftragen. **8.** an Sie überweisen. **B** ■ **1.** Empfang. **2.** erteilen. **3.** liefern. **4.** Zusammenfassung. **5.** verweigern. **6.** Einkommensteuer. **7.** Vormerkung. **8.** Ausgang. **C** ■ **1.** Die Ware wird dringend benötigt (gebraucht). **2.** Die Frachtkosten gehen auf unsere Kosten. **3.** ... verbleiben wir ... mit vorzüglicher Hochachtung. **4.** Folgender Auftrag (folgende Bestellung wurde aufgegeben). **5.** Wir gewähren dieselben Bedingungen. **D** ■ **1.** Wir erteilen Ihnen einen Auftrag (eine Bestellung) über 200 Stehlampen. **2.** Teilen Sie uns bitte den wahrscheinlichen (voraussichtlichen) Liefertermin mit. **3.** Preisänderungen behalten wir uns vor. **4.** (Die) Lieferung erfolgt binnen 8 Tagen nach Bestätigung des Akkreditivs. **5.** Wir sichern Ihnen zu, Ihren Auftrag sorgfältigst (mit Sorgfalt) auszuführen (durchzuführen). **6.** Ihren Auftrag haben wir wie folgt vorgemerkt. **7.** Wir bestätigen Ihren Auftrag (den Empfang Ihrer Bestellung).

Corrigé 7

A ■ **1.** annullieren, stornieren, rückgängig machen. **2.** die Lieferverzögerung. **3.** termingerecht, in der vereinbarten Frist. **4.** Ihre Bestellung. **5.** erledigen. **B** ■ **1.** Schicken, eine Auftragsbestätigung. **2.** geehrte Herren. **3.** Teilen, umgehend mit. **4.** danken Ihnen, Ihr. **5.** verbleiben, besten Grüßen. **C** ■ **1.** d) ; **2.** a) ; **3.** e) ; **4.** c) ; **5.** b). **D** ■ **1.** geraten. **2.** beanspruchen, fordern. **3.** unterbreiten, machen. **4.** gedient zu haben. **5.** entgegenzukommen. **E** ■ **1.** Wir werden die Ware nicht fristgemäß (termingerecht, in der vereinbarten Frist) liefern. **2.** Wir sind in einen zweiwöchigen Verzug geraten ; wir haben eine Verzögerung (Verspätung) von zwei Wochen. **3.** Wir behalten uns (das Recht) vor, den Auftrag zu widerrufen (zu stornieren, zu annullieren, rückgängig zu machen). **4.** Teilen Sie uns bitte umgehend (postwendend) mit. **5.** Die Lieferung wird um 4 Wochen (einen Monat) verschoben (aufgeschoben).

Corrigé 8

A ■ **1.** b) ; **2.** a) ; **3.** c) ; **4.** b) ; **5.** a). **B** ■ **1.** über. **2.** zu. **3.** auf. **4.** Mit, auf. **5.** um. **C** ■ **1.** d) ; **2.** c) ; **3.** e) ; **4.** b) ; **5.** a). **D** ■ **1.** Referenz. **2.** Zahlungsfähigkeit (Kreditwürdigkeit). **3.** Rufs. **4.** Quelle. **5.** Geschäftsabschlüsse. **E** ■ **1.** Die Bank XYZ hat uns Ihre Firma als Referenz genannt (angeführt). **2.** Die Gesellschaft (die Firma), deren Name (Namen) auf dem beiliegenden Blatt steht. **3.** Wir wären Ihnen für jede Auskunft über die Zahlungsfähigkeit (Kreditwürdigkeit) dieser Firma (dieser Gesellschaft) dankbar. **4.** Ihre Auskunft werden wir streng vertraulich (mit Verschwiegenheit) behandeln. **5.** Diese Gesellschaft (dieses Unternehmen) ist ihren Zahlungsverpflichtungen immer nachgekommen.

Corrigé 9

A ■ **1.** die Tratte. **2.** die Empfangsbescheinigung/die Empfangs-anzeige. **3.** termingerecht. **4.** per Telex. **5.** im voraus bezahlen. **B** ■ **1.** die Überweisung des Betrags. **2.** der Wechselakzept, die Wechselannahme. **3.** die Warensendung. **4.** Unter Bezugnahme auf Ihr Schreiben vom. **5.** Nach Erhalt (Nach Eingang) Ihrer Überweisung. **C** ■ **1.** d) ; **2.** e) ; **3.** a) ; **4.** b) ; **5.** c). **D** ■ **1.** Die, bestellten, versandt (verschickt). **2.** Der, per (durch), die. **3.** einen, über, auf, gezogen. **4.** Die, Konnossemente, abgeschlossen. **5.** Anbei (Beiliegend, In der Anlage), die, Höhe. **E** ■ **1.** Die Ware ist termingerecht (fristgerecht) an Sie versandt (verschickt) worden. **2.** Der Lieferant hat seinem Kunden eine Versandanzeige zugeschickt (zugesandt). Die Lieferfirma hat an ihren Kunden eine Versandanzeige geschickt (gesandt). **3.** Die Firma XYZ hat den akzeptierten Wechsel zurückgeschickt (den mit ihrem Akzept versehenen Wechsel zurückgesandt). **4.** Wir bitten Sie, uns die Warenempfangsbestätigung zuzuschicken (zuzusenden, zukommen zu lassen). **5.** In der Hoffnung, daß unsere Sendung zu Ihrer Zufriedenheit ausfällt (Sie völlig zufriedenstellt).

Corrigé 10

A ■ **1.** überweisen, auf. **2.** bitten, um. **3.** belaufen, auf. **4.** in, gestellt. **5.** an, zurückzuschicken. **B** ■ **1.** Vielen Dank für Ihre prompte Begleichung der Rechnung vom zweiten dieses Monats. **2.** In Erwartung erneuter Geschäftsverbindungen ... verbleiben wir ... mit freundlichen Grüßen. **3.** Wir haben Ihren Kreditantrag erhalten und sind gern bereit, Ihnen ein Darlehen von hunderttausend Mark zu gewähren. **4.** Wir hoffen, daß unsere Lieferung Ihren Erwartungen entspricht und verbleiben ... mit freundlicher Empfehlung. **5.** Sehr geehrter Herr Schaurer, wir danken Ihnen für Ihre Lieferung vom 7.d.M., die bei uns gestern wohlbehalten per Lkw (LKW) eingetroffen ist. **C** ■ **1.** zum Ausgleich (zur Begleichung/Bezahlung) Ihrer Rechnung. **2.** einem Konto einen Betrag (eine Summe) von ... gutschreiben. **3.** ein Konto mit einer Summe (einem Betrag) belasten. **4.** die Barzahlung. **5.** ein Skonto von 2 % gewähren. **D** ■ **1.** den Kredit beantragen. **2.** den Kredit gewähren (bewilligen). **3.** die Rechnung ausstellen. **4.** eine Rechnung begleichen. **5.** die Ware erhalten. **E** ■ **1.** Vergessen Sie nicht, die Rechnung für die Firma Meyer auszustellen. **2.** Ich kann dieses Darlehen (diesen Kredit) nicht beantragen, die Zinsen sind zu hoch. **3.** Bitte überweisen Sie den Betrag in Höhe von (die Summe über) 666 Mark auf unser Bankkonto. **4.** Die Rechnung über (Der Rechnungsbetrag in Höhe von) 1450 DM ist noch nicht beglichen (bezahlt). **5.** Für die Modernisierung unseres Geschäfts brauchen (benötigen) wir einen Kredit über 33 000 Mark (in Worten dreiunddreißigtausend Mark).

Corrigé 11

A ■ **1.** die Verzögerung, die Verspätung, der Rückstand. **2.** rückgängig machen, annullieren, widerrufen. **3.** schnellstens, sofort. **4.** fristgemäß, termingemäß. **5.** der Mahnbrief, die Mahnung, der Erinnerungsbrief. **B** ■ **1.** Teilzahlung. **2.** Schuld. **3.** Eilsendung. **4.** Hardware. **5.** der Saldo. **C** ■ **1.** festgestellt, unsere, über, beglichen (bezahlt). **2.** Ihnen, verpflichtet, Jahres, stunden (aufschieben). **3.** unseren, nachkommen. **4.** Sie, entschuldigen, Verständnis. **5.** erstaunt, eingetroffen (angekommen). **D** ■ **1.** d) ; **2.** a) ; **3.** e) ; **4.** b) ; **5.** c). **E** ■ **1.** Leider ist es uns nicht möglich, die Rechnung (den Rechnungsbetrag) vom ... zu begleichen (bezahlen). **2.** Wir gewähren Ihnen eine letzte Frist von 8 Tagen. **3.** Bitte entschuldigen Sie den unerwarteten Lieferverzug (die Lieferungsverzögerung/den Lieferrückstand/die Verspätung unserer Lieferung). **4.** Trotz der zahlreichen Mahnschreiben (Mahnbriefe/Mahnungen) sind die Waren nicht fristgerecht (fristgemäß, termingemäß) geliefert worden. **5.** Unser Anwalt wird Sie auf Schadenersatz verklagen.

Corrigé 12

A ■ **1.** F. **2.** V. **3.** F. **4.** F. **5.** V. **B** ■ **1.** ausweiten. **2.** entsprechen. **3.** zählen. **4.** übernehmen. **5.** hinweisen. **C** ■ **1.** g) ; **2.** h) ; **3.** e) ; **4.** f) ; **5.** c) ; **6.** d) ; **7.** a) ; **8.** b) **D** ■ **1.** gemäß. **2.** beläuft sich auf. **3.** die Erzeugnisse. **4.** der Transport. **5.** die Durchführung/die Erledigung. **E** ■ **1.** Die Ware wurde fob/cif/ab Werk geliefert. **2.** Das Nettogewicht ist auf der Handelsrechnung angegeben. **3.** Ein gutes Verpackungsmaterial muß gewählt werden. **4.** Der Container-Verkehr spielt eine große Rolle innerhalb des europäischen Binnenmarktes (im/auf dem Binnenmarkt). **5.** Die Frachtkosten (...gebühren) belaufen sich auf ... Mark. (Die Transportkosten betragen ... Mark.)

Corrigé 13

A ■ **1.** die (Zu)rückzahlung. **2.** Zusatzkosten. **3.** der Transithändler. **4.** Ihren Anordnungen gemäß. **5.** die Zollbestimmungen. **B** ■ **1.** gelagert. **2.** beläuft sich auf (beträgt). **3.** unterlaufen. **4.** verzollt. **5.** freigegeben. **C** ■ **1.** c) ; **2.** e) ; **3.** d) ; **4.** g) ; **5.** b) ; **6.** h) ; **7.** a) ; **8.** f). **D** ■ **1.** auf, vom. **2.** nach, an. **3.** von, auf, bei. **4.** bis, zur, am. **5.** auf, in. **E** ■ **1.** Wir informieren Sie, daß sich die Kaution auf 100 000 Mark beläuft. (Wir teilen Ihnen mit, daß ... 100 000 Mark beträgt.) **2.** An der Grenze muß das Zollbegleitscheinheft (das Carnet-TIR) vorgelegt (gezeigt) werden. **3.** Die Güter werden unverzollt weiterbefördert (Die Waren ... weitertransportiert). **4.** Die Zollbehörden haben einen Teil der Waren (Güter) versiegelt. **5.** Der Transithändler hat die Videogeräte zollamtlich gelagert. (Der Transitspediteur hat ... unter Zollverschluß [ein]gelagert.)

Corrigé 14

A ■ 1. die Beschwerde (die Mängelrüge/die Reklamation). **2.** die Preisermäßigung (der Rabatt). **3.** die Mehrkosten/Zusatzkosten. **4.** die Buchführung. **5.** als Expreßgut. **B ■ 1.** fehlerhaftes. **2.** unsachgemäß. **3.** einpacken. **4.** leistungsschwaches. **5.** beheben. **C ■ 1.** feststellen, Großteil, Bücher, beschädigt. **2.** diese, entsteht, Wertminderung. **3.** ist, Rechnungsausstellung, unterlaufen. **4.** Minderlieferung, Ihren, bestätigen. **5.** gezwungen, Geschäftsvorgänge, herkömmlichen, abzuwickeln. **D ■ 1.** ein verminderter Wert. **2.** Eine verminderte (ungenügende) Lieferung von Waren. **3.** Eine Person oder Firma, die Güter befördert (transportiert). **4.** Ein Geschäft, das Waren über Katalog verkauft. **5.** Sie registriert die Einnahmen und Ausgaben aller Geschäftsvorgänge. **E ■ 1.** Wir sind (davon) überzeugt, daß unsere Beanstandung (Beschwerde/Reklamation/Mängelrüge) berechtigt ist. **2.** Wir bitten Sie, umgehend (sofort/unverzüglich) diese technischen Mängel (Fehler) zu beheben (reparieren). **3.** Eine mangelhafte (ungenügende) Verpakkung hat bedeutende (beträchtliche) Schäden verursacht. **4.** Leider können wir diese Artikel (Waren) nicht zurücknehmen. **5.** Wir bitten Sie, die defekten (mangelhaften/fehlerhaften) Artikel kostenlos zu ersetzen.

Corrigé 15

A ■ 1. als, auf. **2.** Nach, gegenüber, im. **3.** mit, in. **4.** für, ab, nach. **5.** an, auf. **B ■ 1.** die Gutschrift, en : *crédit porté à un compte*. **2.** die Beratung, en : *conseil*. **3.** die Berechnung, en : *calcul*. **4.** die Überweisung, en : *virement*. **5.** die Fälligkeit, en : *échéance*. **C ■ 1.** Wir garantieren dieses Gerät drei Jahre lang gegen jeden Fabrikationsfehler. **2.** Die Versicherungssumme deckt den Schadensfall zu 70 Prozent. **3.** Wir schlagen Ihnen vor, die Reparaturkosten zu übernehmen. **4.** Wir erlauben uns, Sie an die allgemeinen Garantiebedingungen zu erinnern. **5.** Wir müssen Ihnen leider mitteilen, daß seit drei Monaten die Garantie abgelaufen ist. **D ■ 1.** Richtig. **2.** Falsch. **3.** Falsch. **4.** Richtig. **5.** Richtig. **E ■ 1.** Seit dem 1. Januar hat er eine Lebensversicherung abgeschlossen. **2.** Unsere zweijährige Garantie schließt Ersatzteile und Lohnkosten ein. (In unserer Garantie von zwei Jahren sind ... inbegriffen.) **3.** Heben Sie den Kassenzettel (den Beleg) auf, er dient Ihnen als Garantie. (Bewahren Sie den Kassenbon auf, er dient Ihnen als Garantieschein.) **4.** Der Versicherte ist verpflichtet, den Schaden innerhalb von drei Tagen zu melden. (Der Versicherungsnehmer ist gehalten, den Schadensfall binnen drei Tagen zu melden.) **5.** Die Police setzt (legt) die allgemeinen Bedingungen eines Versicherungsvertrags fest.

Corrigé 16

A ■ **1.** mitteilen. **2.** findet ... statt. **3.** bestellen. **4.** anzugeben.
5. abgebucht. **B** ■ **1.** der Tag der offenen Tür. **2.** der Versandhandel. **3.** das Rundschreiben (der Rundbrief). **4.** die EDV. **C** ■ **1.** der Preis, den der Verbraucher schließlich bezahlt. **2.** der Gesamtpreis, der mehrere Posten einschließt (z.B. Reise : Flug, Unterkunft, Verpflegung). **3.** niedriger Preis, preisgünstiges Angebot. **4.** besonders niedriger Preis. **5.** ein marktorientierter Preis, kein Phantasiepreis. **D** ■ **1.** Dieses, der Kundschaft (den Kunden), Anklang. **2.** Dieser, preiswert (preisgünstig, billig). **3.** von, Büchersortiment. **4.** Service (Kundendienst), Stelle. **5.** stehen, zur Verfügung. **E** ■ **1.** Vergiß nicht, das Rundschreiben (den Rundbrief) zu verfassen und ihn an unsere Kunden (unseren Kunden) zu schicken. **2.** (Die) EDV ermöglicht (erlaubt), Rundschreiben und Werbebriefe zu personalisieren. **3.** Um nützlich zu sein, müssen all(e) diese Daten (Informationen) gespeichert werden. **4.** Um seine Anschrift (Adresse) zu bekommen, brauchst du nur das Btx-System zu befragen (konsultieren). **5.** Wie Sie aus dem Briefkopf ersehen (Wie Sie dem Briefkopf entnehmen können).

Corrigé 17

A ■ **1.** Vertretung, Firma (Gesellschaft), Bedingungen. **2.** berufserfahrenen Vertreter. **3.** erbeten, unter, an. **4.** die Vertretung, Rheinweine (Produkte/Erzeugnisse), anvertraut (übertragen). **5.** Besuch abstatten. **B** ■ **1.** der Handelsvertreter (der Handelsagent). **2.** den Umsatz erhöhen. **3.** die Stelle (der Posten). **4.** unter der Chiffre. **5.** die Kunden besuchen. **C** ■ **1.** h) ; **2.** f) ; **3.** g) ; **4.** e) ; **5.** d) ; **6.** b) ; **7.** c) ; **8.** a). **D** ■ **1.** tätig sein (in + D/bei + D). **2.** vertreten (+ A). **3.** sich bewerben (um + A). **4.** jdn etw vorstellen/sich bei jdm vorstellen. **5.** anbieten (+ A). **E** ■ **1.** Unsere Firma sucht dynamische Vertreter (Handelsvertreter/Handelsagenten) für Frankreich und frankophone (französischsprachige) Länder. **2.** Ich wäre an einer Vertretung für Autozubehör interessiert. (Ich würde gern eine ... für Autozubehörteile übernehmen.) **3.** Ihre Provision beträgt (beläuft sich auf) 2 % des Umsatzes. **4.** Monatlich (Pro Monat) erhalten Sie ein Fixum und (sowie) eine Pauschalvergütung (eine Pauschale). **5.** Ich verpflichte mich, die Vertragsklauseln einzuhalten (zu respektieren).

Corrigé 18

A ■ 1. die Annonce. **2.** das Lichtbild. **3.** die Fotokopie/Photokopie. **4.** das Abitur. **5.** der Familienstand. **B ■ 1.** bei, um, als. **2.** auf. **3.** auf, in. **4.** als, für. **5.** auf, nach. **C ■ 1.** der Werdegang. **2.** geboren. **3.** interpretieren. **4.** der Familienstand. **5.** die Gehaltserhöhung. **D ■ 1.** Wir freuen uns auf ein Vorstellungsgespräch mit Ihnen. **2.** Ich erlaube mir, mich um die Stelle einer zweisprachigen Sekretärin zu bewerben. **3.** Ich besitze eine große Erfahrung im Bereich der Bürokommunikation. **4.** Ich stehe Ihnen jederzeit zu einem persönlichen Gespräch zur Verfügung. **5.** Zwecks Terminvereinbarung setzen Sie sich umgehend mit uns in Verbindung. **E ■ 1.** Ich beziehe mich auf Ihre Anzeige (Unter Bezugnahme auf Ihre Annonce/Ihr Stellenangebot) ... **2.** und ich möchte (möchte ich) mich um die Stelle einer Chefsekretärin (als Chefsekretärin) bewerben. **3.** Stellen Sie sich bitte bei der Personalabteilung vor. **4.** In der Anlage (Beiliegend) finden Sie meinen Lebenslauf und meine Zeugniskopien. **5.** Ich wäre an dieser Stelle im Ausland (Auslandsstelle) mit einem Gehalt von ... interessiert.

Corrigé 19

A ■ 1. aufgelöst. **2.** gekündigt. **3.** eingehalten. **4.** fortgezahlt. **5.** unterschriebenes. **B ■ 1.** kündigen (auf/lösen). **2.** eine befristete Tätigkeit ; die Zeitbeschäftigung, die Zeitarbeit. **3.** Ihr wurde gekündigt (Sie wurde entlassen). **4.** ohne Kündigungsfrist. **5.** Die Gesamtvollmacht. **C ■ 1.** in. **2.** für. **3.** an. **4.** auf. **5.** auf. **6.** zum. **7.** auf. **8.** Zu (Unter). **9.** für. **10.** Aus. **D ■ 1.** *A l'essai.* **2.** *tacitement.* **3.** *avoir un forfait.* **4.** *Le délai de préavis.* **5.** *à effet immédiat.* **6.** *en respectant.* **7.** *devoir être fait par écrit.* **8.** *Lu et approuvé (d'accord).* **9.** *par procuration.* **10.** *domicilié à.* **E ■ 1.** Die Zeit vom ... bis zum ... ist eine Probezeit. (Vom .. bis zum ... wird Fräulein / Frau / Herr X auf Probe eingestellt.) **2.** Sie haben Anrecht (Recht, Anspruch) auf einen dreiwöchigen bezahlten Urlaub. **3.** Ich erteile meiner Frau Vollmacht (bevollmächtige meine Frau), in allen meinen Angelegenheiten zu handeln (mich in allen Angelegenheiten zu vertreten). **4.** Ihr Arbeitsvertrag läuft in einer Woche ab. **5.** Sie bekommen (erhalten, beziehen) ein monatliches Fixum von ... (ein Fixum von monatlich ...) plus eine Provision auf den (vom) erzielten Umsatz.

Corrigé 20

A ■ 1. meinen, in, verbringen. **2.** dankbar, Info-Material (Informations-material), zuzuschicken (zuzusenden). **3.** vom, bis, Einzelzimmer/Doppel-zimmer, reservieren (buchen). **4.** schicken, an, Ferienadresse (Ferien-anschrift), nach. **5.** dieses Wochenblatt (diese Wochenzeitung), abon-nieren. **B ■ 1.** gratulieren. **2.** aussprechen (übermitteln). **3.** wünschen. **4.** schicken (aufgeben). **5.** abholen. **C ■ 1.** telefonisch. **2.** reservieren (lassen). **3.** ein glückliches (gesegnetes) Weihnachtsfest. **4.** die Ver-mählung. **5.** die Korrespondenz (der Schriftverkehr). **D ■ 1.** die Tages-zeitung. **2.** die Zimmerreservierung. **3.** der Campingführer/der Wohn-wagenführer. **4.** das Hotelverzeichnis. **5.** das Dankschreiben/das Glück-wunschschreiben. **E ■ 1.** Bitte reservieren Sie mir ein Doppelzimmer mit Bad. (Ich möchte Sie bitten, ... zu reservieren.) **2.** Vergiß nicht, dem Personalleiter (Personalchef) ein Telegramm zu schicken. **3.** Es ist besser, deinen Anreisetag (Ankunftstag) fernschriftlich (per Telex) zu bestätigen. **4.** Ich wünsche Ihnen ein frohes (glückliches) Neues Jahr. (Ich wünsche Ihnen einen guten Rutsch ins Neue Jahr.) **5.** Um Ferienprospekte zu bekommen (zu erhalten), muß man sich an das Fremdenverkehrsamt (...büro) wenden.

Abréviations allemandes

A

AA *Auswärtiges Amt* ministère des Affaires étrangères.

Abb. *Abbildung* illustration.

Abf. *Abfahrt* départ.

Abg. *Abgeordneter* député.

Abk. *Abkürzung* abréviation.

Abs. *Absender* expéditeur ; *Absatz* alinéa

Abt. *Abteilung* département ; subdivision.

a.D. *außer Dienst* en retraite.

ADAC *Allgemeiner Deutscher Automobil-Club* Automobile-Club général d'Allemagne.

ADN *Allgemeiner Deutscher Nachrichtendienst (DDR)* Agence générale allemande d'information (R.D.A.).

Adr. *Adresse* adresse.

AG *Aktiengesellschaft* Société anonyme (par actions).

allg. *allgemein* général(ement).

Anh. *Anhang* appendice.

Ank. *Ankunft* arrivée.

Anl. *Anlage* pièce jointe.

Anm. *Anmerkung* remarque ; note.

AOK *Allgemeine Ortskrankenkasse* caisse générale locale de maladie.

ARD *Arbeitsgemeinschaft der Rundfunkanstalten Deutschlands* Association des radios de la République fédérale d'Allemagne ; Première chaîne de télévision allemande.

AStA *Allgemeiner Studentenausschuß* Comité général des étudiants.

atü *Atmosphärenüberdruck* kilogramme(s).

Aufl. *Auflage* tirage ; édition.

Ausg. *Ausgabe* édition.

AvD *Automobilclub von Deutschland* Automobile-Club d'Allemagne.

Azubi *Auszubildender* apprenti ; stagiaire.

B

B *Bundesstraße (BRD)* route fédérale, route nationale *(R.F.A.)*.

BAB *Bundesautobahn (BRD)* autoroute fédérale *(R.F.A.)*.

BAFÖG *Bundesausbildungsförderungsgesetz (BRD)* loi fédérale sur les bourses d'études *(R.F.A.)*.

Bd. *Band* volume.

BDI *Bundesverband der Deutschen Industrie* Union fédérale de l'industrie allemande.

beil. *beiliegend* ci-joint ; ci-inclus.

Bem. *Bemerkung* remarque ; note.

Benelux *Belgien, Niederlande, Luxemburg* Belgique, Pays-Bas, Luxembourg.

bes. *besonders* particulièrement.

Betr. *Betreff* objet.

Bez. *Bezeichnung* désignation ; *Bezirk* district.

bez. *bezahlt* payé.

BfA *Bundesversicherungsanstalt für Angestellte (BRD)* Caisse fédérale de retraite des employés *(R.F.A.)*.

BGB *Bürgerliches Gesetzbuch* Code civil allemand.

Bhf. *Bahnhof* gare.

BIZ *Bank für internationalen Zahlungsausgleich* Banque des règlements internationaux (B.R.I.).

BKA *Bundeskriminalamt (BRD)* Office fédéral de la police judiciaire (R.F.A.).

BRD *Bundesrepublik Deutschland* République fédérale d'Allemagne (R.F.A.).

BRT *Bruttoregistertonnen* tonneaux de jauge brut.

b.w. *bitte wenden* tournez, s'il vous plaît !

bzw. *beziehungsweise* ou bien ; respectivement.

C

ca. *circa, ungefähr* environ.

cbm *Kubikmeter* mètre cube.

ccm *Kubikzentimeter* centimètre cube.

CDU *Christlich-Demokratische Union (BRD)* Union chrétienne-démocrate *(R.F.A.)*.

Co. *Kompanie* compagnie.

Comecon *Rat für gegenseitige Wirtschaftshilfe (der Ostblockstaaten)* Conseil d'aide économique mutuelle.

CSU *Christlich-Soziale Union* Union chrétienne-sociale *(Bavière)*.

CVJM *Christlicher Verein junger Männer* Union chrétienne de jeunes gens.

D

DAAD *Deutscher Akademischer Austauschdienst* Office allemand d'échanges d'universitaires.

DAG *Deutsche Angestellten-Gewerkschaft* Syndicat des employés allemands.

DB *Deutsche Bundesbahn* Chemins de fer de la République fédérale d'Allemagne.

DBGM *Deutsches Bundes-Gebrauchsmuster* modèle déposé dans la République fédérale d'Allemagne.

DDR *Deutsche Demokratische Republik* République démocratique allemande (R.D.A.).

desgl. *desgleichen* de même.

DFB *Deutscher Fußballbund* Fédération allemande de football.

DGB *Deutscher Gewerkschaftsbund (BRD)* Fédération des syndicats ouvriers allemands *(R.F.A.)*.

dgl. *dergleichen* tel ; pareil ; de la sorte.

d.h. *das heißt* c'est-à-dire.

DIN *Deutsche Industrie-Norm(en)* norme(s) technique(s) de l'industrie allemande.

Dipl.-Ing. *Diplomingenieur* ingénieur diplômé.

d.J. *dieses Jahres* de cette année.

DKP *Deutsche Kommunistische Partei* parti communiste allemand.

DM *Deutsche Mark* mark allemand.

d.M. *dieses Monats* de ce mois.

do. *dito ; dasselbe* dito ; la même chose.

dpa *Deutsche Presse-Agentur* Agence allemande de presse.

Dr. *Doktor* docteur.

Dr.-Ing. *Doktor der Ingenieurwissenschaft* ingénieur-docteur.

Dr.jur. *Doktor der Rechte* docteur en droit.

Dr.med. *Doktor der Medizin* docteur en médecine.

Dr.phil. *Doktor der Philosophie* docteur ès lettres.

Dr.rer.pol. *Doktor der Staatswissenschaften* docteur ès sciences politiques.

d.R. *der Reserve* de réserve.

DRK *Deutsches Rotes Kreuz* Croix-Rouge allemande.

dt. *deutsch* allemand.

d.U. *der Unterzeichnete* le soussigné.

dz *Doppelzentner* quintal.

D-Zug *Durchgangszug ; Schnellzug* rapide ; express.

E

EDV *Elektronische Datenverarbeitung* traitement électronique de l'information.

EFTA *Europäische Freihandelszone* Association européenne de libre échange (A.E.L.E.).

EG *Europäische Gemeinschaft* Communauté (économique) européenne (C.E.E.).

einschl. *einschließlich* inclusivement ; y compris.

EKD *Evangelische Kirche in Deutschland* Eglise protestante d'Allemagne.

entspr. *entsprechend* correspondant.

erg. *ergänze* à compléter ; complétez !

erl. *erledigt* réglé ; classé.

Euratom *Europäische Atomgemeinschaft* Communauté européenne de l'énergie atomique.

ev. *evangelisch* évangélique ; protestant.

e.V. *eingetragener Verein* association enregistrée.

evtl. *eventuell* éventuel(lement).

EWA *Europäisches Währungsabkommen* Accord monétaire européen (A.M.E.).

EWG *Europäische Wirtschaftsgemeinschaft* Communauté économique européenne (C.E.E.).

EWS *Europäisches Währungssystem* Système monétaire européen (SME).

EZU *Europäische Zahlungsunion* Union européenne de paiements (U.E.P.).

F

f. *folgende Seite* page suivante ; *für* pour.

Fa. *Firma* maison ; firme.

FC *Fußballclub* club de football.

FDGB *Freier Deutscher Gewerkschaftsbund (DDR)* Fédération allemande libre des syndicats ouvriers *(R.D.A.)*.

FDJ *Freie Deutsche Jugend (DDR)* Jeunesse allemande libre *(R.D.A.)*.

FDP *Freie Demokratische Partei (BRD)* Parti démocrate libre *(R.F.A.)*.

f.d.R. *für die Richtigkeit* certifié conforme.

ff. *folgende Seiten* pages suivantes.

FKK *Freikörperkultur* nudisme ; naturisme.

Forts. *Fortsetzung* suite.

Fr. *Frau* Madame ; *Franken* franc (F).

frdl. *freundlich* aimable.

Frl. *Fräulein* Mademoiselle.

frz. *französisch* français.

FU *Freie Universität* Université libre *(Berlin-Ouest)*.

G

GATT *Allgemeines Zoll- und Handelsabkommen* Accord général sur les tarifs douaniers et le commerce (G.A.T.T.).

geb. *geboren(e)* né(e).

Gebr. *Gebrüder* frères.

gegr. *gegründet* fondé.

GEMA *Gesellschaft für musikalische Aufführungs- und mechanische Vervielfältigungsrechte* Société pour les droits d'audition et de reproduction musicales ; Société des auteurs, compositeurs et éditeurs de musique (S.A.C.E.M.).

Ges. *Gesellschaft* société ; *Gesetz* loi.

gesch. *geschieden* divorcé(e).

ges.gesch. *gesetzlich geschützt* protégé par la loi.

gest. *gestorben* mort ; décédé.

Gew. *Gewicht* poids.

gez. *gezeichnet* signé.

ggf. *gegebenenfalls* le cas échéant.

GmbH *Gesellschaft mit beschränkter Haftung* société à responsabilité limitée (S.A.R.L.).

H

Hbf. *Hauptbahnhof* gare centrale *od.* principale.

HGB *Handelsgesetzbuch* Code de commerce.

HO *Handelsorganisation (DDR)* Organisation commerciale d'Etat *(R.D.A.)*.

I

i.A. *im Auftrag* par ordre ; par délégation.

IAA *Internationales Arbeitsamt* Bureau international du travail (B.I.T.).

i.allg. *im allgemeinen* en général ; généralement.

IG *Industriegewerkschaft* syndicat ouvrier.

i.J. *im Jahre* en (l'an).

Ing. *Ingenieur* ingénieur.

Inh. *Inhaber* propriétaire ; *Inhalt* contenu.

inkl. *inklusive, einschließlich* inclus ; inclusivement ; y compris.

insb. *insbesondere* en particulier ; particulièrement.

Interpol *Internationale Kriminalpolizeiliche Organisation* Organisation internationale de police criminelle (O.I.P.C.).

IOK *Internationales Olympisches Komitee* Comité international olympique (C.I.O.).

i.R. *im Ruhestand* en retraite.

IRK *Internationales Rotes Kreuz* Croix-Rouge internationale (C.R.I.).

i.V. *in Vertretung* par intérim ; par délégation.

IWF *Internationaler Währungsfonds* Fonds monétaire international (F.M.I.).

J

Jg. *Jahrgang* année.

JH *Jugendherberge* auberge de jeunesse.

Jh. *Jahrhundert* siècle.

jr., jun. *junior* fils *(commerce)*.

Juso *Jungsozialist* jeune socialiste.

K

Kap. *Kapitel* chapitre.

kfm. *kaufmännisch* commercial.

Kfz. *Kraftfahrzeug* automobile ; véhicule à moteur.

KG *Kommanditgesellschaft* société en commandite.

KL. *Klasse* classe.

KP(D) *Kommunistische Partei (Deutschlands)* Parti communiste (allemand).

Kripo *Kriminalpolizei* police judiciaire (P.J.).

L

landw. *landwirtschaftlich* agricole.

led. *ledig* célibataire.

lfd. *laufend* courant.

Lkw, LKW *Lastkraftwagen* camion ; poids lourd.

LP *Langspielplatte* disque à microsillon.

lt. *laut* conformément à.

luth. *lutherisch* luthérien(ne).

M

M *Mark* mark.

M.d.B., MdB *Mitglied des Bundestages* membre du Bundestag.

M.d.L., MdL *Mitglied des Landtages* membre du Landtag.

m.E. *meines Erachtens* à mon avis.

MEZ *Mitteleuropäische Zeit* heure de l'Europe centrale (H.E.C.).

Mio. *Millionen* millions.

möbl. *möbliert* meublé.

mtl. *monatlich* mensuel(lement).

m.W. *meines Wissens* à ma connaissance ; autant que je sache.

MwSt. *Mehrwertsteuer* taxe sur la valeur ajoutée (T.V.A.).

N

N *Norden* nord (N).

Nachf. *Nachfolger* successeur.

nachm. *nachmittags* (de) l'aprèsmidi.

NATO *Nordatlantikpakt-Organisation* Organisation du traité de l'Atlantique Nord (O.T.A.N.).

NB *nota bene* nota bene.

n.Chr. *nach Christus* après Jésus-Christ.

NDR *Norddeutscher Rundfunk* radio de l'Allemagne du Nord.

n.J. *nächsten Jahres* de l'année prochaine.

n.M. *nächsten Monats* du mois prochain.

NO *Nordosten* nord-est (N.E.).

NOK *Nationales Olympisches Komitee* Comité olympique national.

NPD *Nationaldemokratische Partei Deutschlands* Parti national-démocrate d'Allemagne.

Nr. *Nummer* numéro.

NS *nationalsozialistisch* nazi.

NW *Nordwesten* nord-ouest (N.O.).

O

O *Osten* est (E).

o. *ohne* sans ; *oben* en haut.

OAS *Organisation der Amerikanischen Staaten* Organisation des Etats américains (O.E.A.).

OAU *Organisation für die Einheit Afrikas* Organisation de l'unité africaine (O.U.A.).

OB *Oberbürgermeister* premier bourgmestre ; maire.

o.B. *ohne Befund* symptômes néant.

Obb. *Oberbayern* Haute-Bavière.

ÖBB *Österreichische Bundesbahnen* Chemins de fer fédéraux d'Autriche.

OECD *Organisation für wirtschaftliche Zusammenarbeit und Entwicklung* Organisation de coopération et de développement économiques (O.C.D.E.).

OHG *Offene Handelsgesellschaft* société en nom collectif.

OP *Operationssaal* salle d'opération.

OPEC *Organisation erdölexportierender Länder* Organisation des pays exportateurs de pétrole (O.P.E.P.).

ÖVP *Österreichische Volkspartei* Parti populaire autrichien.

P

Pf *Pfennig* pfennig.

Pfd. *Pfund* livre.

PH *Pädagogische Hochschule* Ecole normale.

Pkt. *Punkt* point.

Pkw, PKW *Personenkraftwagen* voiture de tourisme.

PLO *Palästinensische Befreiungsfront* Organisation de libération palestinienne (O.L.P.).

pp., ppa. *per procura* par procuration.

prakt. Arzt *praktischer Arzt* médecin généraliste.

Prof. *Professor* professeur

PS *Pferdestärke* cheval-vapeur (ch) ; *Postskriptum* post-scriptum.

PVC *Polyvinylchlorid* chlorure de polyvinyle.

Q

qkm *Quadratkilometer* kilomètre carré.

qm *Quadratmeter* mètre carré.

R

rd. *rund* environ ; en chiffres ronds.

Reg.-Bez. *Regierungsbezirk etwa* département.

Rhld *Rheinland* Rhénanie.

RIAS *Rundfunk im amerikanischen Sektor (von Berlin)* radio du secteur américain (de Berlin).

Rp. *Rappen (Schweiz)* centime *(Suisse)*.

S

S *Süden* sud (S) ; *Schilling* schilling.

S. *Seite* page.

s. *siehe* voir.

S-Bahn *Schnellbahn* Réseau express régional (R.E.R.).

SBB *Schweizerische Bundesbahnen* Chemins de fer fédéraux (suisses) (C.F.F.).

Schw. *Schwester* sœur.

s.d. *siehe dies* voir ce mot.

SEATO *Südostasienpakt* Organisation du traité de l'Asie du Sud-Est (O.T.A.S.E.).

SED *Sozialistische Einheitspartei Deutschlands (DDR)* Parti socialiste unifié d'Allemagne *(R.D.A.)*.

sen. *senior* père *(commerce)*.

sfr, sFr. *Schweizer Franken* franc(s) suisse(s).

SO *Südosten* sud-est (S.E.).

s.o. *siehe oben* voir ci-dessus *od.* plus haut.

sog. *sogenannt* dit ; prétendu ; soi-disant.

SPD *Sozialdemokratische Partei Deutschlands (BRD)* Parti social-démocrate d'Allemagne *(R.F.A.)*.

SPÖ *Sozialistische Partei Österreichs* Parti socialiste autrichien.

St. *Sankt* Saint (St).

Std. *Stunde* heure.

StGB *Strafgesetzbuch* Code pénal.

StPO *Strafprozeßordnung* Code de procédure pénale.

Str. *Straße* rue ; avenue ; route.

StVO *Straßenverkehrsordnung* Code de la route.

s.u. *siehe unten* voir ci-dessous *od.* plus bas.

SV *Sportverein* club sportif.

SW *Südwesten* sud-ouest (S.O.).

s.Z. *seinerzeit* en ce temps-là.

T

tägl. *täglich* quotidien(nement).

Tel. *Telefon* téléphone.

TH *Technische Hochschule* Ecole supérieure technique.

TU *Technische Universität* Université technique.

TÜV *Technischer Überwachungs-Verein* Association de contrôle technique ; service des Mines.

TV *Television, Fernsehen* télévision.

U

u. *und* et.

u.a. *unter anderem, unter anderen* entre autres ; *und andere(s)* et autres (et autre chose).

u.ä. *und ähnliches* et (d')autres (choses) semblables.

u.a.m. *und anderes mehr* et d'autres encore.

u.A.w.g. *um Antwort wird gebeten* prière de répondre.

U-Bahn *Untergrundbahn* (chemin de fer) métropolitain.

u.dgl.(m) *und dergleichen (mehr)* et (d')autres (choses) semblables.

UdSSR *Union der Sozialistischen Sowjetrepubliken* Union des républiques socialistes soviétiques (U.R.S.S.).

u.E. *unseres Erachtens* à notre avis.

Ufo *unbekanntes Flugobjekt* objet volant non identifié (O.V.N.I.).

UKW *Ultrakurzwelle* modulation de fréquence (FM).

UNO *Organisation der Vereinten Nationen* Organisation des Nations Unies (O.N.U.).

urspr. *ursprünglich* à l'origine ; primitivement.

US(A) *Vereinigte Staaten (von Amerika)* Etats-Unis d'Amérique.

usf. *und so fort* et ainsi de suite ; etc.

usw. *und so weiter* etc.

u.U. *unter Umständen* éventuellement ; selon les circonstances.

u.W. *unseres Wissens* à notre connaissance.

V

v.Chr. *vor Christus* avant Jésus-Christ.

VDI *Verein Deutscher Ingenieure* Association des ingénieurs allemands.

VEB *Volkseigener Betrieb (DDR)* entreprise collectivisée *(R.D.A.)*.

Verf. *Verfasser* auteur.

verh. *verheiratet* marié(e).

Verl. *Verlag* maison d'édition.

verw. *verwitwet* veuf, veuve.

vgl. *vergleiche* voir.

v.H. *vom Hundert* pour cent.

VHS *Volkshochschule* université populaire.

v.J. *vorigen Jahres* de l'année passée.

v.M. *vorigen Monats* du mois dernier.

vorm. *vormals* autrefois ; *vormittags* le (du) matin.

Vors. *Vorsitzender* président.

v.T. *vom Tausend* pour mille.

VW *Volkswagen* Volkswagen.

W

W *Westen* ouest (O).

WDR *Westdeutscher Rundfunk* radio de la Rhénanie-Westphalie.

WEU *Westeuropäische Union* Union de l'Europe occidentale (U.E.O).

WGB *Weltgewerkschaftsbund* Fédération syndicale mondiale (F.S.M.).

Wwe. *Witwe* veuve.

Z

z.B. *zum Beispiel* par exemple.

ZDF *Zweites Deutsches Fernsehen* Deuxième chaîne de télévision allemande.

z.Hd. *zu Händen* à l'attention de.

ZK *Zentralkomitee* Comité central.

ZPO *Zivilprozeßordnung* Code de procédure civile.

z.T. *zum Teil* en partie.

Ztr. *Zentner* 50 kilos.

zw. *zwischen* entre.

z.Z(t) *zur Zeit* en ce moment ; actuellement.

Lexique

Allemand-Français

A

ab : 1. à partir de, à compter de ; 2. ab Werk : départ usine.

ab/buchen : débiter (une somme d'un compte).

ab/decken (sich ~ gegen) : se garantir, couvrir, prémunir (contre un risque) ; ein Risiko ~ couvrir un risque.

Abfahrtstag *m*, -e : jour du départ, départ.

Abfälle *pl* : déchets.

Abgabe *f*, n : taxe.

abgelaufen (~ sein) : être expiré ; die Garantie ist ~ : l'article n'est plus sous garantie.

abholbereit : prêt à être enlevé, disponible.

ab/holen : prendre livraison de, passer prendre.

Abitur *n*, ∅ : baccalauréat.

ab Kai : à quai.

Ablichtung *f*, en ⟶ Fotokopie.

Abnahme *f*, n : achat, commande, acquisition.

ab/nehmen (a, o, i) : acheter, être acquéreur.

Abnehmer *m*, - : acheteur, preneur, ~ finden : trouver preneur.

Abonnement *n*, s : abonnement ; ein ~ erneuern, abbestellen : renouveler, résilier un abonnement.

Abonnent *m*, en, en : abonné.

abonnieren + A : s'abonner à.

ab/raten (ie, a, ä) : jdm von etw ~ : déconseiller qqch. à qqun, dissuader qqun de faire qqch.

Abrechnung *f*, en : comptes (détaillés), note, décompte.

Abruf : (Lieferung) auf ~ : sur appel.

ab Schiff : ex ship.

Absatzmöglichkeit *f*, en : débouché, possibilités de vente.

abschlägig : négatif, défavorable.

Abschlagszahlung *f*, en : paiement partiel, fractionné ; versement d'acompte.

ab/schließen (o, o) : 1. (contrat) passer, signer, conclure ; 2. (comptab.) arrêter des comptes, vérifier des écritures.

Abschluß *m*, ¨sse : 1. signature (contrat) ; 2. vérification, arrêt des comptes ; 3. marché conclu, affaire réalisée.

Absender *m*, - : expéditeur.

Absicht *f*, en : intention.

Abteilung *f*, en : service, département (technique).

Abteilungsleiter *m*, - : chef de service, responsable de département.

ab/weisen (ie, ie) : rejeter, repousser, refuser.

ab Werk : départ usine.

ab/wickeln : effectuer, opérer.

Abwicklung *f*, en : réalisation, exécution.

ab/ziehen (o, o) (von) : déduire (de).

abzüglich + G : à déduire de ; moins ; déduction faite de.

Adreßanhänger *m*, - : étiquette-adresse (à accrocher à qqch.).

Aerogramm *n*, e ⟶ Luftpostleichtbrief.

A.G. *f*, s (Aktiengesellschaft) : SA, société par actions, société anonyme.

akademisch : universitaire.

Akkreditiv *n, e* : crédit documentaire, accréditif.

Akte *f* : die einheitliche europäische ~ : Acte unique européen.

Akten *pl* : etw zu den ~ legen : classer un dossier.

Aktiengesellschaft *f, en* : société par actions ; société anonyme.

Akzept *n, e* : acceptation ; mit Ihrem ~ versehen : dûment accepté, revêtu(e) de votre acceptation.

Akzeptant *m, en, en* : acceptant.

Alleinvertreter *m, -* : représentant exclusif.

Alleinvertretung *f, en* ⟶ Alleinvertrieb.

Alleinvertrieb *m, ⌀* : distribution, vente exclusive, exclusivité.

anbei ⟶ in der Anlage.

an/bieten (o, o) : offrir, faire une offre, proposer.

Anbietende(r) (adj.) : soumissionnaire, offreur, offrant.

Anbieter *m, -* ⟶ Anbietender.

an/fordern : demander, exiger.

Anforderung *f, en* : demande.

Anfrage *f, n* : demande de renseignements ; auf ~ : sur demande ; eine ~ an eine Firma richten : adresser une demande à une société.

an/fragen : se renseigner (auprès de qqun).

an/geben (a, e, i) : indiquer.

Angebot *n, e* : offre ; verlangtes (unverlangtes) ~ : offre (non) sollicitée ; ein ~ unterbreiten : soumettre une offre ; ein ~ annehmen ≠ ablehnen : accepter ≠ refuser une offre ; um ein ~ bitten : solliciter une offre ; ~e einholen : faire des appels d'offres.

angekreuzt : coché, marqué d'une croix.

Angelegenheit *f, en* : affaire ; die ~ einem Rechtsanwalt übergeben : confier (remettre) une affaire entre les mains d'un avocat.

angemessen : conforme.

Angestellte(r) (adj.) : employé ; leitender ~ : cadre supérieur.

Anhänger *m, -* : remorque.

Anklang finden (bei + D) : plaire, trouver bon accueil.

an/kündigen : annoncer.

Anlage *f, n* : pièce jointe ; in der ~ : ci-joint, ci-inclus ; in der ~ erhalten Sie : vous trouverez ci-joint.

Anlagen *pl* : installations.

Anlaß : ~ geben (zu + D) : donner lieu à, prêter à.

Anliegen *n, -* : demande, requête ; einem ~ nachkommen : donner suite à une demande.

an/mahnen : rappeler, réclamer.

Annulierung *f, en* : annulation.

Anordnungen : Ihren ~ gemäß : conformément à vos instructions, à votre ordre.

Anrecht : ~ haben (auf + A) : avoir droit à, pouvoir prétendre à.

Anrede *f, n* : appellation, formule de politesse, titre de civilité.

Anreisetag *m, e* : jour de l'arrivée, arrivée (hôtel).

ansässig : établi, en place ; ein ~er Geschäftsmann : commerçant établi.

Anschaffung *f, en* : acquisition.

Anschrift *f, en* : adresse ; eine ~ von jdm erhalten : obtenir une adresse de qqun.

an/setzen : ~ auf + A ⟶ schätzen.

Ansichtskarte *f, n* : carte postale illustrée.

Anspruch *m, ⸚e* : prétention, droit ; ~ haben (auf + A) : pouvoir prétendre à.

Ansprüchen : ~ genügen : satisfaire à des exigences.

Antrag *m, ⸚e* : demande (officielle).

Antragsformular *n, e* : formulaire de demande.

Antwortschein *m, e* : coupon-

réponse ; **internationaler ~** : coupon-réponse international.

an/vertrauen : jdm etw **~** : confier qqch. à qqun.

Anweisung *f*, **en** : 1. instruction, directive ; **~en beachten** : se conformer aux instructions ; 2. **telegraphische ~** : virement télégraphique.

Anzeige *f*, **n** : annonce, **eine ~ in einer Zeitung aufgeben** : passer une annonce dans un journal.

Arbeitsaufnahme *f*, ∅ : **Tag der ~** : date d'entrée en activité.

Arbeitsfeld *s*, **er** ⟶ **Bereich.**

Arbeitsgericht *n*, **e** : conseil de prud'hommes.

Arbeitslosenversicherung *f*, **en** : assurance-chômage.

Arbeitsverhältnis *n*, **se** ⟶ **Arbeitsvertrag.**

Arbeitsvertrag *m*, ⏦**e** : contrat de travail ; **einen ~ (ab)schließen, unterzeichnen** : conclure, signer un contrat de travail.

Artikel *m*, **-** : article.

Artvollmacht *f*, **en** ⟶ **Gattungsvollmacht.**

auf/bewahren : entreposer.

Aufforderung *f*, **en** : invitation, sommation.

Aufgabe *f*, **n** : 1. tâche, mission, travail ; 2. devoir.

Aufkleber *m*, **-** : autocollant, étiquette adhésive.

auf/kommen (a, o, ist) : **für etw ~** : prendre en charge, assumer, répondre de.

auf/lösen : dissoudre, dénoncer (contrat).

aufmerksam machen (auf + A) : attirer l'attention sur.

Aufnahme *f*, **n** : réception ; **jdm eine freundliche ~ bereiten** : réserver un bon accueil à qqun.

auf/nehmen (a, o, i) : **einen Kredit ~** : recourir à un crédit, prendre un crédit ; **etw in einen Katalog ~** : inscrire, faire figurer qqch. dans un catalogue.

auf/schieben (o, o) : surseoir à, reporter, ajourner.

Aufschub *m*, ⏦**e** : sursis, report ; **Zahlungs~** : délai de paiement.

auf/stocken : augmenter.

Aufstockung *f*, **en** : augmentation.

Auftrag *m*, ⏦**e** : ordre, commande ; **einen ~ ausführen (erledigen)** : exécuter une commande ; **einen ~ bestätigen** : confirmer une commande ; **einen ~ erteilen** : passer un ordre, une commande.

Auftraggeber *m*, **-** : commettant, donneur d'ordre.

Auftragsbestätigung *f*, **en** : accusé de réception, confirmation d'une commande.

Auftragserteilung *f*, **en** : passation de commande ; **bei ~** : à la commande.

auftragsgemäß : selon vos ordres, conformément à vos instructions.

Aufwand *m*, **-wendungen (an + D)** : dépenses (de).

aus/arbeiten : élaborer, mettre au point.

aus/bauen : développer, agrandir.

aus/fallen : **zu jds voller Zufriedenheit ~** : donner entièrement satisfaction à qqun.

Ausfuhr *f*, **en** : exportation(s).

aus/führen : exporter.

Ausfuhrland *n*, ⏦**er** : pays exportateur.

ausführlich : détaillé.

Ausfuhrmeldung *f*, **en** : déclaration d'exportation.

Ausführung *f*, **en** : exécution, réalisation.

Ausfuhrzoll *m*, ⏦**e** : droit d'exportation, taxe à l'exportation.

Ausgaben *pl* : dépenses ; **laufende ~** : dépenses courantes.

ausgenommen sein von + D : être exclu de.

Ausgleich : **zum ~ + G** : en règlement de.

aus/gleichen : **ein Konto ~** : solder un compte.

aus/handeln : négocier ; **etw neu ~** : renégocier qqch.

Auskunft *f*, **-e** : renseignement ; **~ erteilen über + A** : fournir un/des renseignement(s) sur ; **~-e einholen** : prendre des renseignements.

Auskunftsdienst *m*, **(e)** : service de renseignements, renseignements.

Auskunftsperson *f*, **en** : 1. personne sur laquelle on se renseigne ; 2. personne qui fournit des renseignements.

Auslagen *pl* : dépenses, débours.

Auslands- (préfixe) : international, avec l'étranger.

Auslandssendung *f*, **en** : (postes) régime international.

aus/laufen (ie, au, äu) : 1. quitter le port, prendre la mer ; 2. (Artikel) article en fin de série.

aus/packen : déballer.

aus/schließen (o, o) : exclure (d'une garantie par ex.)

ausstehend : en suspens, non réglé.

aus/stellen : 1. exposer (marchandises) ; 2. délivrer, établir un document, une facture.

Ausstellung *f*, **en** : exposition, salon ; **sich an einer ~ beteiligen** : participer à une exposition.

Außendienst *m*, ∅ : service extérieur, ensemble des représentants, force de vente.

Außenstände *pl* : créances à recouvrer.

Austausch *m*, ∅ : échange.

aus/tragen (u, a, ä) : distribuer (courrier).

Auswahl *f*, ∅ : choix, sélection ; **in die nähere ~ kommen** : être présélectionné.

aus/weiten (auf + A) : élargir, étendre à.

auszahlbar : **~ bei** : payable auprès de, à (banque).

Autozubehörteile *pl* : accessoires automobiles.

B

Bahnfracht *f*, ∅ : prix du transport par rail ; **per ~** : par rail.

baldig : prochain, imminent, prompt.

Bandeisen *n*, **-** : cerclage métallique (caisses).

Bankkonto *n*, **s(-ten)** : compte bancaire.

Bankrott *m*, **e** : faillite, banqueroute.

Bankscheck *m*, **s** : chèque bancaire.

bar : **~ (be)zahlen** : payer comptant.

bargeldlos : par virement.

Barzahlung *f*, **en** : paiement comptant.

beabsichtigen : avoir l'intention de.

beanspruchen : demander, réclamer.

beanstanden : faire une réclamation, contester.

Beanstandung *f*, **en** ⟶ Beschwerde.

beantragen : demander, solliciter.

Beantwortung : **in ~ + G** : en réponse à.

beauftragen : donner ordre à, mandater, charger qqun de.

bedanken : **sich bei jdm für + A ~** : remercier qqun de qqch.

Bedarf *m*, ∅ : besoins ; **~ haben an + D** : avoir besoin de.

bedauern : regretter ; **wir ~, daß ...** : nous avons le regret de, sommes au regret de, nous déplorons de ...

Bedauern : **zu unserem großen ~** : à notre grand regret.

Bedingung *f*, **en** : condition ; **~en anerkennen, verweigern** : accepter, refuser des conditions.

bedürfen + G : avoir besoin de, nécessiter.

beehren : **sich ~, zu** : avoir l'honneur de.

beeinträchtigen : porter préjudice à, nuire à.

befördern : transporter ; **per Bahn, LKW, Schiff ~** : transporter par train, camion, bateau.

Beförderung *f,* **en** : transport.

befristet : avec un délai de validité, limité, **bis zum ... ~ sein** : être limité (valable) jusqu'au.

beglaubigen : attester, certifier, authentifier.

Beglaubigung *f,* **en** : attestation, homologation, légalisation.

begleichen (i, i) : régler, acquitter, payer.

Begleichung *f,* **en** : règlement, acquittement (facture).

beglückwünschen : féliciter, présenter ses meilleurs vœux.

begrenzt : limité ; **zeitlich ~** : limité dans le temps.

Behälter *m,* **-** ⟶ Container.

behandeln : traiter : **etw vertraulich ~** : traiter qqch. avec (la plus grande) discrétion.

beheben (o, o) : réparer (erreur), supprimer.

bei/fügen : joindre qqch à ; **die beigefügten Dokumente** : les documents joints, en annexe.

bei/legen : **einer Sendung etw ~** : joindre qqch. à un envoi.

beiliegend : ci-joint, ci-inclus.

bei/stehen + D (a, a) : assister, aider, seconder qqun.

Beitrag *m,* **-̈e** : cotisation.

belasten : débiter (compte).

belaufen (ie, au, äu) : **sich ~ auf + A** : se monter à, être de, s'élever à (somme d'argent).

Beleg *m,* **e** : pièce justificative ; **~e vorlegen** : présenter des justificatifs.

belegen : justifier qqch (par des documents à l'appui).

beliefern : **jdn mit etw ~** : fournir, livrer qqch. à qqun.

benachrichtigen : informer, aviser, renseigner ; **jdn telegraphisch ~** : informer qqun par télégramme.

benötigen : **etw ~** : avoir besoin de.

beraten (ie, a, ä) : conseiller qqun.

Beratung *f,* ⊘ : conseil.

Beraubung *f,* **en** : vol, pillage.

berechtigt : justifié.

Bereich *m,* **e** : domaine, secteur, branche.

berücksichtigen : considérer, prendre en considération.

Berufsausbildung *f,* **en** : formation professionnelle.

Berufsbezeichnung *f,* **en** : dénomination professionnelle.

berufserfahren : avec expérience professionnelle.

Berufserfahrung *f,* **en** : expérience professionnelle.

Berufspraktikum *n,* **a** : stage professionnel, stage en (d') entreprise.

Berufstätigkeit *f,* **en** : activité professionnelle.

beschädigen : endommager.

Beschädigung *f,* **en** : dégât, endommagement.

Bescheid *m,* ⊘ : **einen positiven, abschlägigen ~ erhalten** : obtenir une réponse favorable (positive), défavorable (négative) ; **jdm ~ sagen (geben)** : informer qqun, donner une réponse à qqun ; **~ wissen über + A** : être au courant de.

beschränken : **sich ~ auf + A** : se limiter à.

beschriften : marquer.

Beschriftung *f,* **en** : marquage.

Beschwerde *f,* **n** : réclamation, plainte ; **einer ~ stattgeben** : donner suite à une réclamation.

beschweren : **sich bei jdm ~** : se plaindre auprès de qqun.

besichtigen : visiter.

bestätigen : confirmer.

Bestätigung *f,* **en** : 1. confirmation ; 2. (suffixe) -bestätigung accusé de ...

bestellen : commander, passer commande ; **etw mündlich, schriftlich, über Btx ~** : commander oralement, par écrit, par minitel.

Bestellnummer *f,* **n** : numéro de commande.

Bestellung *f,* **en** : commande : **eine ~ aufgeben (erteilen)**, ausführen, widerrufen : passer, exécuter, annuler une commande.

Bestimmung *f*, **en** : 1. disposition (officielle), instruction (officielle) ; 2. destination (transport).

Bestimmungsland *n*, **⁻er** : pays de destination, destinataire.

Bestimmungsort *m*, **e** : (lieu de) destination.

Bestimmungszollstelle *f*, **n** : poste douanier du lieu de destination.

Besuch *m*, **e** : visite ; **jdm einen ~ abstatten** : rendre une visite à qqun.

beteiligen : **sich ~ an + D** : participer à, prendre part à.

Betrag *m*, **⁻e** : somme, montant.

Betreff (Betr.) : objet.

Betrieb *m*, **e** : entreprise.

Betriebswirtschaft *f*, **n** : gestion.

betrifft : **was ... ~** : en ce qui concerne...

bevollmächtigen : **jdn ~** : donner pouvoir à qqun, mandater qqun.

Bevollmächtigte(r) (adj.) : mandataire, fondé de pouvoir.

bewerben (a, ä) : **sich um eine Stelle ~** : poser sa candidature à un poste, postuler un emploi.

Bewerber *m*, **-** : candidat, postulant.

Bewerbung *f*, **en** : 1. candidature (à un poste) ; 2. sollicitation, offre de services.

Bewerbungsschreiben *n*, **-** : lettre de candidature.

Bewerbungsunterlagen *pl* : dossier de candidature.

bezeichnen : spécifier, indiquer.

Bezeichnung *f*, **en** : mention, appellation.

beziehen : **wir ~ uns auf + A** : nous référant à, en référence à ...

bezogen : **die ~e Bank** : la banque tirée.

Bezogene(r) (adj.) : le tiré.

Bezug : **mit ~ auf + A** : en référence à.

Bezugnahme : **in ~ auf + A** : en référence à, nous référant à ; **unter ~ auf + A** : comme suite

à, en référence à, me/nous référant à.

Bezugszeichen *pl* : références.

Bildschirmtext *m*, **e (Btx)** : minitel, par voie télématique.

billigen ⟶ **gewähren**.

Binnenmarkt *m* : **der europäische ~** : le Marché unique européen.

Binnenschiffahrt *f*, ∅ : transport fluvial.

Blindensendung *f*, **en** : impressions pour aveugles.

BLZ (Bankleitzahl) : numéro d'identité bancaire.

Bordkonossement *n*, **e** : connaissement reçu à bord.

Briefdrucksache *f*, **n** : imprimélettre ; **~/Geb. gepr.** : impriméelettre/port vérifié.

Brieffuß *m*, ∅ : bas de la lettre.

Briefhülle *f*, **n** ⟶ **Briefumschlag**.

Briefkopf *m*, **⁻e** : en-tête.

Briefumschlag *m*, **⁻e** : enveloppe.

Briefwechsel *m*, ∅ : correspondance commerciale.

buchen : réserver, faire une réservation, **einen Flug ~** : réserver (retenir) une place sur un vol.

Buchführung *f*, **en** ⟶ **Buchhaltung**.

Buchhalter *m*, **-** : comptable.

Buchhaltung *f*, **en** : comptabilité, services comptables.

Buchstabe *m*, **n** : lettre (de l'alphabet).

Buchung *f*, **en** : réservation ; **mündliche, schriftliche, telefonische, fernschriftliche ~** : réservation orale, écrite, téléphonique, par télex.

Bürokommunikation *f*, ∅ : bureautique.

C

Campingführer *m*, **-** : guide des terrains de camping, du camping.

Carnet-TIR : carnet-TIR (Transports Internationaux Routiers).

Chefsekretärin *f*, **nen** : secrétaire de direction.

Chiffre *f*, **n** : code (secret), chiffre, référence ; **unter ~** : sous le numéro.

cif (cost, insurance, freight) : caf (coût, assurance, fret).

Computer *m*, **-** : ordinateur.

computerisieren : informatiser.

Container *m*, **-** : container, conteneur.

containerisieren : conteneuriser.

D

Dankschreiben *n*, **-** : lettre de remerciement.

Darlehen *n*, **-** : prêt.

Daten *pl* : données informatiques ; **~ eingeben, abrufen** : saisir, appeler des données ; **~ speichern, verarbeiten** : stocker, traiter des données.

Datenverarbeitung *f*, ∅ : traitement de fichier.

Dauerauftrag *m*, ¨e : prélèvement automatique, d'office ; **einen ~ erteilen** : autoriser un prélèvement automatique.

Datowechsel *m*, **-** : traite à délai de date.

Dauerhaftigkeit *f*, ∅ : solidité, durabilité.

Deckung *f*, **en** : couverture (assur.).

Deckungsgrad *m*, ∅ : couverture garantie, risques garantis.

defekt : défectueux.

Defekt *m*, **e** : défaut, vice.

deponieren ⟶ hinterlegen.

Diebstahlversicherung *f*, **en** : assurance-vol.

Dienst am Kunden ⟶ Kundendienst.

Dienstanweisung *f*, **en** : instruction.

Dienstjahr *n*, **e** : année de service.

Dienstleistungen *pl* : services (prestation de).

dienstlich : **~er Schriftverkehr** : correspondance administrative.

Diktatzeichen *n*, **-** : initiales du dicteur.

Diplombetriebswirt *m*, **e** : diplômé d'un Institut supérieur de gestion.

diskontieren : escompter.

Diskontierung *f*, **en** : escompte.

Diskontsatz *m*, ¨e : taux d'escompte.

d.J. (dieses Jahres) : courant, de cette année.

Diplomkaufmann *m*, **-leute** : diplômé de gestion (université).

Dokumente gegen Akzept : documents contre acceptation.

Dokumententratte *f*, **n** : traite documentaire.

Dolmetscherprüfung *f*, **en** : diplôme d'interprète.

Doppelzimmer *n*, **-** : chambre pour deux personnes.

Dreimonatsakzept *n*, **e** : traite acceptée à trois mois.

dreisprachig : trilingue.

dringend : urgent ; **etw ~ brauchen** : avoir un besoin urgent de qqch.

Drucksache *f*, **n** : imprimé.

Durchführung *f*, **en** : exécution, réalisation.

Durchschlag *m*, ¨e : copie, double.

E

Ebene *f*, **n** : plan, niveau ; **auf allen ~n** : à tous les niveaux.

EDV *f*, ∅ **(elektronische Datenverarbeitung)** : informatique, traitement électronique de données.

EDV-Bereich *m*, **e** : secteur, domaine, branche informatique.

Eigentümer *m*, **-** : propriétaire.

Eigentumsvorbehalt *m*, ∅ : clause de réserve de propriété.

Eilboten (durch) : exprès, par porteur spécial.

eilt : urgent.

Eilzustellung *f*, ∅ : distribution par exprès, exprès.

Einfuhr *f*, **en** : importation.

Einfuhrbestimmung *f*, **en** : réglementation à l'importation.

ein/führen : importer.

Einführung *f*, **en** : introduction ; ~ **auf dem Markt** : introduction sur le marché.

Einfuhrzoll *m*, **¨e** : droit d'entrée.

Eingabe *f*, **n** : **einer ~ entsprechen (stattgeben)** : donner suite à une réclamation.

eingeführt : **bei jdm gut ~ sein** : être bien introduit auprès de qqun.

eingehend : en détail, avec précision, soigneusement.

eingehend : **~e Post** : courrier-arrivée.

ein/halten (ie, a ,ä) : respecter, tenir (délai).

Einhaltung : **unter ~** : en respectant.

Einkaufsleiter *m*, **-** : responsable des achats.

ein/lösen : payer, recouvrer ; **einen Scheck ~** : encaisser un chèque.

ein/räumen : **jdm etw ~** : accorder qqch à qqun.

einschließlich + G : (y) compris, inclus.

Einschreiben *n*, **-** : lettre recommandée.

Einschreibesendung *f*, **en** : envoi en recommandé.

ein/stellen : 1. suspendre, arrêter (paiement) ; 2. engager (personnel).

Einstellung *f*, **en** : engagement, embauche.

ein/treffen (a, o, i) : arriver, parvenir.

einverstanden : **mit etw/jdm ~ sein** : être d'accord avec qqun.

Einverständnis *n*, **se** : accord.

einwandfrei : irréprochable, sans défaut.

Einwegbehälter *m*, **-** : emballage perdu.

ein/zahlen : verser (une somme).

Einzelteil *n*, **e** : pièce détachée.

Einzelvollmacht *f*, **en** : pouvoir individuel.

Einzelzimmer *n*, **-** : chambre individuelle, pour une personné.

ein/ziehen (o, o) : recouvrer, encaisser, percevoir, toucher.

Einziehung *f*, **en** : recouvrement.

Einzug *m*, **⌀** : (poste) recouvrement (d'une somme).

Einzugsermächtigung *f*, **en** : autorisation de prélèvement automatique (TUP).

Empfang *m*, **¨e** : réception, reçu ; **den ~ anzeigen** : aviser de la réception ; **den ~ bestätigen** : accuser réception.

Empfänger *m*, **-** : destinataire.

Empfangsanzeige *f*, **n** ⟶ Empfangsbestätigung.

Empfangsbescheinigung *f*, **en** ⟶ Empfangsbestätigung.

Empfangsbestätigung *f*, **en** : accusé, avis de réception.

Empfehlungen : **mit den besten ~** : veuillez agréer ... nos salutation distinguées.

Endverbraucherpreis *m*, **e (EVP)** : prix public.

entfallen (ie, a, ä, ist) : **die Kosten ~** : les frais (le coût) tombent, il n'y a/aura pas de frais de ...

entgegengesetzt : **im ~en Fall** : dans le cas contraire.

entgegenkommen (a, o, ist) : **jdm ~** : être agréable à qqun.

Entgegenkommen *n*, **⌀** : prévenance, obligeance.

entgegen/sehen (a, e, ie) (+ D) : attendre qqch.

Entgelt *n*, **e** : rémunération.

entnehmen (a, o, i) (aus + D) : 1. prendre, prélever ; 2. déduire, conclure qqch.

entschädigen : dédommager.

entschuldigen : excuser.

entstehen (a, a, ist) : **Kosten sind uns entstanden** : il en a résulté des frais pour nous, cela nous a occasionné des frais.

entwickeln : développer.

erfahren (a, u, ä) : apprendre (une nouvelle).

Erfahrung *f*, **en** : expérience.

erfolgen (ist) : avoir lieu, se faire.

erfüllen : remplir, satisfaire à.

Erfüllungsort *m*, **e** : lieu d'exécution.

Erhalt *m*, ∅ : réception.

erhalten (ie, a, ä) : obtenir, avoir.

Erinnerungsschreiben *n*, **-** : lettre de rappel.

Erkundigung *f*, **en** : renseignement ; ~ **en einziehen** : prendre des renseignements.

erlauben : permettre, autoriser.

Erledigung *f*, **en** : exécution (ordre, commande).

erneut : renouvelé, réitéré.

eröffnen : ouvrir, établir (compte, commerce).

Eröffnungsanzeige *f*, **n** : avis d'ouverture, d'accréditif, de crédit documentaire.

erproben : tester, mettre à l'épreuve, faire l'essai de qqch.

Ersatz *m*, ∅ : remplacement, substitution.

Ersatzlieferung *f*, **en** : marchandise livrée en remplacement ; livraison de remplacement.

ersetzen : remplacer, substituer.

Ersetzen *n*, ∅ : remplacement.

ersparen : **Kosten** ~ : éviter, économiser des frais.

erstatten : rembourser.

Erstauftrag *m*, **¨e** : première commande.

Erstsendung *f*, **en** : premier envoi, première expédition.

Ersuchen *n*, **-** : demande, sollicitation, requête.

Erwartung : **in** ~ **+ G** : dans l'attente de ...

erweitern : agrandir (locaux).

Erwerb *m*, ∅ : acquisition.

erwerben (a, o, i) : acquérir.

Erzeuger *m*, **-** : producteur.

Erzeugnis *n*, **se** : produit.

EVP *m*, **e (Endverbraucherpreis)** : prix public.

Exklusivrecht *n*, **e** : droit exclusif.

expandierend : en expansion.

Export *m*, **e** ⟶ Ausfuhr.

Exportabteilung *f*, **en** : service, département-exportation.

Exporteur *m*, **e** ⟶ Exporthändler.

Exporthändler *m*, **-** : exportateur.

exportieren ⟶ ausführen.

Expreßgut *n* : **als** ~ : par exprès.

F

Fabrikant *m*, **en, en** : fabricant, producteur.

Fabrikationsstufe *f*, **n** : stade, étape, niveau de fabrication.

Fabrikpreis *m*, **e** : prix-usine.

Fach- (préfixe) : spécialisé.

Fachgeschäft *n*, **e** : magasin spécialisé.

Fachhandel *m*, ∅ : commerce, maisons spécialisé(es).

fachmännisch : compétent, spécialisé, de spécialiste.

Fähigkeit *f*, **en** : aptitude, capacité ; **organisatorische** ~ **en** : talent d'organisateur.

Fahrtkosten *pl* : frais de déplacement.

Fahrtspesen *pl* ⟶ Fahrtkosten.

fakturieren ⟶ etw in Rechnung stellen.

fällig (sein) : arriver à échéance, être exigible.

Fälligkeit *f*, **en** : échéance.

falls : au cas où.

Familienname *m*, **n** : nom de famille, patronyme.

Familienpension *f*, **en** : pension de famille.

Familienstand *m*, ∅ : état civil.

fas (free alongside ship) : franco le long du navire.

fehlerfrei : sans défaut, impeccable.

fehlerhaft ⟶ defekt.

Fehlerquelle *f*, **n** : source d'erreurs.

Fehlmenge *f*, **n** : manquants, quantité manquante.

Fernkopierer *m*, **-** : télécopieur.

Fernschreiben *n*, **-** : télex.

fernschriftlich : par télex.

Fernsprecher *m*, **-** : téléphone.

fertigen : fabriquer.

Fertigstellung *f*, **en** : mise en fabrication.

Fertigung *f*, **en** : fabrication ; **in ~ sein** : être en cours de fabrication.

Fertigungsprogramm *n*, **e** : programme de fabrication, de production.

Festsetzung *f*, **en** : établissement (coût, frais, prix).

fest/stellen : constater.

Feuchtigkeitsschutz *m*, ⌀ : protection contre l'humidité.

feuergefährlich : inflammable.

Feuerversicherung *f*, **en** : assurance-incendie.

Filiale *f*, **n** : filiale, succursale.

Finanzverhältnisse *pl* : situation financière, conditions financières.

Finanzwesen *n*, ⌀ : finances, fisc.

Firmenbogen *m*, **-** : feuille à en-tête (avec raison sociale).

Firmenname *m*, **n** : raison sociale.

firmenüblich : comme nous pratiquons habituellement, selon notre habitude.

Fixum *n*, ⌀ : (salaire) fixe.

fob (free on board) : franco à bord.

Forderung *f*, **en** : créance ; **~en gegenüber dem Schuldner haben** : avoir des créances à l'égard du débiteur.

Format *n*, **e** : format ; **amtlich festgelegtes ~** : format officiel, fixé par l'administration.

Fortbildung *f*, **en** ⟶ Weiterbildung.

fort/zahlen : payer sans interruption, continuer de payer.

Fracht *f*, **en** : fret, chargement.

Fracht bezahlt ⟶ frachtfrei.

Frachtbrief *m*, **e** : lettre de voiture.

Frachtbriefdoppel *n*, **-** : duplicata, double de la lettre de voiture.

frachtfrei : franco de port (syn. Fracht bezahlt).

Frachtgebühr *f*, **en** : frais de transport, fret (coût).

Frachtkosten *pl* ⟶ Frachtgebühr.

Frachtsatz *m*, **¨e** : taux de fret.

frei : **~ Haus** : franco domicile ; **~ Bahnstation, Hafen, Grenze** : franco gare, port, frontière.

freibleiben : sans engagement, sans obligation, sous réserve.

Frei-Haus-Lieferung *f*, **en** : livraison franco-domicile.

frei Waggon : franco (sur) wagon.

Frist *f*, **en** : délai ; **vor, nach Ablauf der ~** : avant, après expiration du délai ; **eine ~ einhalten, überschreiten, verlängern** : respecter, dépasser, prolonger un délai ; **jdm eine ~ setzen** : fixer un délai à qqun.

fristgemäß : dans les délais convenus, impartis.

Frühjahrsmesse *f*, **n** : foire de printemps.

Führung *f*, **en** : 1. direction ; 2. conduite.

G

Garantie *f*, **n** : garantie ; **die ~ ist abgelaufen** : ne plus être sous garantie ; **unter ~ stehen** : être sous garantie, couvert par la garantie.

Garantieanspruch *m*, **¨e** : droit de garantie.

Garantieleistung *f*, **en** : garantie, couverture du risque, **~en** : garanties offertes.

garantieren : garantir, se porter garant de.

Gattungsvollmacht *f*, **en** : pouvoir, mandat particulier.

Gebiet *n*, **e** : domaine.

geboren : né(e).

Geduld *f*, ⌀ : patience ; **~ zeigen** : témoigner, manifester de la patience.

Gefahrgut *n*, **¨er** : produits dangereux, matières toxiques.

Gefälligkeit *f*, ⌀ ⟶ Entgegenkommen.

Gegenangebot *n*, **e** : contre-offre.

Gegendienst *m*, **e** : réciprocité ; **zu ~en bereit sein** : à charge de réciprocité.

gegenwärtig : actuellement, présentement.

Gehalt *n*, **¨er** : traitement.

Gehaltsansprüche *pl* ⟶ Gehaltswünsche.

Gehaltswünsche *pl* : prétentions salariales.

geläufig : **~ in Wort und Schrift** : (langue) couramment parlée et écrite.

Geldmittel *pl* : fonds, capitaux.

geliefert ... -Grenze : livré franco frontière.

geltend machen : faire valoir.

gemäß + D : selon, d'après, conformément à.

Generalpolice *f*, **n** : police générale d'assurances.

Generalvollmacht *f*, **en** : procuration générale.

genießen (o, o) + A : jouir de, bénéficier de.

genügen + D : satisfaire à qqch.

Gerät *n*, **e** : instrument, appareil.

Gerichtsstand *m*, ∅ : tribunal compétent.

Gerichtsverfahren *n*, **-** : procédure judiciaire.

Gesamt- (préfixe) : global, d'ensemble.

Gesamtpreis *m*, **e** : prix global.

Gesamtvollmacht *f*, **en** : pouvoir collectif.

Geschäft *n*, **e** : 1. magasin, fonds de commerce ; 2. affaires ; **~e abschließen** : conclure, signer des marchés.

Geschäftsabschlüsse tätigen : traiter des affaires.

Geschäftsbedingungen (allgemeine ~) *pl* : conditions générales de vente.

Geschäftsbrief *m*, **e** : lettre commerciale, d'affaires.

Geschäftsflaute *f*, **n** : ralentissement des affaires, marasme, calme plat.

Geschäftsführung *f*, **en** : gestion.

Geschäftspartner *m*, **-** : partenaire commercial.

Geschäftsräume *pl* : locaux commerciaux.

Geschäftsreise *f*, **n** : voyage d'affaires.

Geschäftsverbindung *f*, **en** : relation d'affaires, commerciales ; **~en aufnehmen** : nouer des relations d'affaires ; **über ausgedehnte ~en verfügen** : avoir de nombreuses relations d'affaires.

Geschäftszweig *m*, **e** : branche commerciale.

geschieden : divorcé.

Gesellschaftsform *f*, **en** : forme de société.

gestatten : permettre, autoriser.

Gestellung *f*, **en** : présentation (en douane).

getrennt : 1. **durch ~e Post** : sous pli séparé ; 2. (état civil) séparé.

Gewähr *f*, ∅ : garantie ; **ohne jede ~** : sans aucune garantie.

gewähren : accorder, octroyer.

gewerblich : professionnel, lucratif, industriel.

Gewichtsnota *f*, **s** : note de poids.

gez. (gezeichnet) : signé.

Gläubiger *m*, **-** : créancier.

Glückwunsch *m*, **¨e** : vœu, souhait ; **jdm herzliche ~¨e übermitteln** : transmettre des vœux amicaux à qqun.

GmbH *f*, **s (Gesellschaft mit beschränkter Haftung)** : S.a.r.l. (Société à responsabilité limitée).

gratulieren : **jdm zu + D ~** : féliciter qqun de qqch, à l'occasion de qqch.

grenzüberschreitend : international.

Großhandel *m*, ∅ : commerce de gros.

Gründen : **aus ... ~** : pour des raisons de ...

Grundkapital *n*, ∅ : capital social.

Grußformel *f*, **n** : formule de politesse, terminative.

gültig : valable, en vigueur ; **etw für ~ erklären** : valider qqch.

Gunsten : **zu unseren ~** : en notre faveur.

Gut *n*, **⁻er** : bien, marchandise.

Gutachten *n*, **-** : expertise ; **ein ~ anfordern** : exiger une expertise.

Güterverkehr *m*, ⌀ : transport de(s) marchandises.

Guthaben *n*, **-** : avoir, crédit.

gut/schreiben (ie, ie) : créditer (un compte).

Gutschriftanzeige *f*, **n** : avis de crédit.

H

haftbar : **jdn ~ machen für + A** : rendre qqun responsable de.

Haftpflicht(versicherung) *f*, **en** : assurance responsabilité civile.

Haftung *f*, **en** : responsabilité juridique ; **die ~ für die Schäden übernehmen** : assumer la responsabilité de dommages.

Halbjahres- (préfixe) : semestriel.

halten (ie, a, ä) an + A : se conformer à, s'en tenir à.

Handelsagent *m*, **en** ⟶ Handelsvertreter.

Handelskammer *f*, **n** : chambre de commerce.

Handelsrechnung *f*, **en** : facture commerciale.

Handelsvertreter *m*, **-** : représentant, V.R.P.

Handlungsbevollmächtigte(r) (adj.) : mandataire commercial, fondé de pouvoir.

handverarbeitet : fait main.

Hänger *m*, **-** : remorque.

Hardware *f*, ⌀ : hardware, matériel (informatique).

Harmonisierung *f*, **en** : harmonisation.

Hauptniederlassung *f*, **en** : établissement principal, maison mère.

Hausnummer *f*, **n** : numéro de rue.

heraus/schmuggeln : faire sortir en contrebande.

herein/schmuggeln : faire entrer en contrebande.

her/stellen : fabriquer, produire.

Hersteller *m*, **-** : fabricant, producteur.

Herstellung *f*, **en** : fabrication, production.

Herstellungspalette *f*, **n** : gamme de fabrication, palette de production (de produits).

High-Tech-Waren *pl* : matériels sensibles, high-tech.

hinterlegen : déposer (qqch auprès d'une banque).

Hinweis : **unter ~ auf + A** : nous attirons votre attention sur ...

hin/weisen (ie, ie) (auf + A) : attirer l'attention sur, mettre l'accent sur.

Hochachtung : **mit vorzüglicher ~** : ... considération distinguée.

Hochachtungsvoll : ... sentiments respectueux.

Hochleistungs- (préfixe) : à haute performance, de haut rendement.

Höchst- (préfixe) : plafond, maximum.

Höchstbetrag *m*, **⁻e** : plafond, somme maximale, maximum.

Höchstgewicht *n*, **e** : poids maximum.

Höchstpreis *m*, **e** : prix-plafond.

Hoffnung : **in der ~, daß ...** : dans l'espoir de/que, en espérant que, nous espérons que.

Höhe : **in ~ von** : à concurrence de.

Hotelabrechnung *f*, **en** : note d'hôtel.

Hotelverzeichnis *n*, **se** : liste des hôtels.

Hypothek *f*, **en** : **eine ~ auf + A aufnehmen** : prendre une hypothèque sur qqch.

I

i.A. (im Auftrag) : par ordre, par mandat.

IBM-kompatibel : compatible IBM.

Import *m*, **e** ⟶ Einfuhr.

Importeur *m*, **e** ⟶ Importhändler.

Importhändler *m*, **-** : importateur.

Importlizenz *f*, **en** : licence d'importation.

imstande : ~ **sein** : être en mesure de.

Inanspruchnahme *f*, **n** : recours à, utilisation de (garantie, caution).

inbegriffen : inclus, compris.

Incoterms-Regeln *pl* : conventions Incoterms, clauses Incoterms.

Indossament *n*, **e** : endos.

infolge + **G** : à la suite de.

Informationsmaterial *n*, **ien** : documentation, brochures d'information.

Inhalt *m*, **e** : contenu.

Inkasso *n*, **i** : encaissement.

inklusive (**inkl.**) : inclus(e), compris(e).

Inlands- (préfixe) : intérieur, national.

Inlandsaufträge *pl* : commandes, affaires conclues sur le marché intérieur, national.

Inlandsgeschäft *n*, **e** : affaires traitées sur le marché intérieur, national.

Inlandssendung *f*, **en** : (courrier destiné au) régime intérieur.

innerhalb + **G/von** + **D** : sous (+ indication de date), dans les, en ; ~ **von acht Tagen** : sous huitaine, dans les huit jours.

Inserat *n*, **e** ⟶ **Anzeige**.

Interesse *n*, **n** : intérêt ; ~ **haben**, **zeigen für** + **A** : avoir, manifester de l'intérêt pour qqch. ; jds ~**n vertreten** : représenter les intérêts de qqun. ; jds ~ **wecken** : susciter l'intérêt de qqun.

Interessent *m*, **en**, **en** : intéressé, acheteur potentiel.

Irrtum *m*, **¨er** : erreur ; **einen** ~ **begehen** : commettre une erreur.

Isotherm-Fahrzeug *n*, **e** : véhicule isotherme.

i.V. (**in Vollmacht**) : par procuration, par mandat.

J

Jahresbedarf *m*, ∅ : besoins annuels.

je : par ; **Preis** ~ **Einheit** : prix unitaire.

K

Kalenderjahr *n*, **e** : année civile.

Kapitalausstattung *f*, **en** : dotation en capital.

Kartei *f*, **en** : fichier informatisé.

Karton *m*, **s** : carton.

Kasse gegen Dokumente : documents contre paiement, comptant contre documents.

Katalog *m*, **e** : catalogue ; **einen** ~ **anfordern** : demander (l'envoi d') un catalogue.

Kaufpreis *m*, **e** : prix d'achat.

Kaufvertrag *m*, **¨e** : contrat de vente.

Kenntnisse *pl* : connaissances (techniques).

Kiste *f*, **n** : caisse.

Klage *f*, **n** : plainte, action en justice ; ~ **auf Zahlung** : plainte en paiement ; ~ **auf Schadenersatz** : action en dommages et intérêts ; **eine** ~ **einreichen**, **abweisen** : déposer, rejeter une plainte ; **eine** ~ **erheben** (**gegen**) : intenter une action (contre).

Klagewege : **auf dem** ~ : par voie de justice.

Klappe *f*, **n** : **eingesteckte** ~ : rabat (simplement) rentré.

Klausel *f*, **n** : clause.

Kollo *n*, **s/-li** : (grand) paquet.

Konformitätsbescheinigung *f*, **en** : certificat de conformité.

Konkurrenz *f*, **en** : concurrence (syn. **Wettbewerb**).

konkurrenzfähig : compétitif.

Konkurrenzfähigkeit *f*, ∅ : compétitivité (syn. **Wettbewerbsfähigkeit**).

konkurrieren (**mit**) : concurrencer, être en concurrence (avec).

Konkurs *m*, **e** : faillite, banqueroute ; ~ **machen** : faire faillite.

Konnossement *n*, **e** : connaissement.

Konsul *m*, **e** : consul.

konsularisch : consulaire.

Konsulat *n*, **e** : consulat.

Konsulatsfaktura *f*, **-ren** : facture consulaire.

Konsulatsgebühr *f*, **en** : taxe consulaire.

Kontaktaufnahme *f*, **n** : prise de contact.

kontaktieren : jdn ~ : contacter qqun, prendre contact avec qqun.

Konto *n*, **s/ten** : compte.

Kontoauszug *m*, **⁻e** : extrait de compte.

Kostenvoranschlag *m*, **⁻e** : devis.

Kraftfahrzeugversicherung *f*, **en** : assurance-véhicule à moteur, assurance automobile.

Krankheitsfall : im ~ : en cas de maladie.

Kredit *m*, **e** : crédit ; jdm einen ~ gewähren (einräumen, bewilligen) : accorder un crédit à qqun ; einen ~ beantragen : demander un crédit.

Kreditantrag *m*, **⁻e** : demande d'ouverture de crédit ; einen ~ stellen : faire une demande de crédit, demander l'ouverture d'un crédit.

Kreditbilligung *f*, **en** ⟶ Kreditgewährung.

Krediteröffnung *f*, **en** : ouverture d'un crédit.

Kreditgewährung *f*, **en** : octroi, attribution d'un crédit.

kreditwürdig : solvable.

Kreditwürdigkeit *f*, ∅ : solvabilité.

Kunde *m*, **n**, **n** : client ; ~n werben : recruter, démarcher des clients : Dienst am ~n: service après-vente.

Kundendienst *m*, ∅ : (service) après-vente.

Kundenstamm *m*, ∅ : clientèle fidèle, fidélisée.

kündigen : 1. (einen Arbeitsvertrag) ~ : résilier (un contrat de travail) ; 2. jdm ~ : donner son congé à qqun, licencier qqun.

Kündigung *f*, **en** : résiliation.

Kündigungsfrist *f*, **en** : délai de préavis.

Kundschaft *f*, **en** : clientèle.

Kursbrief *m*, **e** : courrier à acheminement fixe.

kürzen : réduire, diminuer, défalquer, déduire.

L

Lager *n*, **-** : entrepôt ; Waren auf ~ haben : avoir des marchandises en stock.

Lagergeld *n*, ∅ : droit d'emmagasinage, de stockage.

Lagerkosten *pl* : frais d'entreposage, de stockage.

lagern : stocker, entreposer.

Lagerraum *m*, **⁻e** ⟶ Lager.

Lasten : zu jds ~ gehen : être à la charge de qqun, incomber à qqun.

Lastschriftanzeige *f*, **n** : avis de débit.

Laufbahn *f*, **en** : carrière.

Laufzeit *f*, **en** : durée (prêt, crédit, etc.).

laut : selon, conformément à.

lauten : 1. être ; 2. auf DM ~ : être libellé en DM.

Lebenslauf *m*, **⁻e** : curriculum vitae, C.V. ; tabellarischer ~ : C.V. synoptique.

Lebensversicherung *f*, **en** : assurance vie.

ledig : célibataire.

leid : es tut uns ~, zu ... : nous sommes désolés de ...

leider : malheureusement, hélas.

leihen (ie, ie) : 1. jdm Geld ~ : prêter de l'argent à qqun ; 2. bei jdm Geld ~ : emprunter de l'argent à qqun.

leistungsfähig : performant.

leistungsstark ⟶ leistungsfähig.

Leiter *m*, **-** : chef, responsable.

Leitung *f*, ∅ : direction ; die ~ übernehmen : prendre la direction de.

Lichtbild *n*, **er** : photographie.

Lieferant *m*, **en, en** : fournisseur.
lieferbar : livrable.
Lieferbedingungen *pl* : conditions de livraison.
Lieferer *m*, **-** ⟶ Lieferant.
Lieferfrist *f*, **en** : délai de livraison ; ~en (nicht) einhalten : (ne pas) respecter les délais de livraison.
Lieferland *n*, **-er** : pays fournisseur.
liefern : livrer, fournir ; frei Haus ~ : livrer franco domicile.
Lieferort *m*, **e** : lieu de livraison.
Lieferpreis *m*, **e** : prix à la livraison.
Lieferschein *m*, **e** : bon de livraison.
Lieferung *f*, **en** : livraison, fourniture ; ~ auf Abruf : livraison sans appel ; ~ frei Haus : livraison à domicile ; zahlbar bei ~ : payable à livraison ; eine ~ vornehmen, durchführen : procéder à, exécuter une livraison.
Lieferverzug *m*, **-e** : retard de livraison.
LKW *m*, **s** (**Lastkraftwagen**) : camion.
Lohn *m*, **-e** : paye, salaire.
Luftfracht *f* ∅ : fret aérien ; per ~ : par avion, par transport aérien.
Luftfrachtbrief *m*, **e** : lettre de transport aérien.
Luftpost *f*, ∅ : poste aérienne ; per ~ : par avion.
Luftpostleichtbrief *m*, **e** : aérogramme, enveloppe par avion.

M

Mahnbrief *m*, **e** ⟶ Mahnschreiben.
Mahnschreiben *n*, **-** : lettre de rappel.
Mahnung *f*, **en** ⟶ Erinnerungsschreiben.
Mangel *m*, **-** : défaut, vice ; technische Mängel : vices de fabrication, défauts techniques ; Mängel beheben : remédier à des défauts.
mangelhaft : défectueux.

Mängelrüge *f*, **n** : réclamation, plainte.
Manteltarif *m*, **e** : convention collective.
Markt *m*, **-e** : marché ; auf den ~ bringen : lancer, mettre sur le marché.
Marktführer *m*, **-** : leader, un grand du marché.
Marktpreis *m*, **e** : prix sur le marché.
Marktverhältnisse *pl* : situation du marché.
Massendrucksache *f*, **n** : imprimés en nombre.
maßgebend : valable, en vigueur.
Maßnahme *f*, **n** : mesure ; ~n treffen (ergreifen) : prendre des mesures.
Mehrkarten-Vertreter *m*, **-** : représentant multicartes.
Mehrkosten *pl* : coût supplémentaire, frais en plus, en sus.
Mehrwertsteuer *f*, **n** : taxe à la valeur ajoutée.
Menge *f*, **n** : quantité ; in großen ~n : en grande quantité, par grandes quantités.
Mengenabsatz *m*, **-e** : vente massive.
Mengenrabatt *m*, **e** : rabais de quantité, ristourne sur achat en grande quantité.
Messe *f*, **n** : foire (internationale), salon.
minder - (préfixe) : indique un manque, une quantité insuffisante, un déficit.
Minderlieferung *f*, **en** : livraison insuffisante, incomplète, manque (à la livraison).
Mindestabnahme *f*, **n** : commande minimum, minimale.
Mindestgehalt *n*, **-er** : traitement minimum.
Mindestpreis *m*, **e** : prix minimum.
Mitarbeiter *m*, **-** : collaborateur.
mit/teilen : communiquer, aviser, faire savoir.

Mittelstand *m*, ø : les PME (petites et moyennes entreprises).

mittelständisch : ~es Unternehmen : PME, moyenne entreprise.

Modell *n*, e : modèle.

Muster *n*, - : échantillon, modèle ; ~ ohne Wert : échantillon sans valeur ; nach ~ kaufen : acheter sur échantillon.

mustergetreu : conforme à l'échantillon.

Musterkollektion *f*, en : collection d'échantillons.

Mustersendung *f*, en : envoi d'échantillons.

Mustervertrag *m*, ⁻e : contrat-type.

Muttersprache *f*, n : langue maternelle.

MwSt/MWSt (Mehrwertsteuer) : T.V.A.

N

Nachbestellung *f*, en : commande supplémentaire.

Nachfrist *f*, en : délai supplémentaire.

Nachnahme : **gegen ~** : contre remboursement.

Nachnahmesendung *f*, en : envoi contre remboursement.

nach/prüfen : vérifier qqch.

Nachricht *f*, en : nouvelle ; ~ erhalten von jdm : avoir des nouvelles de qqun.

Nachsendung *f*, en : réexpédition.

nach/schicken : **Post ~** : faire suivre le courrier.

Nachschicken : **~ der Post** : réexpédition du courrier.

Nachsenden : **bitte ~** : faire suivre.

Nachsicht *f*, ø : indulgence ; jdn um ~ bitten : solliciter l'indulgence de qqun.

Nachsichtwechsel *m*, - : traite à un certain délai de vue.

nach/tragen (u, a, ä) : rajouter qqch.

Namenkonossement *n*, e : connaissement nominatif.

Nebenkosten *pl* : frais annexes.

Nettopreis *m*, e : prix net.

Neuheit *f*, en : nouveauté (sur le marché).

Nicht-Gefallen : **bei ~** : en cas de non-satisfaction.

O

offen : ouvert, non fermé ; ~e Verpackung : emballage non clos.

Offerte *f*, n : offre.

Orderkonnossement *n*, e : connaissement à ordre.

Organisationstalent *n*, e : talent d'organisation.

Ort *m*, e : localité.

Orts- und Zeitangabe *f*, n : indication de lieu et d'heure.

P

Päckchen *n*, - : petit paquet, colis.

Paket *n*, e : paquet, colis.

Paketkarte *f*, n : bulletin d'expédition (pour paquets).

Palette *f*, n : palette, éventail ; eine breitgefächerte ~ : un large éventail, une gamme étendue (d'articles).

Papiergroßhandel *m*, ø : commerce de papier de gros.

papierverarbeitend : ~e Industrie : industrie de la papeterie, de transformation du papier.

Pauschale *f*, n : forfait.

pauschalieren : évaluer forfaitairement, globaliser.

Pauschalpreis *m*, e : prix forfaitaire.

Pauschalvergütung *f*, en : rémunération forfaitaire.

Personalabteilung *f*, en : service du personnel.

Personalcomputer *m*, - : PC, ordinateur personnel.

Personalleiter *m*, - : chef du personnel.

persönlich : personnel.

Pfand *n*, ⁻er : garantie, gage.

Phantasiepreis *m*, e : prix arbitraire.

Pleite *f*, **n** : faillite ; ~ **machen, anmelden** : faire faillite, déposer son bilan.

PLZ - Gebiet *n*, **e** : secteur postal (syn. Postleitzahl).

Police *f*, **n** : police (d'assurances).

Postfach *n*, ¨**er** : boîte postale.

Postkarte *f*, **n** : carte postale.

postlagernd : poste restante.

Postleitzahl *f*, **en** (**PLZ**) : code postal.

Postscheckkonto *n*, **s/ti** : compte-chèque postal.

postwendend : par retour du courrier, dans les plus brefs délais.

ppa (**pp / per Prokuration**) : par procuration.

Praktikant *m*, **en, en** : stagiaire.

Praktikum *n*, **-ka** : stage ; **ein ~ ablegen (machen)** : faire un stage.

Praktikumsbericht *m*, **e** : rapport de stage ; **einen ~ übersenden** : adresser un rapport de stage.

Prämie *f*, **n** : prime.

Prämienabrechnung *f*, **en** : décompte des primes.

Prämientarif *m*, **e** : tarif de prime.

Preis *m*, **e** : prix ; **verbindlicher ~** : prix ferme et définitif ; **einen ~ erhöhen, senken, ändern** : augmenter, baisser, modifier un prix.

Preisermäßigung *f*, **en** : réduction, remise, ristourne, rabais.

preisgünstig ⟶ preiswert.

Preislage : **in der ~ von ... bis ...** : dans une gamme de prix comprise entre ... et ...

Preisliste *f*, **n** : liste des prix, tarif.

Preisnachlaß *m*, **ässe** ⟶ Preisermäßigung.

preiswert : avantageux, bon marché.

pro : par ; ~ **Jahr, Monat, Produkt** : par an, par mois, par produit.

Probe- (préfixe) : d'essai, à titre d'essai.

Probeauftrag *m*, ¨**e** : commande d'essai.

Probelieferung *f*, **en** : livraison (à titre) d'essai.

Probezeit *f*, **en** : période d'essai.

Produktionsstätte *f*, **n** : lieu, centre de production.

Produzent *m*, **en, en** : producteur, fabricant.

Profil : **das gewünschte ~ haben** : avoir le profil requis.

die Proforma-Rechnung *f*, **en** : facture proforma.

Prokura *f*, **en** : procuration.

Prokurist *m*, **en, en** : fondé de pouvoir.

prolongieren : prolonger, accorder une prolongation.

Prospekt *m/n*, **e** : prospectus, dépliant publicitaire.

Provision *f*, **en** : commission.

prüfen : examiner, contrôler.

Prüfung *f*, **en** : examen, contrôle.

pünktlich : ponctuel.

Q

Qualitätsnorm *f*, **en** : norme de qualité.

Quelle *f*, **n** : source ; **aus zuverlässiger ~** : de source digne de confiance, bien informée.

R

Rabatt *m*, **e** : rabais, ristourne.

Rat *m*, **-schläge** : conseil ; **jdm mit ~ und Tat beistehen** : aider, assister qqun en paroles et actes.

Ratenzahlung *f*, **en** : versement échelonné, paiement fractionné.

Raum *m*, ∅ : espace, zone, région ; **Pariser ~** : région parisienne.

Raumeinteilung *f*, **en** : disposition du texte.

Rechenfehler *m*, **-** : erreur de calcul.

Rechnung *f*, **en** : facture ; **eine unbezahlte (offene) ~** : une facture non réglée (due, impayée) : **eine ~ ausstellen, begleichen (zahlen)** : établir, régler une facture ; **etw in ~ stellen** : facturer qqch.

Rechnungsabschrift *f*, **en** : copie de la facture.

Rechnungsausstellung *f*, **en** : établissement d'une facture, facturation.

Rechnungsbetrag *m*, **¨e** : montant d'une facture : **den ~ auf ein Konto überweisen** : virer le montant d'une facture sur un compte.

Rechnungsvordruck *m*, **e** : formulaire de facture.

Rechtschutzversicherung *f*, **en** : assurance-recours.

Rechtsstreit *m*, **e** ⟶ Streitsache.

Reeder *m*, **-** : armateur, frêteur.

Reederei *f*, **en** : (société d') armement maritime, de frêtement maritime.

Referenz *f*, **en** : référence ; **als ~ anführen** : citer en référence ; **~en einholen über + A** : prendre des références sur qqun.

Regelung *f*, **en** : réglementation.

Reisespesen *pl* : frais de déplacement.

Rente *f*, **n** : 1. retraite (argent) ; 2. retraite (état de retraité) ; **in (die) ~ gehen** : prendre sa retraite.

Reservierung *f*, **en** : réservation.

Restbetrag *m*, **¨e** : solde, montant dû.

Risiko *n*, **en** : risque : **sich gegen ein ~ abdecken** : se couvrir (garantir) contre un risque.

rotumrandet : bordé de rouge.

Rückführungskosten *pl* : frais de retour (emballage, par ex.).

Rückgaberecht *n* : **~ haben** : avoir le droit de retourner la marchandise.

Rückgang *m*, **¨e** : diminution, régression.

rückgängig : **~ machen** : annuler.

Rückschein *m*, **e** : accusé, avis de réception.

Rücksendung *f*, **en** : renvoi, retour (d'un article).

Rückstand : **im ~ sein mit + D** : être en retard avec, avoir du retard dans ; **in ~ geraten (mit)** : prendre du retard (avec, sur).

rückständig : en retard.

Rückumschlag *m*, **¨e** : enveloppe-réponse.

Rückversand *m*, **∅** : retour (marchandise).

Rückzahlungsbetrag *m*, **¨e** : remboursement.

Ruf *m*, **∅** : réputation ; **einen guten ~ haben (sich eines guten ~s erfreuen)** : avoir bonne réputation.

Rufnummer *f*, **n** : numéro d'appel téléphonique.

Rundschreiben *n*, **-** : lettre circulaire.

S

Sachverhalt *m*, **e** : (jur.) les faits.

Sachverständige(r) (adj.) : expert.

Saldo *m*, **en** : solde : **einen ~ aufweisen** : présenter (accuser) un solde.

Satz *m*, **¨e** : taux, tarif.

Schaden *m*, **¨** : dégât, dommage : **einen ~ verursachen** : causer un dommage : **einen ~ beheben** : réparer un dommage.

Schadenersatz *m*, **∅** : réparation civile (d'un dommage) ; **~ fordern** : exiger des dommages et intérêts.

Schadenersatzanspruch *m*, **¨e** : droit à dédommagement, à dommages et intérêts.

Schadensfall *m*, **¨e** : sinistre ; **einen ~ melden** : déclarer un sinistre.

schätzen : évaluer, estimer.

Schau *f*, **en** : revue, présentation.

Schaufenster *n*, **-** : étalage, vitrine.

Scheck *m*, **s** : chèque : **einen ~ über ... ausstellen** : établir un chèque de ; **per ... zahlen** : payer par chèque.

Schiedsgericht *n*, **e** : tribunal arbitral.

Schleuderpreis *m*, **e** : prix sacrifié.

schmuggeln : faire de la contrebande.

Schmuggler *m*, **-** : contrebandier.

Schnellpaket *n*, **e** : colis exprès.

schnellstens : ⟨... les plus brefs ⟨...

Schreiben *n*, **-** : lettre ⟨...⟩.

Schreibkraft *f*, **¨e** : dactylo(gra...

Schreibwaren *pl* : articles de papeterie.

Schriftform : der ~ bedürfen :
devoir faire l'objet d'un nouveau
contrat, devoir être fait par écrit.

Schriftverkehr *m*, ∅ : correspondance commerciale : privater,
geschäftlicher, dienstlicher ~ :
correspondance privée, d'affaires,
administrative : mit jdm eine ~
führen : entretenir une correspondance avec qqun.

Schulbildung *f*, ∅ : études secondaires.

Schuld *f*, **en** : dette ; bei jdm ~en
haben : avoir des dettes envers
qqun.

Schuldner *m*, **-** : débiteur ; säumi-
ger ~ : mauvais payeur.

schützen (vor) : protéger, mettre
à l'abri de ; vor Hitze, vor Nässe
~ : tenir à l'abri de la chaleur,
de l'humidité.

Schwierigkeit *f*, **en** : finanzielle
~en haben : connaître (avoir) des
difficultés financières.

Seefracht *f*, ∅ : fret maritime.

Seetransport *m*, **e** : transport maritime, par mer.

Seite *f*, **n** : (jur.) partie, côté.

selbständig : indépendant.

Service *m/n*, ∅ : service après-
vente.

setzen : ~ auf + A : 1. évaluer
à, estimer à ; 2. miser sur.

Sicherheit *f*, **en** : 1. sécurité ; 2.
garantie ; ~en stellen : prendre
des garanties.

Sicht : bei ~ : à vue.

Sichttratte *f*, **n** : traite à vue.

Skonto *n*, **s/ti** : escompte ; 3 %
~ bei Barzahlung : 3 % d'escompte pour paiement comptant.

sofort : immédiatement.

Software *f*, ∅ : logiciel, software.

Sonderangebot *n*, **e** : offre spé-
⟨...⟩e.

sorg⟨...⟩is *m*, **e** : prix promotion-
ment.

Sortiment *n*, **e** ⟨t⟩arif spécial.
ment, choix de ; re⟨...⟩
riche assortiment, vaste ⟨...⟩
ein ~ erweitern : enrichir, éla⟨...⟩
un assortiment.

Sozialversicherung *f*, **en** : assurance sociale.

Spediteur *m*, **e** : commissionnaire
de transport, transporteur.

Spedition *f*, **en** : expédition, commission de transport, service des
expéditions.

Speditionsfirma *f*, **en** : messagerie, entreprise de transport.

Spesen *pl* : frais, dépenses,
débours.

Spesenabrechnung *f*, **en** : dépenses engagées.

Staatsangehörigkeit *f*, **en** : nationalité.

Stammkundschaft *f*, **(en)** : clientèle attitrée, fidélisée.

Stand *m*, **¨e** : stand (foire) ; mit
einem ~ vertreten sein : être
représenté à une foire.

statt/finden (a, u) : avoir lieu.

statt/geben (a, e, i) : donner suite
à.

Steckenpferd *n*, **e** : hobby, dada,
passe-temps favori.

steigen (ie, ie, ist) : monter, augmenter, s'élever.

steigern (+ A) : augmenter, faire
progresser, relever.

Stelle *f*, **n** : place, poste, emploi ;
die ~ wechseln : changer
d'emploi, de place.

Stellenangebot *n*, **e** : offre d'emploi.

Stellenanzeige *f*, **n** : offre d'emploi.

Stellengesuch *n*, **e** : demande
d'emploi.

Stellensuchende(r) ~ ...on deur d'empl~: taxe.

Stellung~ ~e : taux d'imposi~.

~ **~nweigend** : ~e **Verlänge-rung** : reconduction tacite.

stornieren : 1. annuler (com-mande) ; 2. contrepasser (comp-tabilité) ; 3. ristourner (assurance).

Straßengüterverkehr *m*, ∅ : transport routier.

Streifband *n*, ¨er : bande (qui entoure le courrier) ; **unter ~** : sous bande.

Streik *m*, **s** : grève.

Streitfall *m*, ¨e **—→** Streitsache.

Streitsache *f*, **n** : litige.

Streitwert *m*, **e** : valeur faisant l'objet du litige.

Stück *n*, **e**/∅ : unité, pièce ; 200 Stück : 200 unités.

Stückgut *n*, ¨er : colis de détail.

stunden : ajourner, reporter, sur-seoir, proroger, accorder un délai de paiement.

Stundung *f*, **en** : sursis, ajourne-ment.

T

tabellarisch : synoptique (sous forme de tableau).

Tag der offenen Tür : journée por-tes ouvertes.

Tagwechsel *m*, **-** : lettre à jour fixe.

tätig : **~ sein** : travailler, être actif.

Tätigkeit *f*, **en** : activité.

Tatsache *f*, **n** : fait ; **die ~ daß** : le fait que ...

Teilkaskoversicherung *f*, **en** : assurance au tiers.

Teillieferung *f*, **en** : livraison par-tielle.

Teilverpfändung *f*, **en** : nantisse-ment partiel.

Teilzahlung *f*, **en** : paiement par-tiel, fractionné, accompte.

~ **~mm** *n*, **e** : télégramme ; **ein** ~ **nach Bonn schicken** : envoyer un télégramme à Bonn ; **ein ~ aufgeben** : expédier un télé-gramme.

telexen (nach) : envoyer un télex (à).

Termin *m*, **e** : date, terme, échéance, délai, rendez-vous ; **einen ~ einhalten, vereinbaren** : respecter, fixer une date, un rendez-vous.

termingerecht : dans les délais convenus (impartis), à la date convenue.

Textverarbeitung *f*, ∅ : traitement de texte.

Transitspediteur *m*, **e** **—→** Trans-porthändler.

Transport *m*, **e** **—→** Beförderung.

Transporthändler *m*, **-** : transpor-teur, commissionnaire de trans-port.

transportieren **—→** befördern.

Trassant *m*, **en**, **en** : tireur.

Trassat *m*, **en**, **en** : tiré.

Tratte *f*, **n** : traite, lettre de change.

U

u.a. (**unter anderem/anderen**) : entre autre(s).

Überbringer *m*, **-** : porteur.

überfällig (sein) : être en souf-france, en retard.

überhäuft : **mit etw ~ sein** : être surchargé de ...

Übernahmesatz *m*, ¨e : tarif forfai-taire (transport).

übernehmen (a, o, i) : prendre, assumer, se charger de ; **die Verantwortung ~** : assumer, prendre la responsabilité.

Überprüfung *f*, **en** : vérification, contrôle.

übersenden (a, a) : adresser, envoyer, expédier.

übertragen (u, a, ä) : **jdm etw ~** : remettre, confier qqch à qqun.

überweisen (ie, ie) : virer (somme).

Überweisung *f*, **en (auf + A)** : virement (sur).

überzeugen : **sich ~ von + D** : se convaincre (par soi-même) de qqch.

üblich : habituel(le), habituellement, d'usage.

umgehend : immédiatement, dès que possible, par retour du courrier.

Umhüllung *f*, **en** : **offene ~** : emballage non clos.

Umsatz *m*, **¨e** : chiffre d'affaires (C.A.) ; **einen ~ erzielen** : réaliser un C.A. ; **den ~ steigern** : augmenter le C.A.

Umsatzsteigerung *f*, **en** : augmentation du chiffre d'affaires.

Umschlag *m*, **¨e** : enveloppe.

Umtausch *m*, **∅** : échange ; **vom ~ ausgeschlossen sein** : (n'être) ni repris ni échangé.

um/tauschen : échanger (article).

unangemessen : non conforme.

Unannehmlichkeiten *pl* : **jdm ~ bereiten** : causer des désagréments à qqun.

unbestätigt : non confirmé.

unentgeltlich : gratuit(ement).

Unfallversicherung *f*, **en** : assurance-accident.

Ungunsten : **zu unseren ~** : en notre défaveur.

Universitätsstudium *n*, **-ien** : études supérieures.

Unkosten *pl* : (faux) frais, dépenses.

unsachgemäß : incorrect.

unterbreiten : soumettre (offre).

unterhalten (ie, a, ä) : entretenir.

Unterkunft *f*, **¨e** : logement.

Unterlagen *pl* : documents, pièces justificatives.

unterlaufen (ie, au, ist) : se glisser, être commis (erreur).

unterliegen (a, e) (+ D) : être soumis à.

unternehmen (a, o, i) : entreprendre.

Unternehmen *n*, **-** : entreprise.

unterschreiben (ie, ie) : signer.

Unterschrift *f*, **en** : signature.

Untersuchung *f*, **en** : enquête.

Untervertreter *m*, **-** : représentant adjoint.

unterworfen : **einer Sache ~ sein** : être soumis à.

unterzeichnen : signer.

Unterzeichner *m*, **-** : signataire ; **Ich, der ~ ...** : Je soussigné ...

unverändert : inchangé.

unverkäuflich : invendable.

unverpackt : sans emballage, non emballé.

unverzollt : non dédouané, en franchise de douane, en douane due.

unwiderruflich : irrévocable ; **~es Akkreditiv** : crédit documentaire irrévocable.

Unzustellbarkeit : **bei ~** : en cas de non-remise du courrier.

Urlaub *m*, **e** : congé, vacances ; **bezahlter ~** : congé payé.

Ursprungsbescheinigung *f*, **en** : certificat d'origine.

Ursprungsbezeichnung *f*, **en** : désignation d'origine.

Ursprungszeugnis *n*, **se** : certificat d'origine.

V

veranlassen : faire le nécessaire pour que.

Veranstaltung *f*, **en** : manifestation.

Verantwortung *f*, **en** : responsabilité ; **die ~ für etw übernehmen** : assumer, prendre la responsabilité de.

Verarbeitung *f*, **en** : finition.

Verbindlichkeiten *pl* : obligations, engagements, dettes.

Verbindung *f*, **en** : liaison, relation, communication ; **sich mit jdm in ~ setzen** : se mettre en contact, en rapport avec qqun.

verderblich : périssable.

verdoppeln : doubler.

verdreifachen : tripler.

vereinbaren : convenir de qqch. ; **die ~te Frist** : la date, le délai convenu(e).

vereinheitlichen : harmoniser.

Verfall : **bei** ~ : à échéance.

verfassen : rédiger.

verfrachten : fréter, charger.

Verfrachtung *f*, **en** : frètement, chargement.

verfügen über + A : disposer de, avoir à sa disposition.

Verfügung : **jdm zur** ~ **stehen** : être à la disposition de qqun ; **jdm etw zur** ~ **stellen** : mettre à la disposition de qqun.

vergüten : 1. rémunérer ; 2. **einen Schaden** ~ : dédommager, indemniser d'un dommage.

Vergütung *f*, **en** : rémunération, rétribution.

Verhältnis : **im** ~ **zu etw stehen** : être en proportion de, dans le juste rapport avec.

verhandeln : **eine Sache vor Gericht** ~ : porter une affaire devant les tribunaux.

verhandlungsgewandt : habile négociateur, qui a le sens de la négociation.

verheiratet : marié.

Verkehr *m*, ⌀ : trafic, circulation.

verklagen : **jdn auf Schadenersatz** ~ : poursuivre qqun en dommages et intérêts, intenter une action en dommages et intérêts.

Verladekosten *pl* : frais, coût de manutention, de chargement.

verladen (u, a, ä) : charger, expédier.

Verladeort *m*, **e** : lieu de chargement, d'embarquement.

Verlader *m*, **-** : expéditeur, chargeur.

Verladetermin *m*, **e** : date de chargement.

Verladung *f*, **en** : chargement, expédition.

verlängern : (traite) proroger, prolonger.

Verlust *m*, **e** : perte ; **jdm** ~**e**

verursachen : causer des pertes à qqun.

vermarkten : commercialiser.

Vermerk *m*, **e** : mention spéciale.

Vermögenslage *f*, **n** : situation financière.

verpacken : emballer, conditionner ; ~**t** : emballé.

Verpackung *f*, **en** : emballage, conditionnement ; **flexible, mangelhafte, sach-, unsachgemäße** ~ : emballage souple, défectueux, correct, incorrect (inadéquat).

Verpackungsmittel *n*, **-** : emballage.

verpfänden : mettre en gage, donner en nantissement.

Verpfändung *f*, **en** : mise en gage, nantissement.

Verpfändungsurkunde *f*, **n** : titre de gage.

Verpflegung *f*, **en** : nourriture (frais de), restauration.

Verpflegungskosten *pl* : frais de restauration.

verpflichten : **sich** ~ : s'engager à.

Verpflichtungen *pl* : engagements : **seinen** ~ **nachkommen** : faire face à, honorer ses engagements.

Verrechnungsscheck *m*, **s** : chèque à porter en compte.

verrichten : **eine Arbeit** ~ : faire, exécuter un travail.

Versand *m*, ⌀ : envoi, expédition ; **einen** ~ **anzeigen** : aviser d'une expédition.

Versandabteilung *f*, **en** : service des expéditions.

Versandanzeige *f*, **n** : avis d'expédition.

Versandart *f*, **en** : mode d'expédition.

versandbereit : prêt à être expédié.

Versandbescheinigung *f*, **en** ⟶ Versandanzeige.

Versanddokument *n*, **e** : document d'expédition.

Versandgeschäft *n*, **e** : 1. magasin de vente par correspondance ; 2. ventes (réalisées) par correspondance.

Versandhandel *m*, ∅ : vente par correspondance.

Versandkosten *pl* : frais d'envoi.

Versandort *m*, **e** : lieu d'expédition.

Versandpapiere *pl* : documents d'expédition.

Versandtermin *m*, **e** : date d'expédition.

verschicken : expédier, envoyer.

verschiffen : transporter par voie maritime, embarquer, expédier par mer (bateau).

Verschiffungshafen *m*, ⁻e : port d'embarquement.

Verschuldung *f*, **en** : endettement.

Verschwiegenheit *f*, ∅ : discrétion.

Versehen *n*, **-** : méprise.

versenden (a, a) : expédier.

Versender *m*, **-** : expéditeur.

Versendung *f*, **en** ⟶ Versand.

Versicherer *m*, **-** : assureur.

versichern (sich) : s'assurer, prendre une assurance (contre).

Versicherte(r) (adj.) : assuré.

Versicherung *f*, **en** : assurance : eine ~ **abschließen** : souscrire une assurance.

Versicherungsanspruch : einen ~ **geltend machen** : faire valoir ses droits.

Versicherungsgeber *m*, **-** ⟶

Versicherungsgesellschaft *f*, **en** : compagnie d'assurances.

Versicherungsnehmer *m*, **-** : assuré.

Versicherungspolice *f*, **n** : police d'assurance.

Versicherungsträger *m*, **-** ⟶ Versicherungsgesellschaft.

Versicherungsvertrag *m*, ⁻e : contrat d'assurances.

Versicherungswert *m*, **e** : valeur assurée.

Versicherungswesen *n*, ∅ : les assurances.

versiegeln : cacheter, apposer un cachet.

verspätet : en retard.

Verständnis *n*, ∅ : compréhension ; ~ **aufbringen für** : manifester de la compréhension pour ; jdn um ~ **bitten** : solliciter la compréhension de qqun.

Verstärkung *f*, **en** : renforcement, consolidation.

versteuert : droits de timbre payés, taxe acquittée.

Vertrag *m*, ⁻e : contrat ; einen ~ **(ab)schließen** : conclure, passer, signer un contrat.

Vertragsänderung *f*, **en** : modification de contrat.

Vertragshändler *m*, **-** : concessionnaire.

Vertragspartner *m*, **-** : partie contractante.

Vertragstext *m*, **e** : texte du contrat.

Vertrauen *n*, ∅ : confiance ; jdm ~ **sein** : honorer qqun de sa confiance ; jdm ~ **schenken** : accorder la confiance à qqun.

Vertrauensperson *f*, **en** : personne de confiance.

vertraulich : confidentiel ; **streng** ~ : strictement confidentiel ; etw ~ **behandeln** : faire un usage discret de qqch.

vertraut : sich mit + D ~ **machen** : se familiariser avec.

vertreiben (ie, ie) : commercialiser, distribuer.

vertreten (a, e, i) : représenter, faire fonction de.

Vertreter *m*, **-** : représentant, VRP, agent.

Vertreternetz *n*, **e** : réseau de représentants.

Vertretung *f*, **en** : représentation.

Vertretungsangebot *n*, **e** : offre de représentation.

Vertretungsbesuch *m*, **e** : visite de représentant ; einen ~ **ankündigen, absagen** : annoncer, décommander la visite d'un représentant.

Vertretungsgesuch *n*, **e** : demande de représentation.

Vertriebsagentur *f*, **en** : agence de distribution.

Vertriebsgesellschaft *f*, **en** : société de distribution.

Vertriebskette *f*, **n** : chaîne de distribution.

Vertriebsprogramm *n*, **e** : programme de distribution.

vervielfältigen : ronéot(yp)er, reprographier.

Vervielfältigung *f*, **en** : (corr.) lettre ronéotypée.

verweisen (ie, ie) : jdn ~ an + A : renvoyer qqun à (qqun d'autre).

verwenden (a, a) : utiliser, employer.

Verwendung *f*, **(en)** : emploi, utilisation.

verwitwet : veuf, veuve.

Verzeichnis *n*, **se** : liste, relevé, registre.

verzögern : retarder ; sich ~ : prendre, avoir du retard, être en retard.

Verzögerung *f*, **en** : retard.

verzollen : déclarer en douane ; ~t : dédouané.

Verzollung *f*, **en** : dédouanement.

Verzug *m*, **¨e** : retard ; mit einer Sache in ~ geraten : prendre du retard avec qqch.

vielversprechend : prometteur, d'avenir.

Vierteljahr *n*, **e** : trimestre.

Vierteljahrsabonnement *n*, **s** : abonnement trimestriel.

Vollkaskoversicherung *f*, **en** : assurance tous risques.

Vollmacht *f*, **en** : procuration, pouvoir ; jdm eine ~ geben (erteilen) : donner procuration à qqun.

Vollmachtgeber *m*, **-** : mandant.

Vorauskasse *f*, ∅ : versement par anticipation, anticipé.

Voraussetzungen : **die gewünschten** ~ : les conditions requises, demandées ; **die** ~ **erfüllen** : remplir les, satisfaire aux conditions.

Vorauszahlung *f*, **en** : paiement d'avance, anticipé.

vorbehalten : sich etw ~ : se réserver le droit de.

Vordruck *m*, **e** : formule, formulaire pré-imprimé.

Vorführung *f*, **en** : présentation.

Vorkasse *f*, ∅ : paiement d'avance.

vor/legen : présenter (facture, chèque).

vor/nehmen (a, o, i) : etw ~ : procéder à.

Vorrat *m*, **¨e** : stock, réserves ; **solange der** ~ **reicht** : jusqu'à épuisement des stocks ; ~ **¨e ausverkauft** : en rupture de stocks, stocks épuisés.

Vorschlag *m*, **¨e** : proposition.

vor/schlagen (u, a, ä) : proposer.

Vorschriften *pl* : réglementation, règlement, directives.

vorschriftsmäßig : réglementaire, conforme (à la législation en vigueur).

Vorsicht *f*, ∅ : prudence ; **zur** ~ **raten** : conseiller la prudence.

Vorsichtsmarkierung *f*, **en** : marque de précaution à prendre, pictogramme de sécurité.

vor/stellen : sich bei jdm ~ : se présenter à qqun.

Vorstellungsgespräch *n*, **e** : entretien (d'embauche, de présentation).

Vorzugszoll *m*, **¨e** : droit de douane préférentiel.

W

Währung *f*, **en** : monnaie.

Ware *f*, **n** : marchandise.

Warenbestände *pl* → Warenlager.

Warenbezeichnung *f*, **en** : désignation de la marchandise.

Warenlager *n*, **-** : stock de marchandises.

Warenpalette *f*, **n** : gamme, palette d'articles, de marchandises.

Warenprobe *f*, **n** : échantillon de marchandises.

Wechsel *m*, **- :** traite, lettre de change : auf jdn einen ~ über ... ziehen : tirer une traite de ... sur qqun.

Wechselakzept *n*, **e** : acceptation de traite, traite acceptée.

Weihnachtsgeschäft *n*, **e** : affaires traitées durant la période de Noël.

weiter/befördern : réexpédier.

weiter/bilden : sich ~ : se recycler, suivre des cours de formation permanente.

Weiterbildung *f*, **en** : formation permanente, continue.

weiter/geben (a, e, i) : einen Wechsel als Zahlungsmittel ~ : endosser une traite à l'ordre de qqun.

weiter/leiten : transmettre à, réexpédier.

wenden (a, a) : sich ~ an + A : s'adresser à qqun.

Werbe- (préfixe) : publicitaire, de publicité.

Werbeantwort *f*, **en** : courrier-réponse publicitaire.

Werbebrief *m*, **e** : lettre publicitaire.

Werbegeschenk *n*, **e** : cadeau publicitaire.

Werbesendung *f*, **en** : envoi publicitaire.

Werbung *f*, **en** : publicité.

Werbungskosten *pl* : 1. frais professionnels ; 2. (rare) frais de publicité.

Werdegang *m*, **¨e** : carrière (professionnelle).

Werktag *m*, **e** : jour ouvrable.

Wert *m*, **e** : valeur ; im ~ von : pour une valeur de ; à concurrence de.

Wertangabe *f*, **n** : déclaration, indication de valeur.

Wertgegenstand *m*, **¨e** : objet de valeur.

Wertminderung *f*, **en** : diminution de valeur, dévalorisation, moins-value.

Wertobjekt *n*, **e** : objet de valeur.

Wertpapier *n*, **e** : valeur (mobilière), titre.

Wettbewerb *m*, **∅** : concurrence.

wettbewerbsfähig : compétitif.

Widerruf *m*, **∅** : annulation.

widerrufen (ie, u) : annuler, révoquer.

Wiederaufbereitungsanlage *f*, **n** : usine de retraitement.

wiegen (o, o) : peser.

Wirtschaftlichkeit *f*, **∅** : rentabilité.

wohlwollend : etw ~ prüfen : examiner qqch avec bienveillance.

Wohnsitz *m*, **e** : domicile ; mit ~ in : domicilé à.

Wort *n*, **e** : parole ; in ~en : en toutes lettres.

Wortlaut *m*, **∅** : termes, intitulé (d'un contrat).

Wurfsendung *f*, **en** : envoi publicitaire collectif.

Z

zahlen : payer ; bar, per Scheck, im voraus ~ : payer comptant, par chèque, à l'avance.

Zahlkarte *f*, **n** : mandat-carte.

Zahlung *f*, **en** : paiement, versement ; eine ~ fordern, leisten, einstellen : exiger, effectuer, suspendre un paiement ; gegen ~ : moyennant paiement.

Zahlungsaufschub *m*, **¨e** : sursis, délai de paiement.

Zahlungsbedingungen *pl* : conditions de paiement.

Zahlungserinnerung *f*, **en** : rappel de paiement.

zahlungsfähig : solvable.

zahlungsunfähig : insolvable.

Zahlungsverkehr *m*, **∅** : paiements, opérations de paiement.

Zahlungsverpflichtungen *pl* : seinen ~ nach/kommen : satisfaire à, honorer ses engagements de paiement.

Zahlungsverzug *m*, ¨e : retard de paiement.

Zahlungsweise *f*, **n** : mode de paiement.

Zahlungsziel *n*, **e** : délai de paiement.

Zeichen (Ihre/Unsere ~) : Votre/Notre référence.

Zeile *f*, **n** : ligne.

Zeitarbeit *f*, **en** : travail intérimaire, temporaire.

Zeitbeschäftigte(r) (adj.) : (travailleur) intérimaire, employé intérimaire.

Zeitbeschäftigung *f*, **en** : emploi temporaire, travail intérimaire.

Zeitsichtwechsel *m*, - : traite payable à un certain délai de vue.

Zeitungsverlag *m*, **e** : éditeur d'un journal.

zerbrechlich : fragile.

Zeugnis *n*, **se** : certificat ; ein ~ über + A ausstellen : établir un certificat (sur, à propos de, attestant de).

Ziel *n* : 30 Tage ~ : à 30 jours.

Zinsen *pl* : intérêts.

Zoll *m* : 1. ∅ douane, service de douane ; 2. ¨e : droit de douane ; die ~¨e senken, abschaffen : abaisser, supprimer les droits de douane.

Zollabfertigung *f*, **en** : procédures douanières ; dédouanement.

Zollagerung *f*, **en** : entrepôt sous douane.

Zollamt *n*, ¨er : bureau de douane, poste douanier.

zollamtlich : douanier, par la douane.

Zollanmeldung *f*, **en** : déclaration de douane.

Zollbeamte(r) (adj.) : douanier.

Zollbegleitscheinheft *n*, **e** : carnet T.I.R., carnet d'accompagnement douanier.

Zollbehörde *f*, **n** : autorités douanières, administration des douanes.

Zollbürgschaft *f*, **en** : caution douanière.

Zolldienststelle *f*, n ⟶ Zollamt.

Zollfahnder *m*, - : inspecteur, enquêteur des douanes.

Zollfahndung *f*, **en** : police, inspection des douanes.

Zollfaktura *f*, **en** : facture douanière.

zollfrei : exonéré de droits de douane.

Zollgebühr *f*, **en** : droit de douane.

Zollgesetz *n*, **e** : législation douanière.

Zollgesetzgebung *f*, **en** : législation douanière.

Zollgestellung *f*, **en** : présentation en douane.

Zollgrenzstelle *f*, **n** : passage de douane.

Zollgut *n*, ¨er : marchandise en douane due (non dédouanée).

Zoll(inhalts)erklärung *f*, **en** : déclaration de/en douane.

Zollinspektor *m*, **en** : inspecteur des douanes.

Zollkaution *f*, **en** : caution douanière.

Zollkontrolle *f*, **n** : contrôle douanier.

Zöllner *m*, - ⟶ Zollbeamte(r).

zollpflichtig : soumis à la douane, passible de droits de douane, taxable.

Zollquittung *f*, **en** : quittance de douane.

Zollübergang *m*, ¨e ⟶ Zollgrenzstelle.

Zollverfahren *n*, ∅ : procédure douanière.

Zollvergehen *n*, - : infraction douanière.

Zollverschluß *m*, ¨sse : plombage, scellement douanier.

Zollverwaltung *f*, **en** : administration des douanes.

Zollvorschrift *f*, **en** : règlement douanier, réglementation douanière.

Zollzettel *m*, **-** : papillon de déclaration en douane.

Zubehör *n*, **e** : accessoires.

zufrieden/stellen : jdn ~ : satisfaire qqun.

zugeschnitten : ~ auf + A : adapté à, taillé sur mesure pour ...

zu Händen (z. Hd.) von : à l'attention de, aux bons soins de.

zu/kommen (lassen) : faire parvenir, adresser, envoyer.

Zulieferindustrie *f*, **n** : industrie de sous-traitance.

zurück/erstatten ⟶ zurückzahlen.

zurück/führen (auf + A) : attribuer à ; ist auf + A zurückzuführen : est dû à.

Zurücknahme *f*, **n** : reprise.

zurück/nehmen (a, o, i) : reprendre (un article).

zurück/zahlen : rembourser.

Zusage *f*, **n** : promesse.

Zusammenarbeit *f*, ∅ : collaboration.

Zusatz- (préfixe) : supplémentaire.

Zusatzgarantie *f*, **n** : garantie complémentaire.

Zusatzkosten *pl* ⟶ Mehrkosten.

zu/schicken ⟶ zusenden.

zu/senden (a, a,) (jdm etw ~) : envoyer, expédier.

Zusendung *f*, **en** : envoi, expédition.

zuständig (für) : compétent (pour, en matière de).

Zuständigkeit *f*, **en** : compétence.

zu/stellen ⟶ liefern.

Zustellpostamt *n*, **̈er** : bureau (postal) distributeur.

zuverlässig : fiable, digne de confiance.

Zuverlässigkeit *f*, ∅ : fiabilité, solidité, sécurité de fonctionnement.

zuzüglich : plus, en sus, en rajoutant.

zwecks + G : en vue de, aux fins de, dans le but de.

zweifeln an + D : douter de.

Zweiggeschäft *n*, **e** ⟶ Zweigstelle.

Zweigstelle *f*, **n** : filiale, succursale.

zweisprachig : bilingue.

zwingen (a, u) : contraindre, forcer ; sich gezwungen sehen ... : se voir contraint ...

Zwischenfall *m*, **̈e** : incident.

IMPRIMÉ EN FRANCE PAR BRODARD ET TAUPIN
Usine de La Flèche (Sarthe), le 15-03-1989.
6680A-5 - Dépôt légal : mars 1989.

PRESSES POCKET - 8, rue Garancière - 75006 Paris
Tél. 46.34.12.80

Allemand

40 Leçons

**Initiation : pour débuter
ou tout revoir**

PRESSES ◆ POCKET

Allemand

Dictionnaire
économique,
commercial
& financier

ALLEMAND - FRANÇAIS

FRANÇAIS - ALLEMAND

PRESSES POCKET

Allemand

Économique & Commercial

**20 dossiers bilingues
pour maîtriser
la langue des affaires.**

PRESSES ◆ POCKET

PRATIQUER L'ALLEMAND

UN PASSEPORT POUR L'ALLEMAGNE

LES LANGUES
POUR TOUS

Allemand

Score

**200 tests :
pour évaluer et améliorer
votre niveau.**

PRESSES ◆ POCKET

Bilingue

Nouvelles allemandes d'aujourd'hui

**HEINRICH BÖLL - GÜNTER GRASS - GUSTAV ERNST
JOHANN PETER HEBEL - HEINER MÜLLER
ANNA SEGHERS - ARNOLD ZWEIG - KURT TUCHOLSKY**

Mein Rhein ist der, den ich aus meiner frühesten Kindheit kenne: ein dunkler, schwermütiger Fluß, den ich fürchtete und liebte; drei Minuten

Mon Rhin à moi, c'est celui que je connais depuis ma plus tendre enfance; un fleuve sombre et mélancolique que je craignais et aimais. Je

Presses ▼ Pocket